Jan Mårtenson
Mord på Mauritius

Jan Mårtenson

MORD PÅ MAURITIUS

Detektivroman

WAHLSTRÖM & WIDSTRAND

Prolog

– Du ser ut som en Rhodesian ridgeback.
– En Rhodesian ridgeback? Vad menar du?
Hon log där hon låg bredvid honom i den breda sängen.
– Vad jag säger. Det är en hund. En afrikansk hund.
– Att jag ser ut som en afrikansk hund? Nu får du skärpa dig.
– Det är tänkt som en komplimang. En ridgeback är en lejonhund. Oerhört modig och hård när det behövs. Dom används för att jaga lejon med. Och den är korthårig, gyllenbrun med en ragg som alltid står upp längs ryggen.
– Och det skulle vara jag? En lejonhund med ståpäls? Bättre komplimanger har jag fått.
– Det tvivlar jag inte ett ögonblick på. Jag menar bara att ditt hår har samma färg. Gyllengult som stöter i brunt.
– Om du tvunget ska ge komplimanger så föredrar jag diamanter och rosor. Hår som en hund!
– Fast man ser att det är påbättrat. Rötterna är svarta.
Hon satte sig upp, sträckte handen mot nattygsbordet och tog en cigarrett ur det halvöppna paketet.
– Låt bli det där. Du får dålig andedräkt och sen dör du i lungcancer.
– Det vore väl bra. Hon log igen och tände cigarretten med den förgyllda bordständaren. Den vita lågan lyste upp rummet för ett ögonblick, glimmade till i den stora spegeln mitt emot sängen. Då slipper du mig.
– Det skulle jag aldrig klara, sa han, allvarlig nu. Jag är fullkomligt lost och det vet du. Det är därför jag djävlas med

5

dig, provocerar dig. Vill få dig att reagera.

– Då får jag vara glad att du håller dig till min hårfärg. Hon blåste ett moln av vit cigarrettrök mot honom. Han hostade, gick upp och öppnade demonstrativt fönstret. Så satte han sig på sängkanten bredvid henne.

– När träffades vi egentligen första gången?

– Hurså?

– Du är på nåt sätt så överväldigande. Dominerar mig så totalt att jag knappt kan tänka på att du inte alltid har funnits. Du raderade ut allting annat. Allt gammalt blev blankt, borta.

Hon lade ifrån sig cigarretten i det stora askfatet i glas, drog honom mot sig, kysste honom.

Han gled ner i sängen bredvid henne, kände hennes tunga i sin mun, kysste henne, kysste.

Efteråt låg han på rygg och såg upp i taket. Länge låg de tysta. Hon så stilla att han trodde hon somnat. Därute började det ljusna, fåglar hördes. Han log.

– Vad ler du åt?

Hon låg med huvudet i handen, stödde sig på armbågen, kisade mot honom genom röken från en ny cigarrett.

– Åt dig. Att jag tänker på hur mycket jag älskar dig, hur mycket du betyder.

– Gör inte det, sa hon allvarligt och strök med pekfingret över hans mun. Gör inte det.

– Varför inte? Det är en mänsklig rättighet. Tankefrihet och yttrandefrihet. Jag kan älska vem fan jag vill utan att du ska lägga dig i det.

– Jag är inte någons mänskliga rättighet. Jag är min och ingen annans.

– Jag vet det.

– Du vet också hur jag har det.

– Tyvärr. Du är som om du kom ur en gammal 1800-tals-roman.

– Hur menar du?

– Ung, nåja, men nästan. Vacker. En "femme fatale". Fast i senare upplagor kallas det "scandal beauty".

– Idag är du på hugget. Först är jag en afrikansk lejonhund

sen en femme fatale. Vad har du mera på hyllan?

– Min kärlek. Skämtet i rösten var borta nu. Min kärlek.

Hon såg tyst på honom. Det mörka, kortklippta håret. Den veka munnen och de grå, allvarliga ögonen med solrynkor runt. Han borde ha på mer solcrème, tänkte hon. Gick han på solarium?

Hon älskade honom, som om inte livet var nog komplicerat. Han hade kanske rätt, hon var en femme fatale. Inte med någon avsikt, hon kunde bara inte hjälpa det. Var alldeles för emotionell. Förälskade sig alldeles för lätt. Problemet var bara att männen tog det för allvarligt. Inbillade sig för mycket. Insåg inte att en kvinna kunde göra som en man. Ta för sig. Nu var det inte 1800-talsromanernas tid.

– Det finns ett annat uttryck som menar samma sak, sa han. A lady with a fragile reputation.

– Nu tar du väl i. Du får mig att verka som nån sorts lyxfnask.

Är du inte det då, tänkte han. Han såg på henne. De stora ögonen, den fasta, raka blicken som gick som en spik genom honom. Den sensuella munnen över de vita tänderna som när hon log kunde påminna om ett rovdjurs. Grymt, beslutsamt och utan empati.

Är du inte det då, tänkte han. Hennes väg var kantad av tomma plånböcker och krossade hjärtan hade någon sagt till honom en gång, innan han blivit förälskad i henne. Förälskad förresten. Vad var det för djävla kliché. Han var inte förälskad. Han var uppfylld, besatt. Hon fanns i honom, med honom. Han kunde inte göra sig fri. Det var för sent. Ungefär som att drunkna. Han hade gett upp, låtit sig sjunka ner i henne, blundat för omvärlden, låtit allting gå.

– Älskar du mig?

Hon vände sig mot nattygsbordet, släckte cigarretten mot askfatets botten.

– Se på mig, sa hon sedan, tog hans huvud mellan sina händer. Du är underbar. Jag har aldrig träffat en man som du. Intelligent, begåvad. Men du vet hur jag har det.

– Jag vet, han nickade. Jag vet hur du har det. Du lever i en triangel.

Undrande såg hon på honom.

−*Du står mitt emellan två av oss. Förresten kanske det är en kvadrat. Kanske vi är fyra. Eller flera. Vad heter det sen? Romb eller kub? Geometri var mitt sämsta ämne. Men triangeldrama låter bättre än rombdrama. Han log. Finns det förresten som uttryck? Det är så mycket jag inte vet om dig och inte vill veta heller. Men du måste nånstans välja. Och jag kan vänta.*

−*Kan du? Hon kysste honom, men lätt den här gången. Ömt, lät bara sina läppar snudda vid hans. Mitt problem är bara att jag är så emotionell. Blir carried away.*

−*Sen kommer eftertankens kranka blekhet menar du?*

−*Kanske.*

−*Och nu har du blivit carried away med mig och fått kalla fötter?*

−*Säg inte så. Men du måste ge mig tid.*

−*Sjuttonåriga flickor har råd att vara emotionella, att bli carried away. Men det var ju ett tag sen du var sjutton.*

−*Det har du rätt i. Det har jag faktiskt aldrig tänkt på. Hon kysste honom igen. Jag kommer ihåg första gången jag såg dig förresten.*

− *Gör du? Det var lika kärt som oväntat.*

− *Så där säger du jämt. Lär dig nya fraser.*

− *Var sågs vi nånstans då?*

− *Du först. När såg du mig första gången?*

− *Inte i verkligheten faktiskt.*

− *Inte? Drömde du?*

−*Mardrömmar i så fall. Nej det var i nån pigtidning. Svensk Damtidning kanske.*

− *Och sånt läser du?*

−*Hos frisören. Han log ett snabbt leende som fick honom att se yngre ut. Jag brukar titta på dom där vimmelsidorna när jag får tillfälle.*

− *Verkligen? Letar du efter dig själv?*

−*Tyvärr inte, eller kanske tack och lov, figurerar jag inte där bland alla kändisfrisörer och halvherrar med Rolexklockor och börsklipp och småtjejer som är kända för att dom är kända utan nån substans bakom.*

– Du låter avundsjuk.

– Det är jag naturligtvis också. Men där fanns du plötsligt, såg mig rätt in i ögonen. Och då tänkte jag att nu är det klippt. Dig måste jag ha.

– Måste? Jag är väl ingen Rolexklocka eller begagnad bil heller. Hon fnös.

– En porschecabriolet i så fall. Men du frågade. Och det var första gången jag såg dig. Nu är det din tur.

– På NK, sa hon. NK av alla ställen. Serveringen alldeles vid bokavdelningen. När du satt vid bordet bredvid mitt och åt prinsesstårta. Jag tyckte det var så sött. Jag har aldrig träffat någon man som tycker om prinsesstårta. Inte på det där öppna sättet i alla fall.

– Hurdå menar du? Skulle jag varit nån sorts tårtsmygare som plötsligt "kommit ut". En tårtbög som deklarerar sig?

Hon skrattade.

– Det kanske var din humor som jag egentligen föll för. Din egendomliga, bisarra humor där du bara provocerar mig, testar mina gränser. Som när du föreslog att vi skulle öppna lanthandel.

– Jag minns det. Jag ville att vi skulle ha en relation, en "affär". Men jag ville ta det lite försiktigt. Vi skulle inte öppna något snabbköp med buller och bång, men en liten romantisk lanthandel istället, långt bort längs en liten landsväg i Sörmland nånstans. Jag skulle stå bakom disken med vit skärmmössa och en penna bakom örat och du skulle komma in och handla ibland och sen kunde vi kyssa varandra inne på lagret. För att tala i metaforer. Fast det berodde på att jag var blyg, rädd för dig.

– Var du rädd för mig?

– Att du skulle be mig dra. Det var därför jag skämtade om det gav dig chansen att skratta bort det. Fast det gjorde du ju inte. Men du visste väl ingenting om min bisarra humor där jag satt och åt tårta på NK?

– Nej, det är sant. Men det fanns nånting pojkaktigt över dig, nånting ömtåligt. Jag blev förälskad i din nacke.

– Då förstår jag vad du menar med att vara emotionell. Att bli kär i en karl som äter prinsesstårta med grön marsipan och hans nacke är snabba ryck. Räcker det med så litet, en bit tårta? Han skrattade och lade kudden rätt under huvudet.

– Det är klart att jag inte blev kär i dig på en gång. Men sen träffades vi på en mottagning, det minns du väl?

– Precis. Hos italienarna. Deras nationaldag. Och det var första gången jag såg dig i verkligheten, i ett stim av hajar och du gillade det.

– Hajar?

– Killarna stod som spön i backen runt dig. Och du trivdes. Det syntes lång väg. Log och charmantiserade dig.

– Det kommer jag inte ihåg. Det där med killarna.

– Jag förstår det. Det ingick väl i din partyrutin. Att bli mittpunkt.

– Det är väl alldeles naturligt. Hon log. Blir inte du det också när du går bort? Men jag kommer ihåg hur jag märkte att du stod och såg på mig. Och då kände jag igen dig. Från NK och din gröna tårta.

– Jag förstår bara inte att jag vågade. Jag hade väl druckit för mycket Soave eller om det var Chianti. Men jag gick fram till dig och började prata. Och sen hamnade vi på Eriks bakficka uppe vid Oscarskyrkan. Minns du det?

– Det är klart. Det var en fantastisk kväll med underbart väder, försommarväder. Och vi fick inte någon bil så vi gick från Djurgården och jag tyckte du var så festlig, pratade som en kvarn hela tiden.

– Jag var ju jättenervös. Och sen gick vi hem till dig.

– Men det var alldeles ärbart. Inget femme fatalestuk. Bara kaffe, jag kommer ihåg att du ville ha koffeinfritt för annars kunde du inte sova. Och en puss på kinden bara när du gick.

– Just det. Fast det blev ju snart annat. Som smultron. Dina smultron.

– Som smultron. Hon log igen. Jag bjöd dig på mina smultron.

– Och du spelade Stevie Wonder. Jag älskar hans musik. Den där kvällen blev det bara "I just called to say I love you". Minns du? Jag kan aldrig höra den utan att tänka på dig. Det var den kvällen jag förstod att jag inte kunde bli fri

*från dig. Att jag aldrig kan förlora dig. Som en våg kom jag
över din strand, sjönk ner i dig, försvann i dig. Och jag blir
aldrig fri.*

*Hon kysste honom på pannan, lade sig sedan tillrätta, såg
upp i det vita taket.*

*Bli fri från mig, tänkte hon. Du måste. För din egen skull.
Och för min. Hon tänkte på vad han sagt, skämtsamt, men
ändå. Det där om triangeldrama. Och hon rös till fast det var
varmt i rummet.*

Kapitel I

Egentligen berodde det på franska revolutionen, tänkte jag och såg ut över Indiska oceanen som i långa dyningar drev in mot den vita sandstranden. Revolutionen och kejsar Augustus som skickat sin general Varus på fälttåg till norra Germanien för att utöka väldet. Det fälttåg som slutade med katastrofen år nio efter Kristus i slaget vid Teutoburgerskogen, romarnas Stalingrad som satte stopp för expansionsplanerna mot norr. Ingen dålig kombination historiskt sett. Franska revolutionen och kejsartidens Rom. När ödet styrde och ställde med mig så skedde det åtminstone med stil.

Några hundra meter ut i det grönblå vattnet gick en skummig linje av bränningar i en vitbrämad bård över korallrevet. Dovt kom ljudet. De låga, blågrå molnens översidor förgylldes av kvällssolen. En ensam ryttare längs stranden. Kvällsvinden rasslade torrt genom palmernas kronor vid poolen där jag satt med min Planters punch under det stora, vita parasollet.

Hade det inte varit för franska revolutionen hade inte Francines morfars farfars farfar, greve Jean-Claude de Selon, fått lämna sitt slott i Loiredalen och hals över huvud ge sig iväg. Fly med sin familj en mörk och stormig natt till London över Engelska kanalen vid Calais. Därifrån hade han sedan tagit sig till Mauritius, ön i Indiska oceanen där han grundat den sockerplantage som fortfarande fanns i familjen. Och om inte Varus förlorat slaget och sina legioner hade jag inte kommit till Gotland och de arkeologiska utgrävningarna. Då hade jag aldrig träffat Francine Silfverstierna, polis-

13

kommissarien i Visby som mera liknade Julia Roberts än en handfast polis.* För det var därför jag satt här på hotell President, en av de vackraste och exklusivaste anläggningarna på ön. Och i morgon skulle jag flyga hem. Hem till ett vintrigt Stockholm och hem till Francine.

Jag tänkte på dagarna jag varit här nere. Hur det gått från turistisk idyll med sol och salta bad och sena middagar under bar stjärnhimmel till ett skrämmande drama med många bottnar. En mörk tragedi under solen. Men det hade börjat mycket prosaiskt.

– Vad säger du om Mauritius? hade Francine sagt i telefonen den där gråmurriga januaridagen.

– Vad jag säger? Hurså?

– Jag bara undrar. Vill du åka dit?

– Det kom så plötsligt som flickan sa. Det är klart jag vill. I princip alltså. Vart som helst där det finns varm sol och vila.

Och jag såg ut över Köpmangatan, Stockholms äldsta, där bönder och handelsmän klövjat, burit, kört och släpat sina varor från landningsplatserna på Mälarsidan till Hansans koggar nere vid det som skulle bli Skeppsbron. Infarten till Mälaren vid Helgeandsholmen hade grundats upp genom seklen och gjort in- och utsegling omöjlig.

Stigen som blev väg och gata var halkig och snöig efter nattens snöfall. Molnen drog lågt över taken, människorna därute gick snabbt, kurade ihop sig i bylsiga överrockar och kappor. En och annan päls brådskade också förbi. Det verkade ha blivit politiskt korrektare nu att ta ut dem ur skåpen. Och det var ju ute i kylan och mörkret de behövdes. Inte i malpåsar i garderobernas mörker. Bara häromdagen hade jag mött fem minkar.

– I så fall kan du få följa med mig.

– Vart?

– Till Mauritius förstås. Jag frågade just om du ville åka dit.

– Åker du i tjänsten? Ska statsministern dit eller Mona Sahlin?

Min fråga var inte så egendomlig som den kunde låta.

*Mårtenson: Caesars örn

14

Francine hade ju efter sin förflyttning från Visby befordrats till chef för Säpos personskyddsavdelning. Det innebar ett säkerhetsansvar för rikets höjdare, som kungafamilj, statsminister och regering. Och jag var van vid hennes snabba brandkårsutryckningar. Det mesta var välplanerat och inprogrammerat, men rätt som det var kunde jag få telefon där Francine meddelade att hon om några timmar måste flyga till Kiruna eller Göteborg eller Malmö. Utomlands ganska ofta också. Men för det mesta hade jag långsiktig koll på hennes program. Och trots all politisk turbulens kunde ju en statsminister inte flyga och flänga hur som helst utan förvarning. Så min fråga var befogad.

– Det har ingenting med jobbet att göra, fortsatte hon. Men jag är bjuden dit. Och jag har berättat om mammas kusiner där, eller hur?

– Jag har ett vagt minne av det. Var det inte nån gren av familjen som slog sig ner där på 1700-talet?

– Precis. Dom flydde från franska revolutionen och det gick bra för dom. Startade en sockerplantage som fortfarande finns kvar. Nu har dom utökat till textil också. Och mamma fick ett brev häromdan där dom bjöd henne och pappa att komma ner och hälsa på. Jacques och Veda var i Sverige för ett par somrar sen och bodde på Björkesta. Men mamma kan inte just nu. Pappa är ju lite krasslig som du vet. Så hon tycker att jag kan åka istället.

– Vad säger dina släktingar om det då?

– Mamma har redan ringt. Dom tycker det är tråkigt att hon inte kommer men säger att det ska bli jättetrevligt att träffa mig igen. Vi får bo hos dom. Dom har ett underbart gammalt hus från kolonialtiden.

– Vet dom om sin lycka?

– Vad menar du?

– Att du hade tänkt ta med mig. Ska jag åka som din sekreterare eller livvakt? I så fall blir det en tautologi.

– Nu hänger jag faktiskt inte med, sa hon syrligt. Du börjar bli besvärande intellektuell.

– Jag menar bara att i så fall blir det tårta på tårta. Du som är livvakt tar med dig en egen livvakt.

– Du kan vara ganska påfrestande. Vet du det?

– En stackars fattig ofrälse som har gått sina bästa matcher måste hävda sig på nåt sätt. Jag menar bara om dom vet att vi är nån sorts särbo? Vad heter det på franska förresten? Demi-moitié?

Francine skrattade.

– Det finns mer sofistikerade beteckningar för det i Frankrike. Dom har ju lite äldre traditioner än vi och uttrycker sig lite elegantare. Jag säger bara att du är min "amant". Min älskare.

– Det låter flott. Det kan du skryta med i lunchrummet på jobbet. "Jag har en älskare på Köpmangatan. Han heter Johan." Säg "Jean" förresten. Det gör det ännu mer spännande. "Mon amant Jean à Köpmangatan. Au rue des Merchants."

– Av alla töntar. Francine skrattade igen. Men skärp dig nu. Vore det inte kul att åka ner? Jag kan ta en dryg vecka i slutet på januari. Och du har väl som vanligt inga kunder.

– Klart jag har. Men Eric kan vakta affären och Ellen tar säkert hand om Cléo om jag ber snällt.

Eric är alltså min vän och kollega Eric Gustafson som har sin affär mitt emot min. Tyvärr måste jag konstatera att han ligger ett snäpp över mig när det gäller kvalitet. Han måste ha större checkkrediter än jag för han har råd att satsa på exklusivare saker. Signerade 1700-talsmöbler till exempel och det är sällsynta flyttfåglar i min antikaffär. Jag kallar honom "Vem är det?" förresten, efter uppslagverket med samma namn där det svenska toppskiktet om man räknar i titlar och äreställen redovisar sina meriter. Men han kan mycket mer än så. Vet nästan allt också om det som inte finns med i förteckningarna, det man helst vill glömma och förtränga.

Och Ellen är en viktig komponent i alla semesterplaner. Hon är min allt i allo, Ellen i elvan. Ellen Anderson alltså. En dam i obestämbar ålder någonstans plus minus sextio som bor på Köpmangatan elva, ett stenkast från min affär och våningen på Köpmantorget. Städar, stryker. Lagar mat i små förpackningar som hon lagrar i frysen åt mig för att tinas när jag inte känner för att stå i köket. Och Cléo älskar hon. En besvarad kärlek som jag misstänker har lika mycket med sardiner, grädde och kardemummakaka att göra som med det platoniska. För Cléo de Merode, uppkallad efter en lika berömd som beryktad dansös och aktris från början av 1900-talet, är en dam med högt ställda krav. Och definitivt är det hon som har en Homan, inte jag som har en vacker, blåmaskad siameskatt. För jag vet att när hon smeksamt stryker sig mot mina ben är det inte enbart för att visa att hon tycker om mig. Samtidigt markerar hon sitt revir, gnider in mig med sin doft från doftkörtlar i pannan och i mungipan för att visa att jag är hennes egendom. Jag har läst det i en tidning, så det måste vara sant.

Sällskapssjuk och intelligent är hon också. Mycket. Många gånger har hon fört mig på rätt spår i en del invecklade situationer där min omdömeslöshet och nyfikenhet satt mig. Så Eric och Ellen är viktiga komponenter i mitt liv, inte minst när det gäller det praktiska. För har man ett husdjur och ansvarar för en antikhandel med öppet- och stängningstider kan man inte bara ge sig av hur som helst. Även om det gäller Mauritius och Julia Roberts med svart bälte i karate.

– Okej, sa jag där jag satt inne på mitt lilla kontor med fötterna på skrivbordet. Jag hänger med.

– Det var väl snällt av dig, sa hon, lätt ironiskt. Jag hoppas att det inte är nån större uppoffring. Men varför kommer du inte hem ikväll och äter middag? Så kan vi prata detaljer.

– Och finansiering. Det här får gå på "oförutsedda utgifter".

– Eftersom det är min idé så bjuder jag.

– Aldrig, sa jag bestämt. Det är illa nog som det är. Du är ung, vacker och rik. Och jag tvärtom. Men jag är fan ta mig inte nån gigolo som du ska betala för.

– Det är du verkligen inte. Francine skrattade. I så fall skulle jag få mycket mer för pengarna. Men det där är världsligt. Det ordnar sig och vill du betala själv ska du naturligtvis göra det. Vi ses vid sju. Blir det bra?

– Det blir jättebra. Puss, puss. Och jag lade på.

Francine bor alltså på Lützengatan, alldeles vid Karlaplan. Och det är ett utmärkt läge för jag kan ta tunnelbanan nästan från dörr till dörr. Från Gamla stan till Karlaplan, bara två stationer emellan. Det tar mig drygt fem minuter om allt funkar och signalsystemet inte har pajat. Och hennes femrummare är en antikhandlares dröm, full av objekt som inte ens Eric Gustafson kan matcha. Det mesta är arvegods från en gammal faster, men en del kommer också från Björkesta, Adelcrantz lilla 1700-talsslott nere i Sörmland. Samma Adelcrantz som ritade Gustav III:s opera vid Gustav Adolfs torg, teatern på Drottningholm plus mycket annat. Där bor hennes föräldrar, gamle Rutger Silfverstierna, greve och lantjunkare, med sin franskfödda hustru Claudette. Hon kommer från en vinfamilj i Loiredalen, i Sancerre, min favorit bland de vita vinerna med sin lätta arom av svart vinbär. En släktgren hade tydligen rotat sig på Mauritius, vinddriven av franska revolutionens stormvågor.

Francine hade rätt. Om det var en gigolo hon velat ta med till Mauritius kunde hon ha fått någonting mycket bättre. Men jag hade pengar, tillräckligt för att flyga till Mauritius i vilket fall. Ekonomin kunde väl i och för sig vara bättre, men det berodde inte så mycket på bristande insikter i ekonomiska ting som på min egoism. Varje gång, nästan, som jag köpt någonting speciellt, någonting vackert, kunde jag inte med att sälja det utan tog upp mitt nyförvärv till våningen högt över Köpmantorget, alldeles ovanför Sankt Göran och Draken. Där har det med åren blivit ganska trångt, men jag ser det som min pension. Fick jag hålla på och fylla alla utrymmen kunde jag sen ha det trevligt på ålderns höst.

Jag log där jag satt. Såg ut i det fallande mörkret över den lilla gården där det nakna kastanjeträdet inte erbjöd mycket till skydd åt frusna sparvar. Jag hade väl aldrig blivit vad mina föräldrar väntat sig. Konsthistoriker. Professor kanske eller chef för något museum. Landsantikvarie. Någonting akademiskt för att följa i släktens fotspår. Men mina år i Uppsala hade mera gått åt till studentspex och studentteater, Gillet och Flustret, glada aktiviteter på Sörmlands-Nerikes nation och i Juvenalorden, än till fördjupning i konsthistoria. Särskilt Carl Johan Fahlcrantz, den svenska romantikens fader inom måleriet, som skulle blivit en trebetygsuppsats.

Men ödet hade med min aktiva hjälp velat annorlunda,

Och förstrött undrade jag varför han behövde pengar så snabbt att han inte kunde vänta till ett bättre pris. Men det var ju inte min sak och jag hade varit uppriktig mot honom. Sagt att jag inte kunde betala fulla värdet. Om han lugnat sig litet och väntat till någon av de stora vårauktionerna eller gått runt bland mina kolleger hade han säkert kunnat få ut mera.

Jag funderar på det ibland, på mina kunder alltså. Undrar varför de måste sälja. Kvarskatt eller en oväntad tandläkarräkning? En present kanske? Eller var det till någonting mera prosaiskt, som att bilen gått sönder?

Jag satte ut skålen i ett av mina skyltfönster och gick tillbaka in i rummet bakom kashmirschalen. Satte på kaffevatten på den lilla elplattan och makade undan Cléo som snabbt utnyttjat min frånvaro och parkerat sig i fåtöljen. Så tänkte jag inte mera på civilingenjören Hans Bergsten.

Jag tog upp min nyinköpta kvällstidning. Stora rubriker. Sex fullt friska kor hade skjutits för att bonden inte satt ett gult plastmärke från EU i deras öron. Det fick mig att tänka på pakistanska fullblod som avrättades i samma fundamentalistiska bokstavstro inför finstilta förordningar. Carl Jonas Love Almqvist hade kunnat omformulera sin berömda sentens om krusbären till "Bara Sverige svenska byråkrater har".

Fast en notis bredvid var nästan bättre. Den politiskt korrekta nyspråkligheten firade triumfer. Nu hette det inte längre "avskeda". Det som gällde var "nedbemanna".

Kapitel II

"Hunan Garden, Hongkong. Jag går dit bara för att njuta Hunan-skinkan, som är en enastående delikatess. Grisen kommer från bergsprovinsen Hunan (Maos födelseprovins), där bönderna slaktar grisen, tömmer den på blod och inälvor, plattar ut den och sedan sover på den i två år. Den är enastående mör och koncentrerad i smaken."

Nu har jag det, tänkte jag och lade tillbaka den glassiga mattidningen på soffbordet. Nu förstår jag bakgrunden till kulturrevolutionen och annat som drabbat Kina. Ordföranden Mao hade sovit på grisar från Hunan. Men jag kunde inte dela matskribentens entusiasm. Tanken på att äta kött från grisar som kinesiska bönder använt som madrass i flera år var inte särskilt upphetsande. Att steken blev mör tvivlade jag inte på liksom att den var "koncentrerad" i smaken. Men det sas ingenting om lukten. Fast som svensk skulle man inte förhäva sig. Surströmming är ju en av våra nationalrätter. Skulle man marknadsföra den som förrätt till grissteken? Här fanns en öppning. Jag skulle börja en ny karriär.

– Vill du ha nånting? ropade Francine ute från köket på Lützengatan. Eller har du redan ätit?

– Jag vill ha Hunanskinka, svarade jag och gick ut till henne.

– Hunanskinka? Du kan få välja mellan Findus fiskgratäng eller Stinas vitlökskyckling. Skinka har jag ingen.

– Det var synd. Jag kände just för det. Men du måste ha sovit på den i två år.

– Sova på skinka?

22

–På gris, rättade jag henne. Ett nyslaktat svin som madrass. Fast då hade jag förstås inte kunnat dela säng med dig. Jag har just läst det i tidningen så det måste vara sant. Men du kan få börja med att ge mig en Dry Martini.

–What else is new. Francine log. Ta själv så att det blir rätt. Jag har lagt flaskorna i frysen. Jag visste att du skulle komma.

–Vill du ha?

–Nej tack. Ett glas vitt vin kanske, vi har en Sancerre i kylskåpet. En halv flaska från igår.

–Idag ska jag förnya mig, sa jag när jag tagit fram de immiga flaskorna. Martini Extra Dry i den gröna flaskan och Bombay Sapphire med drottning Viktorias porträtt i den blåblänkande, den turkosblå.

–Förnya dig? Hur skulle det gå till?

–Att man håller fast vid sina värderingar är väl inget fel. Men jag är flexibel. Istället för drottningmoderns "eleven to one" eller Montgomerys " fourteen to one" så ska jag pröva Li Sennis.

–Vem är det?

–Tjejen som vann det första svenska mästerskapet i Dry Martini. Fast jag ska ta det stegvis.

–Jag trodde inte sprit och idrott hörde ihop. Francine satte in fiskgratängen i mikrougnen. Den yrkesarbetandes välsignelse. Den och diskmaskinen.

–Det är klart att det inte var ett SM på Stadion. På Wasahof och konkurrensen var stenhård. Men Li vann med ett intressant koncept. Nio delar gin och en del vermouth. Fast hon använde Noilly Prat och det vågar jag mig inte på än. Jag håller mig till min Extra Dry. Sen kör hon med oliv och det verkar också i djärvaste laget. Men man måste som sagt förnya sig. Inte stelna i gamla former. Och jag har läst att den ska röras, inte skakas.

–Varför det?

–Det var mycket invecklat, men har att göra med molekylerna. Dom uppför sig på ett annat sätt och blir mycket godare än om man mörbultar dom genom att skaka.

–Vetenskapen gör framsteg! Jag ska fixa nånting till din drink och ordna dessert. Ge mig fem minuter bara.

Jag gick tillbaka till det stora vardagsrummet med mitt glas. Gick till bokhyllan och drog fram ett band av Svensk Uppslagsbok som stod längst ner i en rad av mörkbruna skinnryggar med guldbokstäver. Mauritius skulle vi åka till, Mauritius visste jag nästan ingenting om. Det måste åtgärdas.

Jag satte mig i den vita soffan med den tunga boken i knät. "Magnetron-Mjuna" stod det på ryggen. Mjuna, tänkte jag. Vad kan det vara? Och jag slog upp längst bak. Det är ett av mina problem när jag får tag på en uppslagsbok. Ofta glömmer jag nästan bort vad det är jag letar efter. Jag stannar upp kring andra ord och beteckningar. Blir fångad av vad jag läser och måste skärpa mig för att komma rätt. Men uppslagsboken gjorde mig inte klokare för på Mjuna stod det "allmogebenämning på finmjäla". Det märktes att det var 1947 års upplaga. Vem talade idag om "allmoge" utanför antikhandlarkretsen och vad var "finmjäla"?

Med en suck reste jag mig och gick tillbaka till bokhyllan. Jag måste ta reda på vad det betydde. Annars skulle jag vakna mitt i natten utan att kunna somna om. Och det skulle vara lite svårt att förklara för Francine att jag måste gå upp för att titta i Svensk Uppslagbok. Hon skulle misstänka mig för en kylskåpsräd. Ett glas öl och en macka mot sömnlöshet.

Jag böjde mig ner. Få se nu. Men här måste det vara. I "Exlibris-Fonolit" stod det. "Jordart med kornstorlek 0,006– 0,002 mm se Mjäla". Då kunde jag vara lugn och jag ställde tillbaka boken. Fick jag någon gång vara med i "Jeopardy" så fanns det åtminstone en fråga jag kunde formulera.

Jag gick tillbaka till soffan och slog snabbt upp Mauritius, utan sidoblickar och utsvävningar kring sidorna runt. Visserligen var uppslagsverket över femtio år gammalt, men bortsett från den politiska utvecklingen måste historia och geografi vara detsamma som idag.

Det framgick att Mauritius låg 800 kilometer öster om Madagaskar och var omgivet av korallrev. Madagaskar! Så roligt jag haft där, tänkte jag. Ja, inte i verkligheten men i spexet "På Madagaskar", som tillsammans med spexet "Mohrens sista suck" var Södermanlands-Nerikes Nations nationalepos från 1800-talet. Själv hade jag medverkat i en stor uppsättning i universitetets aula, som svartsminkad prinsessa med krullig peruk. Spex och studentteater var en av orsakerna till att min akademiska bana blev lika intressant som kort. Handlingen gick ut på att två vinddrivna sörmland-nerkingar hamnat på ön och skulle ätas upp av kung Radamuffo och hans människoätare. Men de räddades genom att kungens dotter blev kär i en av studenterna.

För många år sedan hade Sida opponerat sig mot ett nytt framförande eftersom det inte fanns människoätare i Afrika. Det vore inte politiskt korrekt att framföra föreställningen. Men man nådde en kompromiss, jag kommer inte ihåg hur, och kung Radamuffo och hans hov fick framträda i all sin glans. Kanske man gjorde människoätarna till veganer?

Vi borde resa via Madagaskar, tänkte jag. Mellanlanda där så att jag fick beträda den för nationen heliga jorden.

– Vad gör du?

Francine kom in med en bricka med små snittar. Ishavsrom på rostat bröd med en tunn skiva gul citron och en grön dillkvist som dekoration.

– Jag läser på om Mauritius.

– Då ska du titta på nånting aktuellare. Jag har skaffat broschyrer från resebyrån. Dom ligger i hallen. Jag ringde dit ner idag förresten. Sa att vi kommer nån gång i slutet på januari. Jag måste kolla tiderna med dig bara och få klartecken från chefen.Och jag måste checka statsministerns och kungens resplaner. Men det verkar ganska tomt då. Och jag är ju inte ensam på avdelningen.

– Vad sa dina släktingar?

– Dom blev jätteglada.

– Vet dom att jag följer med?

– Självklart. Min "amant" törs jag inte lämna hemma, sa jag. Man vet aldrig vad han kan hitta på.

– Jag är alldeles för lat för att springa ut på dåligheter. Får jag sitta med Cléo framför TV:n med Bart Simpson och gamla Thor Modéen-filmer så är jag nöjd.

– Gubba inte till dig nu. Upp och hoppa, Johan. Livet är inte slut. Än är det långt till rollator och långvård.

– Förhoppningsvis. Jag har i alla fall just lärt mig att Mauritius ligger 80 mil från Madagaskar, mitt ute i Indiska oceanen. Det står att det finns vulkaner. Hoppas dom är släckta. Och titta här. "Mauritius lider av ofta förekommande förödande cykloner." Både vulkaner och cykloner och sen regnar det 3 000 millimeter om året på östra sidan. 3 000 millimeter måste vara tre meter. Och dit vill du att vi ska åka.

– Allt regnet kommer väl inte på en gång. Mina släktingar trivs i alla fall, trots cykloner och annat. Vad står det mera?

– Dom har förstört den ursprungliga tropiska skogen på 1800-talet och har lyckats utrota både dront och jättesköldpaddor. Det bor både fransmän, britter, afrikaner, indier och kineser där. Den viktigaste näringen är sockerproduktion. Ön besöktes av araber under tidig medeltid och upptäcktes av portugiserna 1513, hur nu dom kunde "upptäcka" nånting som redan besökts av araberna. Sen kom holländarna vid slutet av 1500-talet tills dom knuffades ut av fransmännen 1715 och 1810 blev det en engelsk besittning. Dom fick behålla sitt språk och sin kultur. Engelsmännen hade bara strategiska intressen av att skydda sin handel med Indien. Mauritius fick inte bli en fransk örlogsbas. Fast om jag minns rätt är det väl självständigt nu?

Francine nickade och tog sitt höga vinglas.

– Mauritius blev självständigt på sextiotalet och har haft en mycket positiv utveckling. Och textilproduktionen har gått om sockret nu. Där var familjen klok för dom har ett ben i varje bransch. Gungor och karuseller du vet. Fast här går både gungorna och karusellerna bra.

– Men din mammas kusin kan väl knappast ha flytt från franska revolutionen.

Francine skrattade.

– Visserligen är vi långlivade i släkten, men så gamla blir vi inte. Nej, Jacques kom dit som ung civilekonom för att praktisera. Ville se nånting nytt och spännande. Sen gifte han sig därnere, stannade, var duktig och blev delägare. Egendomarna ägdes av två ogifta systrar i familjen som skötte allt med järnhand, men när dom inte orkade längre så tog han över. Och det var ju roligt för alla eftersom både plantage och fabriker kunde stanna i familjen. Han har en tidning också. Och en radiostation.

– Är dom trevliga?

– Mycket. Jacques är omkring sextio och hans fru Veda lite yngre.

– Veda? Egendomligt namn.

– Tycker du? Det är ett smeknamn egentligen, en förkortning av ett långt och krångligt förnamn. Hon kommer från en indisk familj. Brittisk-indisk. Över hälften av alla som bor där har mer eller mindre indiskt ursprung. Många kom tidigt som arbetskraft. Först på sockerfälten och sen inom textilindustrin.

– Det där med dront förresten. Den har anknytning till Viby.

– Dront?

– Jag sa ju det. Uppslagsboken alltså. Den hade ju utrotats. Men Harriet Löwenhjelm skrev en dikt som börjar med "Tallyho, Tallyho, jag har skjutit en dront".

– Jaha? Frågande såg hon på mig.

– Den där poeten du vet. Hon bodde faktiskt ibland på ett ställe som heter Geråsen som ligger bara några kilometer från prostgården där jag växte upp.

– Dront, dront. Francine reste sig, gick fram till bokhyllan.

– Jag har för mig att det står nånting om den här. Jag slog upp det för ett tag sen när jag löste Svenskans korsord. Jag har en gammal bok om exotiska djur. Och beskrivningen var så festlig.

Hon drog fram en bok i skinnband, bläddrade bland sidorna och läste sedan högt:

"Skulle lätthet och vighet uti rörelsen endast utgöra en fåglarnas klassegen karaktär, så funnos inga skäl att dit räkna denna plumpa och oformliga djuriska massa, hos vilken naturen, denna eljest så goda moder tyckas hava uppbjudit allt för att visa ett mästerstycke av det oskickliga, oviga och dumma. Den nästan fyrkantiga kroppen förmår fågeln med möda att röra, och de tjocka, oformliga benen tyckas näppeligen kunna bära honom."

– Då förstår man att dom blev utrotade. Stora, feta stekar som promenerade omkring och kunde tas med händerna av hungriga sjömän.

Den djupfrysta fiskgratängen var förvånansvärt god. Någon sorts spättafiléer på spenatbädd med en rand av potatismos runt. Och Francine hade lyckats med mikron. Istället för att potatisen blev litet bränd och torr utanpå och seg inuti, som när jag slänger in en form, så var potatisen nästan fluffig. Sedan hade hon förstås hjälpt till med litet vitt vin och kryddor. Och jag tänkte på en annan gratäng jag ätit. Fast där var innehållet inte enbart fisk och potatis. Där hade funnits annat också. Diamanter.*

Jag gick tidigt hem, ville inte sova över. Francine var trött, hade haft en jobbig dag, och Cléo satt ensam hemma. Nog för att hon klarade det, men siameser är sällskapliga små krabater och jag hade inte velat be Ellen ta hand om henne. Det skulle hon tids nog få göra när vi reste till Mauritius. Det var nästan folktomt på Karlaplan. Bara en farbror med rollator mötte jag. Det obevekliga åldrandet. I de här kvarteren togs det avgörande steget symboliskt sett när man bytte golfvagnen mot rollatorn.

Jag tänkte på det när jag satt i tunnelbanevagnen. Det verkade inte alldeles lugnt och rofyllt att semestra därnere. Vulkaner och cykloner ocn flera meter regn. För mig var semester avkoppling, att ligga på rygg i solen. Att läsa, äta, sova. Naturkrafter kunde jag klara mig utan. Men fiska skulle jag. Djuphavsfiska. Francines släktingar kunde säkert arrangera det. Att glida ut på ett turkosblått, lugnt hav under solen rakt upp på en blå himmel. Sitta fastspänd i den höga stolen med det grova spöet med den tjocka linan framför sig. Att se hur den skar ner kölvattnet, känna den levande, muskulösa styrkan i kraftpaketet nere i djupet. En kall öl bredvid, havsvindarna mot ansiktet. Det hörde till livets höjdpunkter.

Om det nu inte dök upp en plötslig cyklon förstås. Jag såg för mig hur båten sjönk, drogs ner av uppiskade, vitfradgande malströmmar. Hur jag sögs ner mot djupet, kom flämtan-

*Mårtenson: Gamens öga

28

de upp och såg trekantiga hajfenor cirkla närmare och närmare. Att bli uppäten av hajar i Indiska oceanen skulle visserligen ge mig herostratiskt rykte och bli samtalsämnet vid framtida studentjubileer och träffar i antikhandlarföreningen. Men tanken på att bjuda på det var inte särskilt angenäm.

Ofrivilligt gjorde jag en grimas av olust där jag satt på den hårda bänken medan tåget slamrade fram långt under Stockholms gator. Den gamla damen mitt emot såg undrande på mig. Trodde hon att jag blivit dålig? Men om jag talade om för henne att jag tänkte på hur det skulle kännas att bli uppäten av hajar hade hon säkert trott att min Dry Martini hade blivit starkare än Li Sennis nio till en. Fast jag visste inte då att vattnen kring Mauritius befolkades av långt farligare fiskar än hajar. Dödligt farliga.

Kapitel III

Långsamt läste han den långa faxremsan som just kommit ur apparaten. Siffrorna såg bra ut. Banken gjorde ett bra jobb. Och det fanns många fördelar med Cayman Islands. Ön såg inte mycket ut för världen. Han hade själv varit där när han lade över en del av sina affärer. Nästan 600 banker förvaltade omkring 500 miljarder dollar. Det och sköldpaddsindustrin verkade vara det enda som blomstrade på ön. I stora, torra bassänger med betongkanter myllrade det av sköldpaddor. Och de var inte alls lika flegmatiska som i zooaffärernas skyltfönster där de låg som livlösa, grågröna stenar. Här var de i full fart med att föröka sig i ett myllrande, oavlåtligt gruppsex. Ungefär som mina pengar, hade han tänkt. Jag låser in dem i min bank här och när den kritiska massan blir tillräckligt stor så förökar de sig explosionsartat.

Banker, sköldpaddor och bilar. Trots att ön inte var stor så verkade alla ha bil. Eller var det bara det intryck han fått när morgonrusningen började och alla merecedesar, jaguarer och rolls roycer kom farande? Alla bankirer, mäklare, placerare och bankanställt fotfolk kom in till sina kontor.

Ön hade verkligen hittat sin nisch. En kombination av Schweiz, Liechtenstein och Luxemburg till skydd för kapital och placerare som följde det gamla romerska talesättet om att verka men inte synas. Fast situationen var ännu bättre på Cayman Islands än i Zürich och Vaduz. Inga skatter, ingen insyn. Sekretess. Och ingen opposition mot hemlighetsmakeri och exklusivitet. Tvärtom. Banking med diskretion var Cayman Islands affärsidé.

Sina aktiviteter i USA skötte han mycket behändigt genom att slussa kapital in och ut från sköldpaddornas och bankernas ö. Ingen svensk finansinspektion som lade sig i, inga federala myndigheter som snokade. För IRS, den amerikanska skattemyndigheten, var alla dörrar i Georgetown omsorgsfullt stängda. Och nu hade han fått den analys han bett om. Cunningham, en av hans rådgivare på West Wind Bank Ltd. hade skickat promemorian om Hongkong.

Medvetet hade han väntat med sitt beslut. Skulle han gå in där nu eller vänta? Hur skulle utvecklingen bli? Hade Kina råd att dra ner rullgardinen i sitt fönster mot väster eller skulle man "lean back and enjoy it"? Han lutade åt det senare. Kina behövde Hongkong som var en del av det enorma riket nu, men ändå hade kvar sin västerländska ekonomifernissa, sin kapacitet och kommersiella energi. Det hade inte ändrats av maktövertagandet trots den initiala misstänksamheten. Och marknadspotentialen var ju enorm. Över en miljard konsumenter i en växande ekonomi. Men kanske Shanghai vore bättre som fotfäste?

Nåja, det var inte någon brådska. Wait and see var en gammal god regel. Och sitt kapital kunde han flytta snabbt, öppna den elektroniska dörren och försvinna på nolltid. Någon infrastruktur med kontor och fabriker behövde han inte än i Kina. Ett kontor kanske, men det var ju en försumbar kostnad i jämförelse med framtida vinster. Och han hade en känsla av att om man inte var personligen närvarande i Mittens rike, eller som i hans fall genom ombud, om man inte fysiskt syntes så var det kört om man ville vara med och dela kakan.

Men han tänkte inte bryta mot grundregeln han ställt upp för sin verksamhet. Att finansiera men inte agera genom infrastrukturer. Att finansiera dammbyggnader, affärscentra, kontorskomplex, hotell. Men inte bygga, driva och förvalta själv. För mycket arbete, för mycket ansvar och bekymmer. Man kunde inte styra effektivt med fjärrkontroll. Istället gick han in med kapital och kunde snabbt gå ur om inte utvecklingen blev den förväntade. Då behövde han inte stå ansikte mot ansikte med avskedad personal och halvfärdiga byggnader eller fabriker som gick på sparlåga. Behövde inte förklara sig inför anklagande politruker och journalister. Kunde istället ta sin hatt och gå.

Fast i ärlighetens namn inträffade det ganska sällan. Han hade goda rådgivare och dessutom en fingertoppskänsla för vad som var lönsamt. Och det hade lett honom förbi många blindskär. Dessutom hade han effektivt satt en mur runt pengarna genom sin stiftelse. Den kunde ingen komma åt och den kontrollerade kapitalet. Och det fanns skattetekniska fördelar. Nackdelen var att den måste ha ett ideellt syfte, att en del av avkastningen gick till ideella ändamål, men det såg han mera som ett slags premie han fick betala.

Själv hade han valt kulturstöd i allmänhet. Då slog han två flugor i en smäll. Dels, och viktigast, hindrade han fientligt övertagande av företagen som ingick i gruppen och som fanns under stiftelsens paraply. Dels vann han social respektabilitet genom att stödja allt från upprustning av gotländska kyrkor, utgrävningar av svenska vikingagravar i Ruriks gamla koloni vid Nisjni Novgorod till sponsring av baletturnéer till Australien. Utländska manifestationer stödde han också. Nådens sol gav inte sällan kunglig glans genom Majestätets deltagande i olika öppningar och invigningar, som han, det vill säga stiftelsen, varit med att finansiera. Och det var inte alldeles otänkbart, tvärtom, att hans ideella mödor kunde resultera i ett hedersdoktorat. Det slutgiltiga steget in i borgerlighetens etablerade finrum. "A stamp of approval." Han log för sig själv där han satt.

Tankfullt lade han ifrån sig den långa pappersremsan. Han måste byta apparat nu. Det var ren slöhet att han inte bytt den mot en maskin som klippte av meddelandena i hanterbara sidor. Nu fick han klippa och häfta för hand. Och för all del. Det fungerade det också. Det mesta gick ju dessutom via hans kontor i New York och London. Själv behövde han bara analyserna och översikterna, grunden för investeringsbesluten.

Han öppnade dörren till hotellsviten och plockade upp tidningarna. Överst låg en rosa Financial Times, hans husbibel som kom med evangelium varje morgon. Visserligen en dag försenad när han bodde härute, men det kompenserades av den flimrande dataskärmen inne i arbetsrummet. Den var ständigt lika aktuell och uppdaterad på marknadsplatserna världen över. Det var en av fördelarna med att bo här, närheten till händelsernas centrum. Inte bara att klimatet var underbart och människorna vänliga. Ingen politisk oro, ingen social misär. Det uppskattade han, det var bra för affärerna. Och hotellet var ett av de bästa på ön. Ganska nybyggt, i postkolonial brittisk/indisk stil i vitt med höga pelare som bar upp taket i den stora lobbyn, öppen både ut mot havet och mot land. Stora pooler, låga vita bungalows. Och priserna var så höga att de höll gruppresor och enklare turister borta. Här fick han vara ifred, personalen slog en mur runt honom och skyddade hans privatliv. Hit släpptes inga journalister in, här snokades inte. Och trots att han var långt borta från Wall Street, Londons City och bankpalatsen i Zürich så hade han dem inom räckhåll på några sekunder via Internet och sin dator. Att utländska investeringar var skattefria var ju heller ingen nackdel.

I den bästa av världar levde han i sin stora femrumssvit högst upp i hotellet med en magnifik utsikt ut mot Indiska oceanen. Och den var inredd efter hans specifikationer och personliga behov. Det ingick som ett villkor när han köpt in sig i det stora investeringsprojektet i det Singaporekontrollerade fastighetskonsortium som ägde lyxhotell både här och i Thailand, på Bali och Hawaii. Konceptet var "privacy" och lyx för människor som kunde och ville betala för avskildhet och exklusivitet. Och det kunde han. Betala. Igen log han när han vecklade upp den frasiga finanstidningen. Lustigt egentligen att han inte visste hur rik han var, vilka tillgångar han hade. För det fluktuerade hela tiden med kursnoteringar i olika valutor, med aktiekurser som steg och föll. Med ränteindex.

Han hade kommit till en punkt livet när pengar inte spelade någon roll längre, annat än som mätare på framgångar. Inte så att han inte hade behov av pengar för sitt personliga bruk. Men han hade kommit till insikt om att han trots allt inte kunde köra mer än en bil i taget eller bära mer än en kostym åt gången. Om han var god för en miljard eller tio, kanske mera, hade ju inte någon direkt inverkan på hans dagliga, personliga situation. En takvåning vid Rue de Seine i Paris, en bungalow med båtplats i Miamis art deco-distrikt och townhouse i brunrött tegel och vita fönsteromfattningar vid 64:e och Park på Manhattan var angenäma tillgångar. Men han kunde bara bo på ett ställe i taget.

Fast den enklaste av hans bostäder, den minst lyxiga betydde mest för honom. Huset i skärgården utanför Stockholm. Juni månad var sakrosankt. Då flydde han till avskildheten där. Högg ved, bar in vatten från brunnen. Gick barfota i solen. Kände värmen från stenhällarna under fotsulorna, hur tallbarren stack på stigen genom skogen. Lade nät, satt i båten när solen gick ner och kastade efter gäddor. Stekte stora abborrfiléer i fräsande smör och drack iskall burköl till. Och herrgårdsbrännvin.

Telefonnumret dit hade bara hans närmaste tillgång till. Ön låg totalt avskild och det låga huset var inbyggt bland klippor och martallar, syntes bara om man kom mycket nära. Eftersom det låg långt bortom sjöleder och turistiska strövområden så hände det inte ofta att han fick oväntat besök. Och hans två dobermanns som sprang lösa på ön avskräckte effektivt alla som hade tänkt sig ankra och tälta. Med blottade huggtänder och dova morranden långt nere i strupen väntade de hotfullt på stränderna. Men hit till Mauritius kom han så ofta han kunde resten av året. Det var praktiskt, det var bekvämt och låg centralt för hans aktiviteter där han mer och mer sökte sig mot Asien som trots tillfälliga motgångar var det stora tillväxtområdet, the new frontier.

Det knackade på dörren, en försynt knackning. Han såg på klockan. Halv åtta. Frukosten kom som alltid på minuten. Han reste sig ur den låga rottingfåtöljen, knöt skärpet kring morgonrocken i mörkblå frotté med hans monogram i guld på bröstfickan och öppnade. Miss Gilla stod där som vanligt, log mot honom bakom rullvagnen. Han log tillbaka, drog in vagnen i det stora rummet, tog ut den på balkongen. Kaffe, rostat bröd. Guldgul marmelad, en blandning av apelsin och citron, några ostskivor. Honung, frukt och ett löskokt ägg. Precis som det skulle vara. Det var en av de saker han upp-

34

skattade med the President. Den perfekta servicen. Exakt den frukost han hade beställt och den kom på minuten.

Morgonbrisen gick genom palmerna därnere. Några pojkar i shorts och T-shirts med hotellets namn gick med långa vita håvar längs poolkanterna och fiskade upp löv och skräp som blåst ner. Över gräsmattan kom servitörer med brickor till olika rum och på de smala stenlagda gångarna gick tidiga frukostgäster mot den stora matsalen. Och han tänkte på den kulturkrock det måste vara för de unga pojkarna ur strängt muslimska och hinduiska traditionella miljöer där kvinnans kroppar täcks och draperas med saris, slöjor och schalar. Att konfronteras med alla barbystade europeiska kvinnor i minimala baddräkter.

Luften var fortfarande morgonsval och fräsch, himlen blå. Inga regnmoln syntes därute över bränningarnas vita rand. Men man visste aldrig. Ofta kom regn helt oväntat fast det gick över nästan lika snabbt som det börjat. Och det friskade i.

Han hällde upp kaffet, bredde marmelad på en ännu ljummen rostad brödskiva som låg under en bländvit servett och slog upp tidningen, läste den förstrött. Ingenting nytt, ingenting speciellt intressant. Och det var lika bra. Han avskydde plötsliga, okontrollerade händelser. Det störde hans planer, slog undan benen för intressanta projekt. Och det som retade honom mest var det totalt oväntade, som trotsade logik och planering. Som när Nick Leeson plötsligt avslöjades som falskspelaren och spekulanten som misslyckats och sänkte Barings Bank och den japanske aktiekursen med världsvida återverkningar. Det kunde ingen aldrig så klok investerare förutse. Man var helt utlämnad åt den typen av händelser. Men det slapp han den här morgonen. Federal Reserve hade inte höjt räntan, återhämtningen fortsatte i Asien och Latinamerika. Börserna i Europa steg, liksom i New York, och som vanligt redovisades pessimism om utvecklingen i Ryssland. Där hade han själv varit försiktig. Riskerna var stora. Men också möjligheterna. Han fanns med på Moskvabörsen, men inte särskilt offensivt. Så hade han ju ett finger med i ett annat projekt. Mycket, mycket lönsamt och mycket, mycket diskret.

Längst ner på sidan fanns en notis med Sverige i topp. Men det var inte särskilt hedersamt. Etta i världens skattetopp. Schweiz kom på artonde plats. Lustigt, tänkte han. Det var inte så oerhört länge sedan Sverige och Schweiz legat i toppen på välståndstabellen. Nu låg Schweiz kvar medan Sverige halkat ner till just artonde plats. Skattetoppen gav tydligen bottenplacering medan det för Schweiz blev tvärtom. Han vek ihop tidningen, lade den ifrån sig på golvet.

Idag skulle hon komma, tänkte han och hällde upp mera kaffe. Kvinnan han älskade. Lustigt egentligen, han älskade henne nästan mera, kände starkare för henne när hon inte var hos honom. Hur var det man sa? "Kärleken växer med kvadraten på avståndet." Det kanske låg någonting i det. För så mycket av vardaglighet föll bort när man inte levde tillsammans. Som om de bästa sidorna hos henne renodlades och förstärktes. Irritationsmomenten försvann, som när hon drällde använda kleenex på badrumsgolvet, svarta av tusch från borttagen mascara, eller hennes ovana att ibland tugga utan att riktigt stänga munnen.

Fast vem sa att han var bättre? Vem sa att han inte hade egenheter han säkert inte var medveten om och som irriterade henne?

Hon hade kommit att betyda mer och mer för honom i hans ensamma liv. Det hade i och för sig inte fattats kvinnor. Tvärtom. Och han hade varit mycket intresserad, hade nog kunnat diagnostiserats som något slags sexmissbrukare. Hade sprungit efter alla kjolar inom synhåll. Någon hade kallat honom omoralisk. Men det var helt fel för det förutsatte ju att man bröt mot vissa moralregler man satt upp för sig. Och det hade han inga. Amoralisk vore en bättre beteckning på honom.

Problemet var bara att han aldrig kunnat ha en långvarig relation med en kvinna. Alla hans förhållanden hade ebbat ut, förr eller senare, fast oftast förr. Han undrade ibland vad det kunde bero på. Var han för grund? Saknade han egentlig empati, var han för inriktad på utseende och utanverk? Och vad bottnade hans rastlöshet i, att han ständigt drogs till nya kvinnor? Behövde han bekräftelse, hade hans barndom varit kärlekslös? Sökte han den värme och innerlighet han aldrig fick som barn?

Fast det var inte någon sport längre. Alla han ville ha, nästan, fick han. En diamantring, en weekend i Venedig tillhörde korten i leken. Det fanns många andra varianter, men han tog alltid hem spelet. Med tindrande ögon neg flickorna och tackade ja och genom sin ställning och sina resurser hade han sällan misslyckats. Pengar och makt var mäktiga afrodisiaka.

Han hade inga illusioner, inte nu längre. Bara svanar hade livslånga äktenskap. Det berodde väl på att alla svanar såg likadana ut. Vita, långa halsar och långa näbbar. Hade du sett en hade du sett alla. Han log. Nej, det var pengarna som gällde. De föll inte för hans utseende eller hans charm. Han var medveten om att han såg ganska ordinär ut, ganska "vanlig". Som en svensk departementssekreterare på väg in till Rosenbad med tunnelbanan från radhuset i Vällingby. Hårfästet började dra sig bakåt och bältet hade gått ut ett hål. Och det var ett problem. Inte det fysiska, det kunde han acceptera och leva med, utan tanken på att också hon hade fallit för hans pengar, hans ställning. Kvinnan han väntade på.

Egentligen kunde han fått någon yngre, fräschare, men hade fastnat nu, kom inte loss. Om det var hennes ögon eller hennes leende visste han inte. Eller hennes totala personlighet, hennes varma, mjuka kvinnlighet. Den sensuella utstrålningen. Var han modersfixerad, präglad av att hans mamma gått bort när han bara var fem år? En ömtålig period i en liten pojkes liv där aldrig så förstående barnsköterskor inte kunde kompensera en mamma som för alltid var borta och en upptagen pappa som nästan aldrig var hemma. Sökte han sin mamma i henne?

Kanske, men det spelade inte någon roll. Han älskade henne och han behövde henne. Och det visste hon, hade spelat sina kort väl. Hon hade dolt sin uppenbara förtjusning över att ha blivit "vald" och talade ofta om att hans pengar ingenting betydde. För henne var det kärlek som gällde. Men entusiastiskt och inte alltid väl dolt hade hon anpassat sig till den nya situationen som hans älskarinna till sina Östermalmsväninnors inte alldeles dolda avundsjuka. Fast det hette det väl inte nu längre. Älskarinna. Det var bara i gamla romaner. Men han visste att det pratades om dem. Att han kallades "the catch of the day", ungefär som på menyn på en amerikansk fiskrestaurang.

Han var bara inte riktigt säker på var han hade henne. Sista tiden hade hon varit egendomligt distanserad när de mötts i Stockholm och i telefon senare. Hade hon träffat någon annan? Hon var ju inte direkt oerfaren. En rad män av varierande kaliber hade hon förbrukat och lämnat bakom sig. Fast det spelade ingen roll. Illusionslöst insåg han att hon skulle gifta sig med honom till slut, det stod alldeles för mycket på spel för henne för att avstå. Han var dessutom tio år äldre och som rik och vacker änka var framtiden tryggad. Nema problema. Egentligen var det orättvist mot andra kvinnor. Hennes utseende alltså. Hon var sin skönhets fripassagerare. Hade fötts med en skönhet som lagt grunden till ett liv utom räckhåll för de flesta andra kvinnor.

Han log igen och tog en ny toast, den här gången med honung. Han hade läst att det var nyttigt och det måste det ju vara. Blomnektar. Kunde det finnas något bättre? Nektar ja. Han höll på att glömma.

Han reste sig, gick ut i det kaklade badrummet med svarta marmorplattor och mässingsblänkande kranar, öppnade ett vitt skåp och tog fram sina vitaminer. Vitlökskapslar, fiskoljekapslar, antioxidanter och ett vitaminpreparat som garanterat innehöll allting, från mineraler till c-vitamin. Den enda riktiga medicin han tog var Renitec mot för högt blodtryck, 140 genom 90. Det var inte alls alarmerande hade hans läkare sagt, men det var lika bra att ta det säkra före det osäkra och peta i sig en liten pastill varje morgon. Det kunde i vilket fall inte skada och sköts infarkten och hjärnblödningen upp några år så desto bättre. Fast själv trodde han mera på en drink före maten som rensade upp bland fettklumparna på artärväggarna, liksom vin som kryllade av antioxidanter.

Då ringde telefonen på nattygsbordet inne i sovrummet.

– Hej älskling. Jag är här nu. Vi har landat.

– Men du skulle ju inte komma förrän elva. Jag hade tänkt åka ut och hämta dig.

– Det var snällt av dig, men jag tar en taxi. Kom inte.
– Är det säkert?
– Jag lovar. Jag är på hotellet om nån timma. Det tar alltid tid att få ut bagaget. Vi ses! Och hon lade på.

Han satt på sängen med telefonluren i handen. Igen kom den där känslan över honom. Hade hon inte låtit väldigt sval och affärsmässig? Bara ringt och sagt att hon kommit och inte behövde hämtas. Hade det hänt någonting sedan han såg henne senast? Och hennes röst var spänd.

Men han slog ifrån sig tankarna. Det var väl naturligt. När man suttit hopkurad ett halvt dygn i en trång flygplansfåtölj så bubblade inte entusiasmen när man äntligen stod på marken igen. Fast någonting var det. Han kunde inte komma ifrån den krypande känslan av obehag. Som när man en vacker sommarmorgon anar den åskfront som är på väg långt bortifrån.

Kapitel IV

–Jag träffade Lasse idag, sa Francine när de små brickorna med den sena middagen kom, en mil upp i kvällsmörkret över Sydeuropa.

– Lasse?

– Det vet du väl. Min ex. Lars Berg.

–Jaha, sa jag och drack av den mörkröda, tanninrika Pauillacen. "Promising finale" hade den enligt menyn. Det stämde och den passade utmärkt till kycklingen som Air Mauritius bjöd på.

Francine hade ju en skilsmässa bakom sig när vi träffades i Visby. En studiekamrat från Uppsala där de båda läst juridik. Lasse Berg hade blivit advokat, men Francine valt motsatt väg nästan, blev polis. Jag hade aldrig förstått varför. Det var ju inte direkt en verksamhet man förknippade med kvinnor. Fast det var naturligtvis fel att hamna i något stereotypt könstänkande. Ett polisjobb behövde inte enbart bestå i att slåss med busar i trånga gränder. Det fanns ju mer sofistikerade varianter och en välfungerande ordningsmakt var ryggraden i ett rättssamhälle. Ett jobb som krävde sin man. Och sin kvinna.

– Det var en ren slump, fortsatte hon. Jag har inte sett Lasse på evigheter.

–Jaha, sa jag igen och hällde upp mer av vinet. Egendomligt nog är jag inte svartsjuk. Man borde väl vara det på sin partners före detta. Det hörde till. Men i förhållande till Lasse var jag totalt blank. Jag hade aldrig träffat honom. Inte funderat över honom heller. Och varför skulle jag det? Han var ju ett avslutat och dött kapitel för Francine. De hade gift sig för unga och glidit åt var sitt håll. Och några barn komplicerade inte deras förhållande.

– Jag gick förbi Select, förklarade Francine. Resebyrån du vet. Och jag tittade in för att se om dom hade några broschyrer om Mauritius. Och där stod han med sin nya. Dom skulle också åka dit.

– Trevligt för dom, sa jag neutralt och smakade på kycklingen. Det var något lokalt recept från ön, kryddstarkt men gott. Så han har en ny tjej?

– Ja, och mycket yngre. Hon jobbar på hans byrå, är sekreterare.

– Litet fantasilöst.

– Vad menar du?

– Att begränsa sig till sitt kontor. Det måste väl finnas större chanser utanför? Större urval.

– Det gjorde han först. Försökte utanför som du säger. Hon log.

Men det gick snett.

– Hurdå?

– Det var nån klient. Han hade hjälpt henne med hennes skilsmässa och då sa det klick. Dom gifte sig aldrig som tur var för honom, för hon stack. Hittade nånting bättre.

– Har han berättat det?

– Nej, jag hörde det för ett tag sen. Hos frissan. Jag träffade en gammal kompis från Sörmlands-Nerikes nation i Uppsala. Och hon talade om det. Men hon visste inte vem det var. Tjejen alltså.

– Så där sitter ni i torkhuvarna och skvallrar? Talar högt för att ni ska höra varann och alla öron reser sig på tanterna runt om. Hoppas du inte talade om mig.

– Du är inte tillräckligt intressant. Jo, i vilket fall så försvann hon och enligt Beth, min kompis, så tog han det oerhört hårt. Ställde till stora scener, hotade henne. Det blev visst väldigt pinsamt. Så han sökte tydligen snabb tröst. Kanske för snabb bara.

– Hurså?

– Jag hälsade ju på hans nya. Och rent emotionellt förstår

41

jag honom. Stora ögon, stor mun och stora tuttar. Om man är grabbig och vulgär alltså. Och det är ju Lasse. Men intellektuellt verkade hon ganska blåst och litet beräknande. Den där typen du vet som när man talar med dom på ett party så har man hela tiden en känsla av att dom ser över axeln för att kolla om det finns nån intressantare i närheten.

– Svartsjuk?

Francine skrattade, böjde sig mot mig och kysste mig på kinden.

– Det där var ovanligt fånigt sagt. Säg förlåt!

– Förlåt.

– Nej. Mera känsla. Säg förlåt snälla Francine. Jag ska aldrig mera säga dumma saker.

– I do, sa jag som i amerikanska deckarfilmer inför domstol, men höll fingrarna korsade under det uppfällda bordet. Jag kände mig själv. Rätt som det var hoppade en ny groda ur munnen.

– Den där tjejen lät intressant, sa jag och fortsatte med min kryddstarka kyckling. Hon som lämnade Lasse.

– Tyvärr vet jag inte vem det var. Jag kanske skulle forska lite. Men mig spelar det ingen roll. Lasse är ett avslutat kapitel för mig.

– Så hon bara stack?

– Beth sa det. Och att det skvallras. Hon har visst halat in nån stenrik finansgubbe. Jag vet inte vem det är och jag tänker inte ta reda på det heller. Men Lasse hade tydligen inte mycket att sätta emot.

– Varför får jag aldrig träffa såna. Jag menar allt det där du läser om slumpen. Alla böcker som handlar om att man hamnar bredvid en jättesnygg tjej på flyget. Jag har ju flugit en del i mitt liv, men aldrig. Bara tjocka tyska handelsresande eller svenska civilekonomer med attachéväskorna fulla av diagram och statistik. Och sen alla dom där som fäller upp sina datordasslock och slamrar och klapprar på alla knappar tills man landar.

Då nöp Francine mig i låret. Det var så hårt och kom så oförmodat att jag skrek till. En flygvärdinna som just kom i gången stannade upp och såg oroligt på mig.

42

– Är det nåt som inte är bra?

Maten är för stark, höll jag på att säga, men ångrade mig.

Jag skakade bara på huvudet och log. Hon log tillbaka och fortsatte.

– Där ser du, varnade Francine. En gång till och jag nyper igen. Fast hårdare och på ett annat ställe.

– Tänk på semestern, varnade jag. Du får inte blessera mig.

Kaffet hoppade jag över, får svårt att sova annars och det är ändå inte lätt när man flyger, hopvikt i trånga fåtöljer. Men jag hade fått en sömntablett av Francine. Svalde ner den med mineralvatten. Man måste dricka mycket hade hon sagt. På flyg blev man uttorkad annars.

Jag var faktiskt ganska nöjd med mig själv där jag satt. Inte bara med att vi var på väg till en härlig semester. Jag hade städat också innan vi reste. Min våning hade börjat risa till sig. Den vanliga städningen sköter Ellen, hon som hade hand om Cléo nu när vi var borta. Nej, det var allt annat. Papper, handlingar, betalda räkningar, kopior på fakturor, auktionskataloger, böcker. I travar och högar låg de. I fönsterkarmar, på nattygsbord. I bokhyllorna ovanpå böckerna, flöt ut i rummen. Och jag visste av erfarenhet att det inte gick att bunta ihop dem i en viss, logisk ordning och sedan lägga högarna någonstans. Det hjälpte bara för stunden och gav illusion av ordning och reda.

Men alla osorterade papper och böcker och allt det andra var på något sätt som ålar i Sargassohavet. De söker sig till de utsprungliga åarna och älvmynningarna, tillbaka till gamla lekplatser. Ungefär som människor, som när vi söker oss tillbaka till våra rötter, till hembygden. Det skulle inte förvåna mig om jag på ålderns höst sitter i någon gammal avstyckad bondgård vid Vibysjön och ser ut över solnedgången med min Dry Martini.

Och likadant med det jag sorterat. Efter några veckor hade det omärkligt smugit tillbaka till fönsterbrädor, telefonbord, hyllor och nattygsbord. Så jag hade gjort det enda raka, det radikala. Skaffat stora pappkartonger och stuvat undan det jag inte behövde, skrivit utanpå vad kartongerna innehöll och kånkat upp dem på vinden.

Konstigt med mig och papper förresten. Att jag kan stå och hålla ett papper i handen, läsa det och fem minuter senare inte hitta det. Och inte bara papper. Jag hade tagit ut pengar för att växla till resan, lagt dem bland några tidningar på skrivbordet och när jag skulle ta dem var de borta. Helt borta. Antingen dyker de upp på en plats där jag minst väntat det eller också åkte de ut med pappersinsamlingen. Papper som papper, det var ju sedlar, men den sortens bidrag till insamlingen är i dyrbaraste laget.

Jag vet inte vad det där beror på. För tidig senilitet, hade jag föreslagit. Slarv och lättja hade Francine konstaterat. "Du letar inte tillräckligt." Och förhoppningsvis har hon rätt.

Bredvid mig, på andra sidan gången satt en man och löste korsord. En guldring hade han i örat. Den såg litet felplacerad ut. Folk fick gärna för mig ha ringar och annat var de ville på kroppen, men det hörde väl till en yngre generation. Och han måste vara gott och väl trettiofem. Fyrtio snarare. Rakat huvud och tunna drag. Såg ut som om han bantat för snabbt och för mycket. En blå, kraglös skjorta, guldhalsband som en italiensk strandraggare. Och sen ringen i örat. Det verkade som om han ansträngt sig att se ung ut. Körde med ansträngt rätt attribut.

Han såg upp. Märkte han att jag studerat honom? Så log han. Litet i vänligaste laget bara.

– Vet du vem Gullivers pappa var?

– Förlåt?

– Det står här. "Far till Gulliver."

– Du menar han som kom till lilleputtarnas land?

– Exakt. Dom gjorde en tecknad film om honom som jag såg som grabb. Du kommer ihåg hur han låg där och dom hade slagit rep runt honom så att han inte kunde röra sig. Jag tyckte det var häftigt. Han log igen.

– Och det är kris. För just det ordet blir nyckeln till flera andra.

– Fem bokstäver?

– Hur visste du det?

– Han var domprost på Irland. Jonathan Swift. Och Gullivers resor och andra böcker var egentligen politiska satirer. I en bok föreslog han exempelvis att hungersnöden på Irland skulle lösas genom att man åt barn.

– Du är inte sann!

– Jodå, men det var satir som jag sa.

– Det stämmer, sa han förvånat och såg ner på den uppslagna tidningen. Det hamnar precis rätt. Han såg på mig med något som liknade beundran.

– Kom ihåg bara att Swift stavas med dubbel-w. Och jag kände mig ganska belåten. Inte för att jag alltid hade den gamla 1700-talsförfattaren och politikern aktuell, men jag hade råkat slå upp honom just innan vi reste. För jag såg ett citat från honom i en tidning som jag satte upp på kylskåpsdörren med en en liten magnetgrej. Den föreställde faktiskt en katt och hade kommit med i ett paket kattmat.

"Mycket få människor lever idag – de flesta gör förberedelser för att leva imorgon", stod det. Och det är ju så det är, hade jag tänkte. "Carpe diem", fånga dagen. Lev i nuet. Eller som Beatles sa: "Framtiden är vad som händer medan vi planerar för den."

Fast det där behöll jag för mig själv. Det hade blivit för mycket för min korsordslösande granne tvärs över den trånga gången.

Flygvärdinnan hämtade våra brickor och jag satte på mig min mörka ögonbindel, stoppade propparna i öronen. Fällde stolsryggen bakåt och kände sömnen komma krypande genom min kropp, påhejad av Francines sömntablett. Filmen med Julia Roberts som brud på villovägar hoppade jag över. Francine var vackrare, hade inte lika stor mun och fanns närmare. Dessutom var Julia som andra Hollywoodstjärnor. Hon tolkade inte en roll. Hon spelade Julia Roberts.

I den långa kön vid passkontrollen stod vi håglösa och hängiga efter en natt i det oroliga gränslandet mellan sömn och vaka. Sköt vårt handbagage på golvet framför oss med fötterna när kön långsamt avancerade. Jag var tung i huvudet, inte baksmälletung, men resterna av sömnmedlet satt väl kvar. Fast jag skulle inte klaga. Jag hade faktiskt sovit större delen av natten, inte vaknat förrän frukosten kom. Då hörde jag en röst bakom mig. Jag vände mig om. Annika Claesson av alla människor.

– Vad festligt! Ska du också hit?

Hon pussade mig på bägge kinderna. Bredvid henne stod min korsordslösande vän.

– Jag såg dig inte på planet. Och det här är min sambo och kompanjon Jack Nelson. Inredare.

– Och trendexpert. Framtidsanalytiker. Vi känner varann. Din kompis är ett snille. Han vet vem som är pappa till Gulliver.

– Gulliver?

Annika Claesson såg förvånat på oss. Hon är alltså en av mina kolleger, styrelseledamot i vår antikhandlarförening och med en exklusiv affär på Norrlandsgatan. Specialist på inredning av "bättre" interiörer typ stora bostadsrätter och exklusiva butikslokaler. Hennes långa, blonda hår som stötte i guld var uppsatt i en knut.

– Hej, sa Francine. Jag är Johans... Ja, vad är jag egentligen. Hon såg på mig och skrattade. Jag har faktiskt aldrig tänkt på det. Sambo eller särbo? Delsbo kanske.

– Delsbostinta, sa jag. Francine är alltså min flickvän.

Jag såg inte på henne för jag visste inte riktigt hur hon skulle uppskatta att kallas "delsbostinta". Men jag anade.

– Hur länge ska ni stanna? sa jag snabbt för att segla bort från blindskäret. Och var bor ni?

– Vi har bokat oss för två veckor och bor på President. Resebyrån sa att det var ett av dom bästa hotellen. Dessutom har vi jobb där.

– Jobb? sa Francine. Är ni inte här på semester?

– Betald semester. Jack Nelson såg belåten ut. Vi ska göra en inredning härnere åt en svensk faktiskt. Han betalar både resa och uppehälle.

– Det låter praktiskt, sa jag.

– Och ni? Annika såg frågande på oss.

– Vi ska hälsa på några släktingar, förklarade Francine. Min mammas kusin och hans fru. Familjen har bott här sen generationer.

– Det låter spännande. Hoppas ni får en trevlig semester.

– Ni också. Vi kanske ses.

Väl genom passkontroll och tull väntade Jacques de Selon på oss i den stora ankomsthallen. Lång, smal i sextioårsåldern. Mörkt hår, bruna ögon och skarpskurna drag med markerad näsa. En aristokratisk örnprofil. Jag förstod genast vem det var, redan innan Francine slog armarna om halsen på honom och kysste honom på båda kinderna. För han liknade hennes mamma Claudette. Det gick inte att ta miste. Samma hållning med huvudet lätt på sned, samma leende. Han verkade vara den sportiga typen. Associerade till tennis och golf.

Mig hälsade han med ett fast handslag. De bruna ögonen såg forskande på mig, som om han mätte och vägde. Så log han. Hade jag bestått hans prov?

– Välkomna till vår ö. Veda hade inte tillfälle att komma med. Hon är hos tandläkaren i Port Louis stackarn. Han log. Och jag utgår från att du vill tala engelska?

Jag nickade, det passade utmärkt. Visserligen hade jag borstat upp min skolfranska en dramatisk vecka nere i Grez-sur-Loing ganska nyligen,* men engelskan kändes tryggare.

– Det här är alltså Johan Kristian, sa Francine. Min gode vän som jag berättade om. Han är antikhandlare i Stockholm.

– Jag vet. Claudette har skrivit också. Jag är rädd för att vi inte har mycket att komma med när det gäller antikviteter här nere, utom våra berömda frimärken förstås. Han skrattade. Samlar du frimärken?

– Jag gjorde det som pojke. Men Mauritiusfrimärkena har jag naturligtvis hört talas om. Det vore roligt att se dom. Om det finns nåt museum kanske?

– Du behöver inte gå på museum. Jag har faktiskt en liten samling. Nej, nu får vi ge oss iväg. Är det där allt bagage?

Han vinkade på en bärare och en stund senare rullade vi iväg i hans stora, mörkblå Range Rover.

*Mårtenson: Häxan

47

Kapitel V

Det långa, vita tvåvåningshuset påminde om en sydstatsplantage i Louisiana eller Georgia. Höga franska fönster vette ut mot trädgården under en balkong som gick runt byggnaden, uppburen av pelare. Loggian, som också den löpte längs väggarna, låg i balkongens skugga undan en sol som stod rakt upp på himlen. Stentrappor ledde till huset. Två stora palmer flankerade ingången och en ännu större stod som ett vårdträd mitt på planen där Jacques stannat bilen. Framför huset där vi stod fanns två små flyglar och bakom skymtade en stor gräsmatta, fräscht grön trots hettan. Den bevattnades säkert. Och runt huset växte stora, grovstammiga lövträd med namn jag inte kände till. Jag väntade nästan att en kvinna i lång, vit klänning skulle komma mot oss från huset. Det kunde varit "Tara", huset i "Borta med vinden", och Scarlet O'Hara skulle snart möta oss.

Hettan slog emot oss som en vägg när vi öppnade bildörrarna och gick ut ur den luftkonditionerade svalkan. En hund skällde och fram mot oss stormade en stor, svart labrador som hoppade upp på Jacques och slickade honom i ansiktet.

Han skrattade och lugnade hunden. Grep honom i halsbandet.

– George, ropade han mot en av de små flyglarna. Kom hit och hjälp oss med bagaget.

En pojke i femtonårsåldern i T-shirt och jeans dök upp bakom knuten. Han log med hela ansiktet. Samma bruna ögon som Jacques, samma hårfärg.

– Min son, sa Jacques stolt. Hälsa på din... ja, vad är det.

Han såg på Francine. Sysslingar är ni väl om din mamma och jag är kusiner? Just det.

Pojken gick fram till Francine, tog henne i hand och bockade artigt. Sedan kysste han henne på kinden. En snabb, litet blyg kyss.

Andra platser, andra seder, tänkte jag. När kysste en tonårspojke i Sverige på kind senast? Och när bockade han? Själv hade jag varit blyg, handsvettig och aldrig ens kommit på tanken. Men jag kom ju från landet och den gamla prostgården i Viby. Fast nu var det kanske skillnad. Åtminstone i Sturegallerian och andra vattenhål för ungdomarna från Carlssons skola och andra reservat.

– Och så Monsieur Homan.

– Är det också en syssling? Frågande såg han på sin pappa.

– Nej, förklarade jag. Vi är bara goda vänner och inte alls släkt. Francine och jag alltså.

– Inte än så länge i alla fall, sköt hon in, men jag undrade om han förstod.

– Ni får stora gästrummet på gaveln. Eget badrum har ni också så ni kan vara alldeles ostörda. Har man semester så har man.

– Kan du hjälpa till med bagaget?

Han nickade mot George som kånkade iväg med Francines två stora resväskor.

Jag undrade alltid över hur hon kunde ta med sig så mycket. Vi skulle bara vara borta ett par veckor knappt, i ett tropiskt klimat där det som gällde var shorts, T-shirt och baddräkt. En och annan klänning måste hon väl ha på kvällarna, men det här lasset verkade i mesta laget. Och det var likadant vart vi än for, till och med när det bara gällde en weekend hos Francines föräldrar på Björkesta.

Själv reste jag lätt, hade bara en liten väska som till nöds kunde passera som handbagage. En lätt, mörk kostym för kvällsbruk. Skjortor och T-shirts. Underkläder. Två par jeans, några shorts, badbyxor och ett par svarta skor som komplement till mina Reeboks. Och sedan det jag gick och stod i. Men konvenansen ställde väl andra krav på kvinnor.

– Jag ska bara visa er trädgården också, sa Jacques, så att ni inte går vilse. Han log. Det tar bara fem minuter men sen har vi det undanstökat. Och ni behöver röra på er efter en natt i flygplansfåtöljerna. Man känner sig som en fällkniv.

Vi gick runt huset. På andra sidan fanns en stor gräsmatta med en hjärtformad rabatt på mitten. Och bakom den vita byggnaden höjde sig ett bergmassiv som dekorativ bakgrund där grön vegetation klättrade upp längs sidorna. Men den nådde inte ända upp där det grå, nakna berget skimrade i solen.

Trädgården, som omgavs av höga träd, avgränsades i söder av en låg stenmur. Bakom stupade terrängen brant mot en ravin med en stenig bäck på botten långt därnere. Tropisk grönska vällde upp längs ravinens branta väggar och stora bambubuskage klängde längs sidorna. Instinktivt tog jag ett steg tillbaka där vi stod.

– Vi ska bara titta in i dom gamla slavhusen, sa Jacques. Dom är alldeles nyrestaurerade, men pietetsfullt. Vi har sparat interiörerna. Här låg det gamla köket.

Han visade på den vänstra flygeln, ett lågt hus i grov sten med vita murfogar och en kraftig skorsten. Därinne fanns ett kök som nästan kunde ha varit taget från en svensk bondgård på 1800-talet. En stor häll med trebenta karotter och grytor. Jordgolv. Gammaldags hushållsföremål av järn och en lucka i väggen där man fick sina skålar och tallrikar med mat. I det andra huset, som var enklare, hade slavar sovit.

– En del av vårt kulturarv, konstaterade Jacques när vi stod på gårdsplanen igen. I alla historieböcker finns det mörka sidor, men nu har vi den där epoken bakom oss och det finns inga egentliga rasproblem. Så välkomna. Han gjorde en gest mot den vita byggnaden.

Vi kom in i huset, steg genom den stora, franska dörren i samma stil som fönstren. Det var svalt därinne. Högt i tak. Vinden gick genom huset, kom från de stora, öppna fönstren som täcktes av långa bastgardiner till skydd mot solen. Luftkonditionering verkade inte behövas.

Rummen var stora och tungt möblerade. Franska antikviteter mest. Familjen hade tydligen trots allt fått med sig en hel del när de lämnade Frankrike eller också var det senare inköp.

Jag såg mig om medan vi fortsatte fram mot en bred trappa till övervåningen. Stora, mörka familjeporträtt i guldramar. Och vackra möbler. Mest Louis-seize, gustavianskt, uppblandat med en och annan rokokosak. Och jag undrade hur faneret kunnat hålla sig så bra i det fuktiga klimatet. Hade trät gradvis anpassat sig?

Uppe på andra våningen låg vårt rum. Stort och luftigt med breda fönster ut mot trädgården och gräsplanen på baksidan. Inredningen gick i vitt och blommigt, åt Laura Ashley-hållet. Och badrummet verkade alldeles nytt med kakel i turkos och ett stort, vitt badkar med guldblänkande mässingskranar.

– Vill ni ha nånting att äta? undrade Jacques när vi lagt väskorna på den breda dubbelsängen.

– Nej tack, sa Francine. Lite mineralvatten kanske. Vi åt frukost på planet och är ganska urlakade. Så om vi får vila oss ett tag och komma ner sen.

– Visst. Jacques log. Man blir ganska mör efter en så här lång resa. Jag åker ju till Paris ibland, vi har en direktlinje, så jag vet hur det är. Take your time och kom ner när ni känner för det. Och du kanske kan ta upp ett par flaskor Evian. Han vände sig mot George, som nickade och gick.

– Sov gott nu så väntar vi på er därnere. Då har Veda kommit tillbaka från Port Louis. Vi ses.

– Egentligen avskyr jag den där uppblåsta fan. Jack Nelson kom ut från badrummet, naken, med ett mörkblått badlakan virat runt midjan. Guldkedjan runt halsen blänkte. Han lade sig på sängen.

– Man biter inte handen som föder en, sa Annika Claesson där hon satt framåtböjd och rödlackerade tånaglarna vid toalettbordet. Dörren till den stora altanen stod öppen och havet drog långsamt in över sandstranden tio meter nedanför. Slog ut bränningarnas vita solfjädrar över den varma sanden.

– Jag vet, men han är så förbannat självgod. Bara för att han har ärvt en massa stålar behöver han ju inte behandla oss som skit.

– Tycker du? Mig är han aldrig ovänlig mot. Dessutom har

51

han faktiskt skapat en stor förmögenhet på egen hand.

– Jag förstår inte varför du försvarar honom. Det har du väl ingen som helst anledning till efter det som hände? När han blåste mig.

– Man måste skilja på känslor och realiteter. Hon skruvade på den vita bakelithatten på nagellacksflaskan, satte den med en smäll på bordets glasskiva. Emotioner är en sak och pengar en annan. Han är faktiskt en av mina bättre kunder och att vi bor och äter gratis här kan vi tacka honom för. Flyget betalade han också. Dessutom säger jag inte emot dig eller försvarar honom. Jag har min uppfattning och du har din. Det får du acceptera.

– Det kanske finns andra skäl, sa han med ett försmädligt leende. Ja, till att du gillar honom.

– Nu förstår jag inte vad du menar, sa hon kort och lade sig på sängen bredvid.

– Det vet man väl. Han springer ju efter allting som har kjol. Och rik som han är så ställer brudarna alltid upp.

– Lägg av, sa hon trött. Jag har suttit vaken hela natten och måste vara fräsch när vi träffar honom. Jag har med mig hela planlösningen och foton på möblerna. Hela paketet för hans nya våning här. En jättesvit. Det kan bli en miljonaffär och du vet mycket väl att vi behöver dom. Pengarna alltså. Dina framtidstricks har ju inte gått så lysande.

– Framtidstricks? Vad fan menar du? sa han förargat.

– Dina föreläsningar då om det låter bättre. Och artiklarna och alla dina profetior om trender och nya visioner. Folk kanske har genomskådat dig? Att kejsaren inte har några kläder. Satsa mera på inredningssidan. Där är du faktiskt bättre. Och här kan du göra ett klipp.

Nyfikenheten tog överhand och istället för att snäsa av såg han på henne där hon låg med slutna ögon som om hon höll på att somna.

– Ett klipp? Hurdå?

– Han har många järn i elden som du vet. Bland annat hotell. Och jag vet att han är intresserad av att köpa in sig i en kedja lyxhotell. Där är tanken att dom ska satsa på ett nytt koncept, också när det gäller inredningen. Om du kan visa dig vaken och alert nu när vi är här och presentera idéer för honom så kanske du kan få in en fot i det köret.

Jack Nelson låg tyst. Såg upp i taket. Annika hade kanske rätt. Och det hade gått litet knackigt med konsultverksamheten ett tag. Marknaden verkade mättad med alla obegåvade töntar som satt i veckotidningar och söndagsbilagor och kläckte ur sig plattityder om mode och framtiden och allt möjligt annat. New Age och hela köret. Självbelåtna, självsäkra nollor.

Han kanske skulle satsa mera på design och inredning istället. Det var han bra på, han visste det. Och kunde han få ett stort internationellt uppdrag av den här sorten så kunde det bli bingo, öppna nya dörrar. Ett av dom sista jobben på den kanten han gjort var för en bensinmackskedja och ett annat en av färjelinjerna som gick på Åbo och Helsingfors. Färgsättning och koordination. Den sortens uppdrag kanske han skulle slippa i fortsättningen. Visserligen var mannen de skulle träffa på eftermiddagen en idiot och en djävla typ som hade kört upp honom. Men Annika hade rätt. Som vanligt, och han avskydde det. Fast här fick han glömma sina känslor och se till pengarna. Cash is king. Det var den järnhårda regel som gällde, inte minst för frilansare som han. Han fick glömma det han utsatts för, förödmjukelsen, hatet. Och så somnade Jack Nelson i sin svit på hotell President, den svit som mannen han avskydde försett honom med.

– Älskling, viskade han i hennes öra, "älskling" viskade hon tillbaka, men avskydde sig själv när hon gjorde det. De låg nakna på den breda sängen. Sovrummet var dunkelt med nerfällda persienner och fördragna gardiner. Hans håriga arm låg över hennes bröst, den tunga Rolexklockan blänkte på handleden och han somnade. En liten grön ödla rann snabbt längs taklisten. Ljudet från en motorbåt kom genom det halvöppna fönstret. Röster hördes nere från poolen. Några lekande barn skrek i glad förtjusning.

Hon lyfte försiktigt bort hans arm, tänkte på mannen hon lämnat i Stockholm. Vad skulle hon säga till honom? Hur skulle hon kunna förklara? Han hade blivit förälskad i henne

53

och hon i honom, totalt oplanerat och lika totalt oavsiktligt. Hon hade överrumplats av sina känslor, kunde inte stoppa. I början hade det inte varit så allvarligt, mera en lek. Hon smickrades av hans intresse, kände att hon fanns på marknaden, var attraktiv.

"Min älskade vän", hade hon sagt på Arlanda i bilen utanför. Hon ville inte att de skulle ses tillsammans inne i avresehallen och han hade förstått.

"Älskade vän." Så hade hon kysst honom, sett honom rakt in i ögonen. "Du är underbar. Jag har aldrig träffat en man som du." Banalt som replik kanske, det hade gått inflation i den sortens ord, men när hon sa det menade hon det. Djupt och innerligt, fast redan när hon gick genom passkontrollen ångrade hon sig. Hon hade inte rätt att bära sig åt som hon gjorde, fick inte såra honom. Hon insåg att det hon kände för honom var ett emotionellt rus, en euforisk känsla som bleknade bort i verklighetens klara solsken. Eller var det inte så? Försökte hon lura sig själv? För den man hon var på väg att träffa representerade makt, pengar och en framtid utan några ekonomiska problem. Hon visste om hans ombytlighet, kände väl till den. Men när de väl var gifta skulle hon ha sitt på det torra.

Inte för att hon hade några illusioner. Han skulle säkert kräva äktenskapsförord och där kunde hon inte neka. Men han skulle ha tillräckligt dåligt samvete om och när han gick ifrån henne för att ställa upp med ett generöst underhåll. Och det där med kärlek var ju bara någon sorts illusion som förbleknade med åren. Men pengar bestod, åtminstone hans för han hade berättat för henne hur idiotsäkert de var placerade och inlåsta i olika stiftelser. Dessutom var han ganska mycket äldre, levde stressigt, rökte och drack.

Hon slog bort tankarna. Jag är ingen golddigger, tänkte hon och gick ut i duschen. Jag gör det inte för pengarna. Men vad gör du det då för?

Hon såg på sitt ansikte i spegeln. Fast hon blev svaret skyldig, tänkte på mannen som kört henne till Arlanda. Hans ögon, hans röst. Händerna. Gjorde hon rätt? Skulle hon ångra sig?

Kapitel VI

När vi vaknat efter några timmars sömn i vårt gästrum gick vi nerför den breda trappan. I den stora salongen som vette ut mot trädgården och gräsmattan satt en kvinna i shorts och en tunn, vit blus och läste tidningen. Hon log när vi kom, reste sig och gick välkomnande emot oss.

– Chéri, sa hon med ett stort leende och tog Francine i famn. Vad roligt att se er. Välkomna till vår ö.

Lika hjärtlig var hon mot mig och det kändes att hon menade vad hon sa. Det var inte några konventionella fraser.

Veda de Selon var mycket yngre än Jacques, och hans andra fru sedan hans första hustrus tragiska död i cancer, hade Francine berättat. Och hon var mycket vacker. Hennes indiska mormors drag gick igen i de stora, mandelformade bruna ögonen och det blanksvarta håret. Trots den eviga solen var hon inte brun. Gammal feodal tradition, tänkte jag och såg på henne. Överklassens kvinnor fanns inte ute på fälten i solgasset. De satt bakom nerfällda jalusier, läste romaner och spelade klassiker på en stor flygel. Blekhet var ett klassmärke. Och det var klokare än de förstått, för de slapp förbannelsen för dagens kvinnor som fick tillbaka med råge för alla soltimmar när huden åldrades i förtid. Förutom malignt melanom.

Lägg av, tänkte jag. Du börjar tänka som läkarspalten i någon kvällstidningsbilaga. Hur som helst hade Veda de Selon sluppit murkeleffekten.

– Berätta allt nu, sa hon och slog sig ner i en stor soffa. Kom och sitt. Jag vill veta allt om Claudette och Rutger och

55

vad som har hänt sen sist. Det känns som evigheter, men vi var ju faktiskt där för bara några år sen. Fast då träffades inte vi. Hon log mot mig. Claudette har skrivit om dig. Hon var mycket lycklig över Francines val.

Jag log tillbaka. Francines val? Det är väl jag som har valt. Faktiskt. Men jag insåg att hon hade rätt. Det var Francine som valde mig. Jag hade kunnat välja aldrig så mycket, men det hade varit totalt ensidigt om hon inte bestämt sig.

Och Francine berättade, stort som smått. Om hur föräldrarna mådde, om sina syskon och syskonbarn. Om livet på Björkesta, älgjakterna och andra exotiska inslag i en svensk lantjunkares liv till fest och vardags.

Jacques kom också, lika nyfiken han.

– Nej, det här duger inte, sa Veda efter ett tag. Här sitter vi som stora egoister och låter oss underhållas. Ni måste vara hungriga. Det är långt över lunchtid. Vad vill ni ha?

– Bara nånting lätt, sa Francine och såg på mig. Jag nickade instämmande. En omelett kanske. Litet sallad. Och mineralvatten. Annars somnar vi.

– Utmärkt. Jag ska ordna det. Underhåll våra gäster nu Jacques. Själv tar jag ingenting. Tandläkaren, sa hon med en grimas och pekade på kinden. Hon reste sig och gick.

– Vi ska inte ha nån brådska och ni är här på semester, men om ni vill kan vi ta en tur på ägorna, sa Jacques. Ja, var inte oroliga. Vi tar bilen och luftkonditioneringen är perfekt. Jag kan visa er en del av ön så ni får en uppfattning om hur det ser ut. Och ikväll är vi bortbjudna.

– Är vi? sa Francine. Vart då?

– Egentligen inte ni, men jag har ringt och frågat om jag fick ta med er. Och det gick mycket bra. Jacques log. Det är faktiskt en landsman till er. Anders Högman. Och han var mycket intresserad när han hörde att Johan var antikhandlare.

– Anders Högman? Bor han här?

– Känner ni honom?

– Det är så klart, sa Francine. Vem gör inte det? Jag har visserligen aldrig träffat honom men läst en massa. Han kallas för Sfinxen i affärstidningarna i Sverige.

– Sfinxen? Roat såg Jacques på henne.Varför det?

– För att han är tyst, gåtfull när det gäller sig själv och sina affärer. Hemlighetsfull. Han bara finns, men syns inte. En sorts businessvärldens Greta Garbo.

– Fast inte så vacker, sköt jag in.

– Det hade varit för mycket, sa Francine. Så rik och så vacker. Du kan inte få allt.

– Då föredrar jag rikedom, sköt Jacques in. Skönhet förgår och försvinner.

– Tala för dig själv du, Francine log. Det ska bli jättespännande att träffa honom. Men jag hade ingen aning om att han bodde här.

– Det kanske är för mycket sagt, men han är här väldigt ofta. Jag tror att det är av skatteskäl och nu betyder ju avstånd ingenting med faxar och internet och allt vad det heter. Du kan ju göra sekundsnabba affärer om du så satt på nordpolen. Han är registrerad på Mauritius, har uppehållstillstånd och betalar skatt här. Hur mycket det nu kan bli för en person som kan manipulera sina tillgångar mellan bolag världen över. Men det måste ändå vara förmånligt för honom om man jämför med era skatter i Sverige. Är ni fortfarande världsmästare? Auguste berättade det sist vi sågs. Världens högsta skatter i världens kallaste och snöigaste land. Dubbla orättvisor kallade han det. Ni har visst nån sorts förmögenhetsskatt också, sa Auguste. Först tjänade man beskattade pengar. När man sen satte in dom på banken fick man skatta för dom en gång om året.

– Det stämmer, sa jag och det förvånade mig inte att Auguste, eller Gustav som han försvenskat sitt franska namn till, hade tagit upp det med Jacques. För Francines bror var mycket aktiv som kommunalpolitiker i Flen, var moderat ordförande i någon nämnd förutom att han drev jordbruket på Björkesta. Och det svenska skattesystemet tillhörde det han älskade att hata.

– Var bor Anders Högman? undrade Francine. På ett sånt här magnifikt ställe som ni?

– Magnifikt och magnifikt, Jacques drog på det. Egentligen är det för stort för oss och vi borde flytta till något mindre och bekvämare. Modernare. Men familjetraditionen sitter i väggarna. Huset skulle aldrig tillåta oss att flytta. Jo, monsieur Högman har ordnat det väl för sig. Han bor faktiskt på hotell. President. Ett av dom bästa på ön.

– Är inte det lite trist? sa Francine. Opersonligt.

– Inte alls i hans fall. Tvärtom. Han disponerar en stor dubbelsvit. Fem rum tror jag. Högst upp med utsikt över Indiska oceanen. Nu ska han inreda det i svensk stil, med svenska möbler. Det var därför han var intresserad av att höra att du Johan var antikhandlare. Och där bor han alltså när han är här. Eftersom sviten ligger i ett hotell är den ständigt bevakad och har all service man kan önska sig. Telefonväxeln tar hand om alla meddelanden och kan sortera samtalen så han slipper när han inte vill. Frukost serveras i våningen. Helikopterplatta finns utanför. Solar gör han ostört på sin stora balkong. Lunch och middag kan han beställa från roomservice. Tvätten tar dom hand om, stryker skjortorna och kemtvättar kläderna. Allting finns på telefonlängds avstånd. Jag önskar jag kunde säga detsamma om servicen på det här hotellet. Han skrattade.

Efter den lätta lunchen åkte vi ut med Jacques i hans Range Rover. Vänstertrafik som i det gamla moderlandet England. Smala, vindlande vägar där trafiken inte verkade ha några hastighetsbestämmelser. Tuta och köra var huvudregeln. Tuta, köra och blunda. Att det kunde komma någon bakom en krök ingick inte i bilden. Fast i ärlighetens namn tillämpade Jacques principen med moderation.

Böljande hav av mörkgröna sockerrörsfält dominerade landskapet. På de kuperade fälten fanns kullar och rösen av stora block och stenar av svart lava som arbetarna genom århundraden släpat ihop för att ge plats för sockerrören. Kreolpyramider kallades de, sa Jacques, efter slavarna som dragit ihop dem. Som ett småländskt odlingslandskap med stengärdsgårdar och stenkummel.

Här och där reste sig höga skorstenar från gamla nedlagda sockerfabriker, som nu hade centraliserats till stora anläggningar enligt Jacques. Men inte bara sockerrörsplantager. Tobaksfält öppnade sig på båda sidor om vägen, teplantager, kaffe. Ett ödsligt landskap trots att Mauritius var ett av världens mest tätbefolkade länder.

Längs vägarna växte höga träd med lysande rödorange blommor och flikiga, gröna löv som påminde om rönnbär. Gult gullregn. Katolska kyrkor, hindutempel och moskéer som skymtade fram bland vegetationen påminde om Mauritius mångkulturella historia. Jacques berättade att hindutemplen hade två färger, rött och vitt. De muslimska moskéerna vitt och grönt medan Tamiltemplen hade gula inslag i det vita. Hinduerna hade också vid sina hus egna små tempel som symboliserade fred och frihet.

Dekorativa bergsformationer reste sig i fonden och här och där låg blomsterodlingar under svarta nät mot fåglarna.

– Anthurium, förklarade Jacques. Röda och vita snittblommor som flygs dagligen till Europa. Big business här.

Vi passerade små byar med låga hus av grå betong, byggda för att motstå cyklonerna, på bägge sidor av huvudgatan. Apotek, speceriaffärer och grönsaksstånd kantade trottoarerna och den moderna tekniken hade angjort också Mauritius. Videoaffärerna med hyrfilmer var många och TV-apparater och datorer blänkte fram i stora skyltfönster. Knallröda Coca-Cola-skyltar signalerade läskedrycksimperiets kolonisering av törsten också på Mauritius.

Det fanns gott om mopeder. Som ilskna bålgetingar smattrade de fram längs vägarna. Trafiksäkerhetsverket hade blivit riktigt förtjust om de sett det, tänkte jag. Alla hade hjälm på sig.

När vi kom högre upp blev vegetationen tätare och kraftigare. Jacques förklarade det med att man fick mera regn än nere på slätten.

– När engelsmännen kom 1810 fanns inga vägar, berättade han. Man red eller bars i bärstol. Inte ens i Port Louis kunde man ta sig fram i vagn.

Den något större vägen längs östkusten for vi några mil, vägsträckan där det ena lyxhotellet avlöste det andra. En sak hade de gemensam. De vände ryggen åt vägen och det flacka landskapet inåt ön. Vid havet låg de, vette mot akvamarinoceanen med avvisande murar mot vägens och omgivningens vardag där lantarbetare och andra bodde i små förfallna skjul. Getter betade utanför, höns sprätte i den röda jorden och höga bananträd gav skugga. Bougainvillea blänkte i lila, blått och rött, tävlade med jakarandaträdens mörkröda blommor, allt mot ett djupgrönt bladverk.

"Les extrèmes ses touchent", tänkte jag men ville ingenting säga till Jacques. "Ytterligheterna berör varandra." På ena sidan de vita murarna och de höga häckarna fattigdom, och på den andra en lyx som var ouppnåelig för majoriteten av befolkningen.

– En drink eller en kopp kaffe? undrade Jacques när vi for längs hotellentréerna, det som egentligen var baksidorna.

– Gärna kaffe, sa Francine. Espresso. Jag håller på att somna. Och mycket vatten. Iskallt mineralvatten.

– Ska bli. Jacques svängde in vid en skylt som sade Le Touessrok. Det är ett av dom bästa hotellen. Ligger på några öar och ser ut som en söderhavsby.

Han hade rätt. Efter en stund satt vi nere vid havet under ett vasstäckt, toppigt tak som på en söderhavshydda bland palmerna och såg ut över den solgnistrande sanden med var sin dubbel espresso och några flaskor Evian. Hela anläggningen var byggd på öar med små broar emellan. Man kunde gå rakt ut i det långgrunda havet från de vita, låga husen. Det verkade som om Gud och turistbranschens PR-kontor hade haft ett ultimat samarbete. Glassigare, glittrigare och lyxigare kunde det inte bli.

– Nu kan jag dö lugnt, sa Francine och kisade mot solen. Här och nu. Bättre än så här blir det aldrig.

– Turismen håller på att bli vår största industri, konstaterade Jacques och såg på en trupp nyanlända gäster som marscherade iväg mot sina rum i hyddor längs stranden.

– Sockret är ju konjunkturkänsligt och cyklonerna kan ställa till. Men vi är inte lika beroende av sockret som förr när det odlades på 80 procent av åkermarken. Tyvärr högg holländarna och fransmännen ner teak- och ebenholtsbestånden. Textilindustrin går bra tack vare våra arbetslöner och kvalitet. Många av dom "stora" namnen, som Ralph Lauren och andra, har etablerat sig med fabrikation här. Passa på och handla billigt förresten. Dom säljer ut skjortor och allt möjligt annat i särskilda affärer mycket billigare än i Stockholm. Men turismen tror jag kommer att gå om det mesta. Den är naturligtvis också konjunkturkänslig. I dåliga tider har folk inte råd. Fast dom som kommer hit är inte så priskänsliga.

– Är det mycket charterresor?

– Nej. Och vi vill inte ha hit dom. Mauritius får inte bli ett nytt Mallorca eller som Kanarieöarna. Så myndigheterna kontrollerar noga nyetableringar av hotell. Kvalitet är huvudsaken. Elegans, lyx. Och vi måste också hålla balansen mellan turism och lokalbefolkning.

– Hur gör ni då? frågade jag.

– Alla stränder är exempelvis öppna för befolkningen. Dom får inte känna sig utestängda i sitt eget land. Men dom respekterar turisthotellen och håller sig till andra plager utan hotell. Lever i en symbios med turisterna kan man säga, där båda sidor respekterar varandra. Därför vill vi undvika massturism med grisfest och fylleri.

– Det verkar vara en klok policy, sa Francine.

– Vi tycker det och har det lugnt på ön i motsats till på många andra platser i närheten. Låg arbetslöshet och ingen social oro. Och vi försöker som sagt leva i ett slags harmoni med turismen. Den är livsviktig, men inte så stor att den inverkar negativt. Det är därför vi kontrollerar den.

– Hur kan turism vara negativ? undrade jag.

– Om hotellen köper upp all attraktiv mark längs kusterna och om köpstarka turister översvämmar ön så kan lokalbefolkningen komma i kläm. Kontrasten mellan rika européer och fattiga mauritier blir för stor och påtaglig. Nu accepteras turisterna för alla inser att det flyter in pengar och ger arbetstillfällen. Det är ju en serviceindustri som är oerhört personalintensiv och inte går att rationalisera med maskiner och teknik som sockerproduktion och textil. Men det finns en gräns nånstans. Så vi försöker hålla balansen.

– Det låter rationellt, konstaterade Francine. Så då har Anders Högman många skäl att bo här. Inte bara skatter, service och diskretion. Socialt lugn också. Ingen revolution i sikte.

Jacques skrattade.

–Förhoppningsvis har du rätt. I vår familj har vi haft nog med revolutioner. Nån ny Robespierre eller Napoleon kommer inte till makten på Mauritius. Vi är alldeles för kloka och fredliga för det. Och vi är bara en dryg miljon på en yta som halva Mallorca. Ekonomin växer snabbt, kriminaliteten är låg, skolor och sjukvård är gratis.

Jag blev nästan litet besviken när jag såg Anders Högman. Inte för att jag haft några förväntningar vare sig åt ena eller andra hållet, men ändå. En internationell affärsman i det formatet borde utstråla karisma, pondus, beslutsamhet. Här var det nästan tvärtom. Hans handslag var vekt när han hälsade på mig. Blicken föll undan. Men han kanske bara var blyg? I så fall en egenskap som inte befrämjade affärsframgångar bland storfinansens pirayor och hajstim. Han såg så vardaglig ut, som om han hade kunnat komma in i min affär för att "titta", eller bott i samma trappuppgång som jag vid Köpmantorget. Inte särskilt lång, faktiskt lite kortare än jag. Cendréfärgat hår, gråblå, litet vattniga ögon i ett aningen plussigt ansikte. Vit linnekavaj och ljusblå skjorta. Mörkblå slacks som spände över den lätt rundade magen och skor i svart mocka med guldspännen.

Där någonstans gick gränsen, tänkte jag. Svarta mockaskor skulle jag aldrig kunna sätta på mig. Och den tunga Rolexklockan var lite i vulgäraste laget för min smak. På något sätt verkade han som kamreren som försökte leva upp till en vd-roll utan att ha förutsättningarna.

Fast där högg jag naturligtvis i sten som så många gånger förr. Mannen framme vid dörren till den stora altanen fanns med på Forbes lista över världens rikaste, även om han kom långt ner, och han hade affärsintressen jorden över. Speciellt olja och hotell. Jag kände honom inte, hade aldrig träffat honom tidigare. Men ibland fanns det artiklar om honom, aldrig intervjuer, i affärstidningar och på Svenskans och DN:s ekonomisidor. Han avskydde personlig publicitet men kunde naturligtvis inte hindra att det skrevs om honom i affärssammanhang. Högman var en för stor aktör på marknaden för att kunna vara anonym. Hans bolag gjorde affärer av ett slag som påverkade kurserna. De stora börserna i New York, Tokyo och London var naturligare spelplaner för honom än Stockholm.

Jag såg mig om i det stora rummet. Vi hade just kommit och jag hade inte hunnit hälsa på alla än. Men några kände jag faktiskt. Det var min korsordslösande vän från planet, Jack Nelson, honom jag hjälpt med Gullivers pappa. Och Annika Claesson, min kollega och konkurrent. Fast hon hade ju mer och mer gått in på inredningssidan. Slog två flugor i en smäll. Inredde lyxvåningar på Strandvägen åt socialt osäkra fall-skärmsdirektörer och deras glittriga fruar där trion Liljefors, Haupt och Zorn var ett klockrent yuppi-ackord. Och så sålde hon möblerna till inredningen i samma veva. Åtminstone antikviteterna. Ibland handlade hon till och med hos mig när hon letade efter någonting speciellt som skulle ge en person-lig touche åt någon "bättre" salong.

En gång sålde jag en gunghäst till henne. En stor och vack-er pjäs från tidigt 1800-tal. Den stod nu och såg ut över Ny-broviken som ett dekorativt blickfång hos en avsutten stor-bolagschef. Det var den sortens prylar med "personlighet" hon letade efter, förutom det traditionella köret med gustavi-anska byråer, sybord, stolar och annat. En gammal mossig trädgårdsstaty från samma århundrade hade jag också sålt mindes jag. En grekisk Afrodite som sett bättre dagar i någon slottspark. Men uppfräschad blev den mycket dekorativ.

Andra svenskar såg jag också. Mauritius hade tydligen fått någon sorts Provencestuk. Blivit status. För en del år sedan hade det ju varit inne och högsta mode bland dem som hade råd att köpa hus i Provence. Själv hade jag aldrig riktigt för-stått det. Långt att ta sig dit, inbrotten stod som spön i back-en och rätt som det var ringde någon om att rör hade börjat läcka eller det var stopp i avloppet.

Jacques hade presenterat Francine och mig för Anders Högman och berättat vilka vi var. När han hälsade på Fran-cine tittade han uppskattande på henne, som om han gillade vad han såg. Och det hade han all anledning att göra. För nå-gon kvinna mera lik Julia Roberts hade jag aldrig träffat.

63

Samma stora, generösa mun. Samma uttrycksfulla ögon. Värme, humor och charm. Att hon var grevinna gav ännu fler pluspoäng. Det märktes tydligt.

Jag kanske fick se upp. Jag visste inte mycket mer om Anders Högman än jag sett i tidningarna. Men jag hade hört att han var "svår på fruntimmer", som det hette hemma i Viby när jag var barn. Precis som ladugårdskarlens äldsta pojke Bengt. Hans amorösa äventyr underlättades av att han hade moped och det bidrog till att han redan i unga år var inblandad i faderskapsmål både i Hallsberg och Kumla förutom Vretstorp. Storögt hade jag lyssnat när det berättats om eskapader på ett farligt territorium vars existens jag anade men inte kände närmare till.

Anders Högman hade väl andra transportmöjligheter än moped. Rolls Royce förmodligen, men idén var densamma. Och jag måste vara realistisk. En lönnfet antikhandlare i Gamla stan vägde lätt mot en finansmagnat av Högmans kaliber. Jag fick inte ta någonting för givet.

Mig var han något mer reserverad mot, men verkade intresserad när Jacques påminde honom om att jag var antikhandlare.

– Men det var ju praktiskt. Ett könlöst leende i det bleka ansiktet. Höll han sig också borta från solen? Då blir det konkurrens. Det är bra för priset.

– Nu förstår jag inte riktigt.

– Jag bara skojade. Men jag håller faktiskt på och inreder den här våningen. Svenskt, för att ge hemkänsla. Och jag har bett min interior decorator att komma ner med ett förslag. Hon hjälpte mig i New York och Paris också. Han nickade mot Annika Claesson som stod framme vid fönstret ut mot den stora balkongen. Du känner henne kanske? Ni är åtminstone i samma bransch.

– Jo, hon är en god vän. Men jag ska inte störa hennes affärer. Jag kan komma en annan gång.

– Du är välkommen.

Så hade vi fortsatt och hälsat på några av Jacques och Vedas vänner från Port Louis. Några fransmän och ett par engelska familjer. Administratörer och affärsmän, sysslade med shipping, socker och turism. Några var i textil. De flesta tillhörde "gamla" familjer förstod man. Hade kommit på 1700- och 1800-talet och måste tillhöra Mauritius aristokrati, ungefär som ättlingarna till de amerikaner som kom med Mayflower. Fast i Australien var det ju tvärtom. Där talades tyst om släktskap med de brittiska straffångar som först koloniserade ön.

Så hade jag gått fram till bartendern vid bordet ute på den stora balkongen. Han log vänligt mot mig och serverade en gin tonic i ett högt glas med en skiva ljusgrön lime till.

– A glass of white wine please, hörde jag bakom mig. Det var någonting bekant med rösten, någonting jag vagt kände igen. Jag vände mig om, såg på kvinnan som kommit fram till bordet. Och inte undra på att jag känt igen hennes röst. Anna Palmer stod bredvid mig, en av Dramatens ledande skådespelerskor som var aktuell i en stor roll i en kommande James Bond-film. Festligt med Bond förresten. Jag hade just läst om en "bondflicka" som blivit bankchef. Och min association hade inte gått till kor och röda stugor. Begreppen försköts i takt med landsbygdens avfolkning.

Fast Bond-filmen måste Anna Palmer göra för pengarna, hade jag tänkt när jag sett det. För hennes fack var ett helt annat än syndfulla, internationella vamper med mystisk bakgrund. Hon spelade istället roller ur den stora repertoaren. Strindberg, Shakespeare, Norén och verkade behärska allt, från komedi till tragedi. Hade varit en av Ingmar Bergmans favoriter. Dessutom var hon vacker på ett mycket speciellt vis. Inte på ett utslätat filmstjärneaktigt, skönhetsmissaktigt och könlöst barbiesätt. Det var mera hennes intensiva personlighet. Blond, stora blå, intensiva ögon med en blick som gick hem på filmduken.

Men det var inte enbart hennes utseende som låg bakom framgångarna. Förutom den stora talangen hade hon en karismatisk, oerhört stark personlig utstrålning. En "närvaro" som kunde fylla en stor scen. Bara hon kom in så elektrifierades stämningen. Jag hade varit med om det själv flera gånger både på Dramaten och Stadsteatern. Och nu stod hon här bredvid mig i det tropiska, sammetsmjuka mörkret under

65

sprakande stjärnor som var så nära att man nästan kunde ta på dem.

– Hej, sa jag, kom inte på något annat att säga.

– Hej, sa hon och log och hennes generösa leende träffade mig rakt i magen, så stark kändes hennes utstrålning.

– Jag heter Johan Homan. Och är antikhandlare. Gamla stan, Stockholm.

– Jag som älskar Gamla stan. Jag kan strosa omkring där i timmar. Antikviteter älskar jag också.

– Köpmangatan, sa jag. Min affär ligger där. Och själv bor jag högst upp vid Köpmantorget. Kan se över hela Djurgården, Gröna Lund och Skansen.

Litet nervöst pladdrade jag på, men vad skulle jag säga? Det var första gången jag stod ansikte mot ansikte med henne som jag bara sett på scenen och på film. En av de få celebriteter jag överhuvudtaget träffat.

– Är du här på semester? frågade hon och tog sitt glas utan att presentera sig. Men det behövdes ju inte och hon visste det. Det märktes. Som skådespelerska tyckte hon väl om publik även om det bara var jag.

– Ja, vi hälsar på släktingar.

– Vi?

– Min... ja, min flickvän och jag... Jag nickade in mot rummet där Francine stod med ryggen åt oss och talade med Anders Högman.

– Jag såg henne när hon kom. Hon är vacker. Grattis. Påminner om Julia Roberts.

– Har du själv semester?

– Ja och nej. Jag är här för att läsa in en ny roll i lugn och ro.

– Det låter intressant.

– Det är det också. Ibsen. Hedda Gabler. Har du sett den?

– Jag såg en föreställning på Dramaten för flera år sen. En stark pjäs.

– Jag skulle varit med då, men blev sjuk. Influensa som gick över i lunginflammation. Men det var inte något allvarligt som tur var.

– Är det inte en svår roll?

– Mycket. Och oerhört komplicerad. Därför vill jag ha

lugn och ro omkring mig, resa bort från vardagen och koncentrera mig. Och Ibsen är inte lätt. Norges svar på Strindberg. Eller tvärtom om man bor i Norge. Hon log.

– Så du är på Mauritius för att tränga in i Hedda Gabler? Ganska långt från Norge.

– Folk tror säkert att jag är knäpp, sa Anna. Jag går på stranden och memorerar replikerna, pratar för mig själv.

– Dom tror nog att du har det senaste i mobiltelefon. Ett microchips inopererat i hjärnan. Ericsson 2 000. Det är väl bara en tidsfråga innan det kommer.

– Jag förstår henne inte än bara. Ja, Hedda. Kall, hård och hänsynslös. Rastlös och uttråkad. Ville ha makt över människor och drev mannen i sitt liv till självmord, låg åtminstone bakom hans död. Och hon hade ärvt två pistoler av sin pappa generalen. Den ena gav hon till sin älskade. Med den andra sköt hon sig själv.

– Dramatiskt, konstaterade jag. Snudd på melodramatiskt.

– Det kan man säga. Anna log. Och jag har faktiskt lite svårt med Hedda. Hon är en sån övermänniskotyp. Satte sig över allt och alla.

– Och sån är inte du?

– Bevare mig väl. Men jag ska knäcka henne här nere.

Då kom Francine fram till oss. Hon brukar göra det när jag talar med någon vacker kvinna. Kände hon på sig att jag var litet intresserad? Var det den kvinnliga intuitionen som verkade? Bevakade hon sitt revir?

Kapitel VII

– Vi talar om Ibsen, sa jag snabbt.

Häpen såg Francine på mig. Så skrattade hon.

– Mycket tror jag dig om, men Ibsen! Det är inte riktigt ditt bord. Om det åtminstone varit Strindberg.

– Det var jag som tog upp det, sa Anna Palmer. Jag ska spela Hedda Gabler och jag pratade med Johan om det. Han såg uppsättningen på Dramaten. Hej förresten. Jag heter Anna Palmer.

– Du behöver inte presentera dig. Francine log mot henne. Och jag heter Francine Silfverstierna. Hedda Gabler måste vara en utmaning.

– Det är det minsta man kan säga. Så det är därför jag har dragit mig undan världen och läser in rollen på stranden. Det kan inte bli bättre. Men än så länge vet jag inte var jag har Hedda. Hon glider undan hela tiden. Har så många ansikten, är så sammansatt. Egentligen är det en ganska hemsk pjäs.

– Jag vet, sa Francine. Ibsen sa nån gång att hans liv med alla hans diktade personer till slut gjorde honom nervös. Jag läste litteraturhistoria i Uppsala och blev fascinerad av honom. Bara en termin, för sen växlade jag över till juridiken.

– Är du advokat?

– Nej. Polis.

– Polis? Förvånat såg Anna Palmer på henne. Jag menar...

– Poliser ser inte ut så här menar du? Francine skrattade. Jag är van vid det. Men det finns många tjejer som är poliser.

– Francine är chef för Säpos personskyddsavdelning, förklarade jag. Hon ser till att ingen slår statsministern i huvudet. Eller kungen.

– Då kan du känna dig trygg. Egen livvakt. Anna log och såg på mig. Och igen slogs jag av hennes leende. Det var mycket speciellt, så varmt och på något sätt omfamnande.

– Ja, jag har stenkoll på honom, sa Francine. Skyddar honom mot alla onda anslag. Det fanns skärpa i rösten, inte mycket, men en anings aning. Jag vet inte om Anna Palmer märkte det.

– Trevligt att träffas. Jag bor här på hotellet. Vi kanske ses. Hej så länge. Så gick hon.

– Roligt för dig att få vara kulturell som omväxling, sa Francine. Prata teater. Ibsen och Hedda Gabler. Jag förstår att det var intressant.

– Mycket. Jag spelade studentteater i Uppsala. Talangfullt, skrev recensenterna.

– Då kanske du kan göra ett inhopp på Dramaten och spela Jörgen.

– Vem är det?

– Jag som trodde du var intresserad av Ibsen? Det är ju Heddas man. Eller assessor Brack. Han roade sig med sexuell utpressning. Det kanske intresserar dig mera. Eller Lövborg. Hennes älskare. Fast han dog ju. Då kan du och Anna Palmer läsa mot varandra under strandparasollet. Det vore väl trevligt för dig.

– Bara för att jag råkar stå och prata med en skådespelerska på ett party så behöver du väl inte vara sån.

– Jag bara retas. Ge mig nånting gott att dricka. Jag känner för en daiquiri. Be farbrorn i vita jackan om det.

Då kom Jack Nelson och Annika Claesson fram till baren.

– Vad kul att se er här, sa hon. Annika hade klätt upp sig. Svart, lång bomullsklänning med lång slits i ena sidan och ett djupt dekolletage som lämnade nästan hela ryggen bar. Det långa, blonda håret föll över skuldrorna. Läckert. Intensivt mörka ögon som inte stämde med folkvisehåret. Var det färgat?

– Jag som trodde att det var en fin tillställning. Och så är ni här, sa Jack och skrattade bullrigt åt sitt skämt.

Francine skrattade inte, men det gjorde jag. En festlig variant. Jag måste komma ihåg den. Men trendanalytiker med guldring i örat och rakat huvud var inte riktigt Francines stil. Inte hans kläder heller. Vita byxor och vit väst över en svart skjorta utan krage. Ansiktet var rött av för mycket sol. Såg han likadan ut på ryggen så blev natten orolig.

– Vad gör en framtidsanalytiker förresten, frågade Francine.

– Räddar världen. Jack log. Jag tolkar sociokulturella tendenser. Avläser omvärlden, analyserar. Talar om vad som kommer och hjälper företagen överleva. Hittills har jag aldrig haft fel.

– Intressant, sa Francine.

Vilket bullshit, tänkte jag. Går nån på sånt? Så vände jag mig till Annika. Hon var tydligen den seriösa av dem.

– Hur går din business?

– Med Högman menar du? Jo, bra faktiskt. Jag diskuterade inredningen här med honom hela eftermiddagen. Han är mycket road och mycket intresserad. Vet exakt vad han vill ha. Så det ser lovande ut.

– Jag måste få titta på ditt förslag så att jag kan lära mig. Ta upp konkurrensen med dig. Det är väl mosaikinklädd jacuzzi som gäller. Och Hauptbyråer omgjorda till barskåp. Har man pengar så ska man visa det. Zornkullor i badrummet.

– Tyvärr, tyvärr. Diskretion hederssak. Jag kan inte visa för andra hur jag har tänkt mig. Det är en sak mellan mig och Anders Högman. Det hade kommit is i rösten. Affärskvinnan hade tagit över.

– Jag vet. Jag försökte bara. Kom ihåg att jag finns på Köpmangatan om du letar efter nånting exklusivt. Några prickar över i:na. Jag undrar bara hur du fick det där feta jobbet.

– Personliga kontakter. Hon log.

– Jo tack, sa Jack ironiskt. Mycket personliga.

– Skåda inte given häst i munnen, citerade hon.

– Det var inte munnen jag tänkte på, sa han maliciöst. Men han tystnade för hennes blick.

Så såg hon över min axel, hade fått syn på någon i vimlet. Hennes ögon ljusnade, fick en varm lyster. Som när en kvinna ser på den man hon älskar.

Jag vred på huvudet, följde hennes blick. Och där, mitt i rummet under en venetiansk lampkrona stod Anders Högman. Han skrattade högt åt någonting, så fick han syn på oss och vinkade.

–Jag såg att du pratade med Anna Palmer, sa Jack Nelson till mig.

– Är du avundsjuk?

–Jätte. Hon är fantastisk. Annars kan ju skådespelerskor vara ganska olika i verkligheten mot hur man ser dom på scenen och på film.

– Hurdå menar du?

–Dom ser mera vanliga ut. Alldagliga när dom inte är uppsminkade och ljussatta. Man känner inte igen dom i tunnelbanan eller på bussen. Men inte Anna. Hon är nästan ännu bättre i verkligheten. Jag undrar om hon inte kommer att bli Högmans nästa.

– Vad menar du, sa Annika skarpt. Vaddå "nästa"?

–Han är alltid på jakt efter nånting nytt och krytt och Anna är ju verkligen en sextontaggare. Han avverkar dom snabbt. Men det är för fan ingen konst om man sitter på alla hans miljoner. Det är bara att knäppa med fingrarna så kommer brudarna rusande. Kommer han till skott med Anna så hoppas jag för hennes skull att hon får stanna på lustyachten längre än tjejerna före henne. Och det vore i så fall konstigt annars. Anna Palmer är ju bingo. Bättre än sådär blir det inte. Men Anna tar man inte där man sätter henne. Hon har många historier bakom sig. Krossade hjärtan och tomma plånböcker säger dom. Ni läser väl Svensk Damtidning?

–Jag tror du har förläst dig på damtidningar, sa Annika vasst. Om du skötte ditt jobb istället för att spekulera i Anders Högmans privatliv så skulle du må mycket bättre. Och om du var miljonär så fick du nog knäppa med mer än fingrarna.

–Ska du säga. Var glad att du har hittat nån som ville ha dig. Han skrattade och tog det som fanns kvar i det höga glaset i ett par djupa klunkar.

Annika såg ut som om hon var på väg att säga något, men avstod. Ömma tår, tänkte jag. Ömma tår åt alla håll. Men vad

71

hade hon för anledning att försvara Anders Högman?

Då såg jag någon som kom in i det stora rummet, råkade titta mot dörren just som han kom. Först kände jag inte riktigt igen honom, kunde inte placera honom. Det irriterade mig. Någon från flygplanet, en kollega? Någon jag träffat på en auktion ute i landet?

Jag kom på det när jag skymtade hans skarpa, genomträngande ögon. Rasputinblicken. Mannen som sålt en silverskål av Zethelius häromdagen. Som hade haft så bråttom att han inte hunnit gå runt och försöka få ett bättre pris. Var det inte Bergström eller Bergsten han hette? Var han också här på semester? Och var det därför han behövde snabba pengar? För Mauritius var inte något billigt nöje. Det hade jag redan insett.

– Känner ni varandra?

Annika såg frågande på mig. Bredvid henne vid baren hade en man kommit fram som jag inte sett tidigare. Han var en av de få som hade kostym. Mörk, tunn kostym. Vit skjorta och slips. Trots att han inte kunde var mycket äldre än jag påminde han om herr Skalman, sköldpaddan i serien om Bamse, världens starkaste björn. För kostymen verkade ett halvt nummer för stor. Den smala halsen och det stora huvudet stack upp ur skjortkrage och kavaj, som ur en sköldpaddas skal. Och ansiktet var trots tropiksolen blekt, stötte nästan i grått. Ögonen var egendomligt färglösa och de runda glasögonen hade smala guldbågar. Näsan var markerad, liknade en rovfågelsnäbb. Håret hade tunnats ut, men hans leende var varmt och vänligt.

– Erik Fridlund, sa han och sträckte fram sin hand. Jag är en av Anders Högmans medarbetare. Men i motsats till sin chefs så var hans handslag fast.

– Det här är alltså en kollega till mig, sa Annika. Johan Homan. Antikhandlare från Stockholm.

– Här på semester?

– Ja. Vi kom idag och ska bli underbart.

– Det blir det. Mauritius är fantastiskt.

– Är du också här på semester?

– Inte riktigt. Han log. Jag jobbar på finanssidan. Är chef

72

för den biten faktiskt. Och Anders har alltid många bollar i luften. Så när han är här finns jag här också.

– Det är inte det sämsta. Han kunde ju ha kontor i Reykjavík, i november.

– Det räcker så bra med Stockholm. Det är säkert kallare och mörkare än Reykjavík. Nej, med dagens teknik spelar det ju inte så stor roll var man finns fysiskt. Allting går med elektronik nu för tiden. Nästan i alla fall. Fast det är klart att mycket kräver fortfarande fysisk närvaro. Förhandlingar, kontraktsskrivande och annat. Personliga kontakter. Så det blir mycket resor. Jag kom just från Thailand förresten. Vi har stora intressen där. Bland annat i hotellbranschen.

– Intressant.

Det är väl det som gör att han inte är brunbränd som nästan alla i Anders Högmans svit, tänkte jag. Sena förhandlingskvällar, långa arbetspass på luftkonditionerade kontor. Långflygningar världen över.

– Det blir inte mycket tid över för att njuta av havet och stränderna här, sa han, som om han läst mina tankar. Men nu ska jag vara här ett tag och det är faktiskt inte så hektiskt som vanligt.

– Bor du också på hotellet?

– Ja, tyvärr höll jag på att säga. I en egen bungalow. Det är ju praktiskt att bo nära chefen, men det har sina sidor. Man är alltid på pass. Som en läkare ungefär, med ständig jour. Nej, nu måste jag cirkulera. Det här är också en del av mitt jobb. Och han gick.

Läkare hade Erik Fridlund sagt. Jag såg efter honom. Fast du ser mera ut som en kamrer, och jag tänkte på hans prydliga kostym med en vit näsduk i bröstfickan. Bokföringsexpert eller revisor kanske. Slipsen var det enda som bröt mot det korrekta. En färgskimrande sidensak som han måste ha köpt i Thailand. Men vad visste jag? Han kanske hade en vulkan inom sig bakom kamrersfasaden? Sjöd av dolda passioner som väntade på att erupteras i gnistregn av glödande lava.

Jag log åt mina befängda tankar. Så är det ofta med mig. Jag funderar och spekulerar över människor jag träffar. Som om de inte var spännande och intressanta nog, som om jag måste

dikta upp en mer dramatisk verklighet för dem. Och jag viss-
te ju oftast ingenting om dem. De kanske hade ett mycket
mer spännande liv och levde i konflikter som jag inte hade en
aning om.

– Den mannen suger blod, sa Annika lågt. Fråga Jack. El-
ler mig. Jag har varit gift med honom. Tyvärr. Så försvann
hon.

– Jag såg att du talade med Erik. En kvinna stannade upp
bredvid mig. Hade en cigarrett i ena handen och ett glas vin i
den andra. Jag heter Caroline och är hans fru.

– Homan, sa jag på svenskt manér. Johan Homan. Jag kom
idag så jag har knappt hunnit träffa nån här på ön än. Jag hör-
de av Erik att ni bor här.

– Inte jag, men han. Jag bor i Stockholm. Hon log och var
påfallande lik Barbra Streisand. Det var nästan så att jag höll
på att fråga om hon sjöng. Erik reser så mycket att han näst-
an aldrig är hemma ändå. Sen kräver Anders att han finns
härnere när han inte reser. Jag får komma hit istället. Eller
också lägger Erik in mellanlandningar i Stockholm när han
kan. Över en weekend till exempel. Sen har dom ju mycket
business i Sverige också så det blir inte så drastiskt som man
kan tro. En del har ju skilda sovrum, men vi har skilda
världsdelar. Hon skrattade.

– Jag är antikhandlare, sa jag, mera för att ha någonting att
säga. Och för att ta reda på vad hon själv gjorde. Det brukar
bli reaktionen på den öppningen. Dels att människor frågar
var min antikhandel ligger och dels talar dom om vad dom
själva gör.

Men det verkade inte som om hon var särskilt intresserad,
som om hon tittade sig om efter intressantare konversations-
objekt.

Så lyste hon upp, såg över axeln på mig, vinkade med ci-
garretthanden.

– Förlåt mig, men jag såg just nån som jag måste tala med.
Vi ses. Och hon försvann, lika snabbt som hon kommit.

Doublé, tänkte jag. Två fruar i en smäll. Erik Fridlund var
tydligen aktivare än han verkat.

Francine hade också försvunnit i vimlet. Jag såg henne

inte, fick en påfyllning av mitt glas och gick in från den stora balkongen. Det var trångt och varmt trots luftkonditioneringen. Men svalkan flöt väl ut genom de öppna balkongdörrarna. Då stötte jag ihop med honom, höll nästan på att tappa glaset. Mannen med ögonen, han som sålt silverskålen.

– Hej, sa jag. Roligt att ses.

– Hej. Forskande såg han på mig. Kände inte igen mig.

– Vi har gjort affärer ihop. Jag köpte en Zetheliusskål av dig för ett tag sen.

– Javisstja, nu minns jag.

Han nickade bekräftande. Men det verkade inte vara ett kärt återseende. Tyckte han det var genant att han behövt sälja familjesilvret? Ibland möter jag den reaktionen hos mina kunder. De talar mycket noga om för mig att de inte behöver sälja, inte egentligen. Men att skåp och hyllor är så fulla att de måste rensa ut och göra sig av med gamla saker som ändå inte står framme. Och sen det där med inbrott. Lika bra att sälja så att man själv får ut något av värdet, inte bara tjuvarna.

– Semester förstår jag?

– I stort sett. Men jag ska titta på en del teleanläggningar också. Jag är i den branschen.

Då kom jag ihåg. Civilingenjör hade det stått på hans visitkort.

Då såg han någon bakom mig, sken upp och gick med en kort nick.

Jag vände mig om. Han hade gått fram till Anna Palmer. Men hennes reaktion var egendomlig. Om han nu kände henne så verkade hon inte särskilt trakterad. Tvärtom. Förvånad. Häpen. Men det kanske bara var en av hennes många fans som trängde sig på. Bad han om en autograf? För hon verkade påtagligt besvärad.

Kapitel VIII

– Det är klart att det spökar, svarade Veda på min fråga. Hon log mot mig där hon satt i den stora soffan under ett porträtt av någon av Jacques förfäder i martialisk uniform med sabel och ordnar. Eller var det någon av hennes släktingar?

– Överdriv inte, sa Jacques. Jag har aldrig sett nånting.

– Det beror på att du är alldeles för materialistisk. Du är för upptagen av ditt arbete, av dina bekymmer för plantagen och fabriken.

– Det ska du vara glad för. Om jag gick omkring här och jagade spöken skulle du inte ha råd att åka till London och Paris. För att inte tala om New York.

– Det uppskattar jag. Men du måste lyssna mera på dig själv. Ha kontakt med ditt inre.

Vi satt i den stora salongen sedan vi kommit hem från Anders Högmans mottagning. Det var mörkt ute, ett varmt, mjukt mörker. Cikador hördes, en hund skällde långt borta och halvmånens skära stod över trädens kompakt svarta silhuetter mot natthimlen.

– Det låter spännande, sa Francine. Att det spökar. Vi har grå frun hemma på Björkesta. Men hon gör inget väsen av sig. Försvinner in i väggen när man ser henne eller går genom rummet om natten och säger: "Klockan är tre." Varför vet ingen.

– Har du sett henne? frågade Veda.

– Nej, men mamma. Och farmor. Andra också.

– Överspända fruntimmer. Jacques sträckte sig efter sin Planters punch på mahognybordets blanka skiva.

Veda såg överseende på honom.

– Vi vet så lite. Men jag kommer från en kultur där vi inte har Västerlandets kyliga rationalism som ledstjärna. I Indien är man mycket mera flexibel när det gäller andliga ting. Och jag har fått mycket av det med mig från mormor. Hon såg och hörde andar, vänliga väsen.

– För mycket gin tonic, muttrade Jacques cyniskt till mig.

– Hur yttrar det sig? Nyfiket såg Francine på henne.

– På olika sätt. Det beror väl lite på hur känslig du är, hur mottaglig. Men jag har vaknat av att en kvinna har stått vid fotänden av min säng. Jag har aldrig sett hennes ansikte, men känt hennes närvaro. Och hört frasandet av hennes långa klänning när hon försvann. Det var som om hon ville säga någonting, men inte kunde. Och när jag försökte resa mig upp ur sängen, jag blev alltså inte rädd, bara nyfiken, så var det som om någon tryckte ner mig mot kudden. Jag kunde inte röra mig, var som paralyserad. Och jag vet inte om det är hon som spelar på flygeln.

– Spelar? frågade Francine. Spelar era spöken piano?

– Själv har jag inte hört nånting, men Jacques mamma berättade för mig att när någon ska dö så hörs det pianomusik från det här rummet. En nocturne av Chopin. Hon hade hört det en gång, mitt i natten. Men när hon gick ner hit så tystnade musiken och nästa dag dog hennes man hastigt av en hjärtinfarkt.

– Gin och tonic, sa Jacques, högre nu. Definitivt gin och tonic, hettan och för mycket kryddad mat. Det kan få vem som helst att se spöken.

– Det är så typiskt män, sa Veda. Ni måste alltid ha logiska förklaringar på allting. Vill aldrig erkänna att det finns dimensioner i tillvaron vi inte kan förstå, inte har utforskat. Vad vet du om dom energier som finns runt oss? Vad känner vi till om dom krafter som rör sig? Tänk bara på radio och TV. Om någon hade sagt för hundra år sedan att man skulle kunna se och höra människor från andra sidan jorden på en skärm i vardagsrummet. Eller höra röster från hela världen i en liten låda. Om det finns den sortens osynliga vågor kan det väl finnas andra också, eller hur? Och slavarnas hemliga

77

magi och andar lever kvar. Gris-gris kallas det.

– Vet du vem det var som spelade Chopin? undrade jag. Finns det någon familjetradition bakom, nån förklaring? För döda slavar spelar knappast Chopin.

– Det pratas så mycket strunt, sa Jacques, men farmor berättade alltid att det var en ung flicka, fransyska, som kom hit för att gifta sig. Hennes fästman var officer, stationerad i Port Louis och hon bodde hos oss fram till bröllopet. Men bara några dagar innan så omkom hennes fästman. Ett vådaskott under nån militärövning. Det talades om att det var nån av soldaterna som sköt med avsikt, men det blev aldrig utrett. Men det sägs att det egentligen var en duell och att familjen sopade det under mattan. Och enligt farmor alltså så är det hon som spelar här i sorg när nån ska dö. Fast jag tror inte ett ögonblick på det.

– Jag vet inte, sa jag. Jag var inblandad i en övernaturlig historia en gång som var ganska kuslig. Men där kom satanister och djävulsdyrkare med i bilden.* Och då minns jag att nån sa att när det gäller parapsykologi och andra fenomen så kan vi lika litet om dom som en snigel i en villaträdgård vet om centrum av stan. Det ligger kanske nånting i det.

– Precis vad jag menar, sköt Veda in. Exakt. Det finns så mycket som vi vet så litet om. Och därför har vi ingen rätt att döma ut det.

– Hur är det förresten med gamla PomPom, Jacques?

– Vill du att jag ska skrämma bort Francine och Johan? Vill du att dom ska åka hem? Han skrattade.

– Inte alls. Tvärtom. Men det är ett lite mer konkret spöke än min dam. Berätta.

– Det fanns slavar här förr, sa han. Importerade från Afrika. Sockerrör var ju oerhört arbetskrävande innan vi fick maskinerna. Och dom bodde i slavhus. Ett av dom står kvar förresten. En av flyglarna ute på gården. Ni såg ju det när ni kom. Och för den tidens hårdföra nybyggare så gällde det att hålla dom i tukt och herrans förmaning. Spöstraff var inte ovanligt. Och en av slavarna i början av 1800-talet, han kalla-

*Mårtenson: Häxhammaren

78

des PomPom, hade hört talas om franska revolutionen som avskaffat slaveriet och krävde frihet för sig och sina medslavar. Men det tillämpades inte här. Det fanns ungefär 50 000 slavar på 60 000 invånare. En frigivning då hade hotat både den ekonomiska och den sociala strukturen. Det slutade med att PomPom hängdes i dungen bortom slavhuset. Där fick han hänga sen för att få tyst på dom andra. Men han dog med en förbannelse mot dom vita. Och det var allvarligt för han var en "longanist", en häxdoktor.

– Är det sant? Förskräckt såg Francine på honom.

– Jag vet inte. Det finns så mycket skrönor här på ön. Men när vi la ner nya avloppsledningar till den flygeln hittade vi skelettet efter en man. Det kan vara PomPom. Och dom säger att han går igen, inte kan få ro.

– Har du sett honom? frågade jag.

Jacques ryckte på axlarna.

– Sett och sett. Man ser så mycket som inte behöver vara övernaturligt. Men i mörka nätter skymtar det till nåt vitt därute ibland. Jag har aldrig velat gå ut och se efter. Min farfars farfars far kan ju ha varit inblandad. Så PomPom kanske vill ha sin hämnd. Stryper mig bakifrån med repet han hängdes i.

– Varifrån kom slavarna?

– Holländarna och fransmännen tog dom från Madagaskar i första hand och sen när dom fick konflikter med stamhövdingarna där så blev det Zanzibar. Dit hade dom hämtats från det inre av Afrika. Fast det blev problem när britterna kom. Dom avskaffade slaveriet 1835. Då fanns väl dryga 30 000 slavar här som hade arbetat i sockerrörsplantagerna. Så det blev ju ett väldigt avbrott. Men slavägarna fick kompensation.

– Vad kom istället? undrade jag.

– Indier. Och sen kineser. Men det är en annan historia. I alla fall lär PomPom spöka.

– Nej, nu talar vi om nånting annat, sa Veda bestämt. Det blir tillräckligt svårt för er att sova ändå med tidsomställning och allt. Inte för att det är så många timmars differens, men ändå. Vill ni inte ha nånting att äta förresten? Dom där små kanapéerna vi fick hos Anders Högman blev ni väl inte mätta av?

– Jo tack, försäkrade Francine. Oss går det ingen nöd på. Det fanns ju allt möjligt på alla brickor. Både rikligt och gott.

Jag hade inte petat i mig särskilt mycket av de små läckerheterna som stod framdukade. En stor smörgås och en stor, kall öl skulle sitta fint. Men jag ville inte besvära.

– Det var trevligt ikväll, sa jag istället. Ville få över konversationen från spöken till människor av kött och blod. Snällt av er att ta med oss.

– Fattas bara, sa Jacques. Anders är en gammal god vän och han behöver piggas upp där han sitter i sin stora svit och tittar ut över havet.

– Lite mer gör han väl, sa Veda. Han lär vara oerhört aktiv på finansmarknaden och har kontakter över hela världen. Kanske vi skulle be honom förvalta våra pengar?

– Nja, Jacques drog på det. Börserna är så ryckiga och aktierna så högt värderade att det kanske är bäst att göra som våra förfäder.

– Som till exempel? Francine såg på honom.

– Som att växla till sig guldmynt och gräva ner dom i trädgården. Som kapten Kidd och andra pirater.

– Jag trodde dom höll till i Västindien, sa jag. Plundrade spanska kungens skepp med Inkans guldskatter.

– En del tog sig hit också. Dom ostindiska kompaniernas fartyg lockade. Och den Indiska mogulens skepp. Grundade till och med en egen republik här i slutet av 1600-talet. Libertalia. Och dom finns kvar. Han log.

– Nu tar du väl i, sa Francine. Pirater på Mauritius?

– Inte alls. Ni har ju träffat Robert Surcouf alias Anders Högman.

– Nu förstår jag ingenting.

– Surcouf var ledaren när piraten etablerade sig här, delvis under franskt beskydd, för att kapa britternas ostindiefarare och störa deras trafik på Indien. Och Surcouf blev så framgångsrik att engelsmännen satte ett pris på hans huvud. Under en tioårsperiod togs omkring 120 fartyg med rika laster.

– Intressant, men vad har det med Anders att göra?

– Han är lika hård och hänsynslös i affärer som Surcouf var till sjöss. En pirat går över lik om det behövs säger dom. Så han lever farligt.

– Hurdå?

– Det lär vara mer än en som gärna såg honom dingla från rånocken. Eller gå över plankan.

– Du glömmer säkert bort var du har grävt ner dom. Och om tvåhundra år hittas skatten av arkeologer som kommer att skriva långa avhandlingar, den ena vansinnigare än den andra, om vem som har lagt ner mynten och varför. Veda skrattade. Dom tror det var kapten Svartskägg.

– Jag skulle avråda, sa Francine. Tänk om du hittar ett till skelett när du står där i månskenet om natten och gräver. Eller du hör PomPoms benrangelstassande bakom dig innan han knuffar ner dig i hålet och skottar igen det.

– Alla har vi väl skelett i våra skåp, konstaterade Jacques. Vår familj också. Man kan inte överleva franska revolutionen och slå sig fram i civilisationens utkanter på sjutton- och artonhundratalen utan att tumma på både det ena och det andra. Fast jag har svårt att tro att en gammal släkting var inblandad i nån avrättning. Det hade dom fått nog av i Paris. Det var ju det dom flydde från. Men kanske nån övernitisk förman var framme? Svårt att säga. Och alltihop kanske bara är en gammal skröna, det där med PomPom. Jag har i alla fall inte hittat nånting i några arkiv.

Skelett i skåp ja, fast inte riktigt. Det hade ju inte gällt mord. Jag såg på Francine där hon satt bredvid Veda i soffan under porträttet. Vi hade just träffat hennes ex och hans nya som Francine berättat om. Slumpen ville att de kommit till Mauritius ungefär samtidigt med oss. Jag stod och talade med Francine och Veda på Anders Högmans party när de dök upp. Och de verkade lika överraskade som hon.

– Är ni här, sa han litet ansträngt. Vad festligt.

– Det kan man säga, sa Francine torrt. Det här är alltså Lasse Berg. Och Johan.

– Kul att ses.

Han såg på mig, värderande, som om han undrade vad jag var för en figur. Lasse var lång och kraftig, atletiskt byggd.

Såg ut som en kroppsbyggare. Lite åt Arnold Schwartzen-egger-hållet fast mer artikulerad. I vit kavaj, som en kypare, och en slips med Hawaiimotiv. Det var inte någon jag ville stå bredvid i badshorts. Då kanske Francine skulle ändra sig. Mörk, med markerade drag och kraftiga käkar.Vita tänder. Verkade vara en ganska ointellektuell typ. Konstigt att Francine kunde ha dragits till honom i Uppsala. Kanske dom hade lyft skrot tillsammans och sprungit terräng uppe vid Sture-monumentet på Kronåsen, bakom studenternas idrottsplats? Hon hade ju svart bälte i karate.

– Det här är alltså Pernilla.

Flickan bredvid honom log. Stor röd mun, stora blå ögon. Verkade opersonlig, som stöpt i en barbieform. Såg ut som en framgångsrik tävlande i någon schlagerfestival. Och Francine hade haft rätt. Hennes framparti var också stort, fast på ett mycket behagligt sätt i den mörkröda klänningens djupa urringning.

– Pernilla, sa jag. Det är väl ett danskt namn? Jag spelade Jeppe på berget en gång i studentteatern. Och hans fru hette Pernilla. Eller var det Pernille? Hon som var anledningen till att Jeppe söp. Det var ju nyckelrepliken, det där när Jeppe sa att alla säger att Jeppe super, men ingen frågar varför.

Jag kände en hård snärt av Francines tåspets mot min an-kel. Nya grodor, tänkte jag. Nu hade nya grodor hoppat ur munnen.

Men Pernilla verkade inte besvärad. Om hon var så blåst som Francine berättat så hade hon väl inte riktigt förstått vad jag sagt. Och det var väl bara bra. Men jag blir sådär ibland på glada fester med mycket vin. Förmodligen vill jag under-medvetet visa hur trevlig och spirituell jag är. Få uppmärk-samhet. Fast det förutsätter att alla är på samma nivå för att det ska gå hem. Promillenivå.

– Mamma var danska, sa hon och fyrade av ett leende mot mig som nästan fick mig att ta ett steg tillbaka. Tyvärr bor vi inte här utan på Saint Géran, ett annat lyxhotell bara några kilometer bort längs stranden. Det är också jättebra. Vi var på en krokodilfarm idag förresten. Jättebestar på 500 kilo. Men dom låg bara platt på magen i solen. Blickstilla, rörde sig inte. Precis som alla feta turister vid poolen.

– Så trevligt, sa Francine frostigt. Stannar ni länge?

– Tio dagar, sa Lasse. Jag kan inte vara borta längre. Man skulle vara statsanställd som du så hade det varit enklare. I offentliga sektorn är ni ju mycket mera flexibla än vi som måste jobba för brödfödan för att få ihop till era löner. Ofantliga sektorn borde det väl kallas. Han skrattade. Nej, ni får ursäkta oss men vi kom just och har inte hunnit tanka än. Mätaren står på empty.

Så tog han Pernilla med ett fast grepp i armen och drog iväg med henne ut till baren på balkongen. Hon fyrade av ett nytt fotoblixtleende över axeln.

– Jag hoppas dom har champagne, sa hon. Jag dör om jag inte får champagne.

– Ett stiligt par, sa jag torrt. Och den har du varit gift med.

– Jag var ung och dum.

– Sånt händer. Men nu gör jag som Lasse. Går och tankar.

Med ett glas vitt vin gick jag sedan runt i trängseln, log mot obekanta ansikten, bytte ett ord här och ett där. Talade om väder och vind. Påfallande många var svenskar. Man kunde skilja på nykomlingar och andra. Det syntes på solbrännan. Alla nyanser fanns, från ogräddad vetebulle till mörkbrunt läder.

Vid sidan av det stora rummet med Anders Högman som medelpunkt låg ett rum till, ett annat sällskapsrum fast mindre. Det var nästan tomt.

Det är en effekt jag ofta tänkt på. Trängselfaktorn. Oavsett hur stora utrymmen det finns så tar flockbeteendet över på mottagningar av den här sorten. Alla centrifugeras in mot någon trång mitt, som om man var orolig att missa någonting om man fanns i periferin. Ville känna närhet och gemenskap med gruppen. Och likadant här.

Jag såg mig om i rummet. Vita väggar, konventionella hotellsvitsmöbler i någon sorts blandning av Scandinvian design och italiensk futurism. Låga vita soffor med kuddar i indiska mönster. Små glasbord på blanka stålstativ. Soffbord med stora vita lampor på porslinsfot. Här och där, som utplacerade på måfå, fanns några indiska träkistor med snideri-

83

er. Blanka mässingsföremål. Verkade utställningslokal eller glassig utställningskatalog. Men det var ju därför Annika och Jack var här. För att inreda åt Anders Högman. Sätta en svensk prägel på hans magnifika svit.

Men tavlan på andra väggen var en höjdare där den hängde i ensamt majestät med diskret belysning från någonstans under taket. Jag tyckte jag kände igen den. Kunde det vara...?

Och det var det när jag kom närmare. En underbar Degas, en pastell med en balettdansös i vitt som tänjde ut sina graciösa ben i någon uppvärmningsövning. Sträckte fram händerna för att nudda tåspetsarna. Någonting liknande hade jag just sett i en av Sotheby's kataloger. Kom jag ihåg rätt hade den gått för närmare en kvarts miljard. Men med Anders Högmans pengar så hade man väl den sortens tavlor i sin våning.

Fem rum hade de talat om. Då fanns det tre till. Det var väl ett par sovrum och ett arbetsrum. Jag gick fram till den stora dubbeldörren, kände på handtaget. Men det var låst. Längst bort på kortväggen stod ett par dörrar öppna ut mot en annan balkong som gick runt hörnet. Jag gick dit för att få litet frisk luft, kvällsvinden var sval och inte så vass som den kyliga luft som strömmade från luftkonditioneringen längs takrampen. Härinne märktes det mera än i den stora salen med alla människorna som tog överhanden.

Men när jag gick över den mjuka, ljusgrå heltäckningsmattan stannade jag upp alldeles i dörren till balkongen. Låga röster kom därutifrån. Jag skulle just vända och gå tillbaka, ville inte störa, då rösterna höjdes. Och jag kunde inte undgå att höra trots sorlet och skratten från rummet intill.

– Du skulle inte ha kommit, sa en kvinna. Det gör det bara mycket svårare.

– Jag förstår att du tycker det. Och jag har insett att du föredrar att läsa bankböcker istället för poesi. Det är väl naturligt för en sån som du.

Då hördes en klatsch, som om någon fått en örfil. Jag drog mig diskret tillbaka, ville inte bli ertappad som tjuvlyssnare och gick in i trängseln i det stora rummet igen.

Kapitel IX

Den grova linan stod spänd som en fiolsträng ner i det vit-
kokande vattnet bakom aktern. De kraftiga motorernas
potenta muller. Jag satt fastspänd i en hög stol med kraftiga
remmar, med ryggen mot det höga ryggstödet. Mellan mina
lår hade jag det långa spöet med den stora rullen fast för-
ankrad med skaftet ner i ett runt rör. Nylonlinan var säkert
två millimeter tjock och sju- åttahundra meter lång.

Som bete hade vi stora fiskhuvuden i blänkande plast med
långa fransar i vitt, blått, grönt och rött. Det fanns också
bläckfiskimitationer, äckliga saker i rosa mjukplast. Och
krokarna av stål var nog femton centimeter långa. Andra di-
mensioner än gäddragen i Vibysjön. Annan fisk också. Den
största som tagits på Anders båt hade vägt 450 kilo.

Bredvid mig satt herr Skalman, Anders Högmans närmas-
te man, Erik Fridlund som jag träffat på partyt några kvällar
innan. Fast nu var han en helt annan person än den kostym-
prydlige kamrern i kläder som verkat en aning för stora. Som
en sköldpadda innanför sitt stela skal hade han sett ut. Nu
var det shorts och Timberland båtskor som gällde.Verket
kröntes av en knallröd, kortärmad bomullsskjorta och en
stor basebollmössa i mörkblått med Titanic i stora guldbok-
stäver. Och glasögonen, de runda, guldbågade glasögonen
som fick honom att se ut som en sparbankskamrer, var borta.
Hade han kontaklinser till havs?

–Ligger det något särskilt bakom, hade jag frågat när vi
möttes på morgonen i hamnen. Nån freudiansk undergångs-
önskan?

– Vad menar du?

– Det där med Titanic. Jag vet inte om jag vågar följa med ut. Det kan ha sina risker.

Erik hade skrattat.

– Nej, för fan. Jag tyckte det var kul bara. En kul grej. Jag köpte den i Taiwan.

Där tog han ett steg till från herr Skalman, hade jag tänkt. ”En kul grej”, hade inte verkat finnas med i hans vokabulär när vi setts. Och han hade heller inte gett intryck av att falla för impulser. Erik Fridlund kanske var riktigt mänsklig när allt kom omkring. Och den som fått en fru som såg ut som Barbra Streisand måste ha kvaliteter som jag inte hade upptäckt vid vårt första möte. Som så ofta hade jag varit snabb med att döma hunden efter håren. Och vi hade slagit vad om vem som skulle få den första fisken. En flaska champagne. Fast själv hade jag väl valt ett annat och mindre ominöst namn än Titanic om jag köpt en båtmössa.

Ombord i den stora båten i plast, mahogny, vitt, krom och blank mässing fanns flera av gästerna från den där kvällen hos Anders. Francine förstås och Anna Palmer liksom Caroline, Eriks fru. Anders Högman var skepparen och stod vid den lilla mahognyratten uppe i den glasinklädda överbyggnaden. Den lyxiga båten påminde starkt om farkosterna i Miami Vice och gick i stil med hans svit på President.

Anders hade ringt kvällen innan och bjudit oss. Tyvärr hade Veda och Jacques inte kunnat följa med. Och jag hade inga illusioner om mig själv. Det var Francine som var gästen och jag fick komma med på köpet. Jag borde hålla ett öga på honom. Han var ju känd för sina eskapader. Sprang efter allt som rörde sig i kjolar. Inte för att jag var orolig. Francine var alldeles för stabil, men gräset var ju alltid grönare på andra sidan stängslet och pengar förblindade.

Annika och Jack hade också mönstrat på. Han kom i en sanslös utrustning, helt i rosa. Rosa shorts, rosa T-shirt med två parande noshörningar under texten ”Make love not war”. Hela härligheten kröntes av en rosa hatt med ett svart band runt. Som grädde på moset kom en guldlänk kring halsen.

– Jag älskar det här, sa jag där jag satt med nakna fötter mot

det solvarma däcket. Fiske alltså. Och här kan vad som helst
hända. Allt från haj till svärdfisk. Eller en jättetuna.
– Jag tycker också det är kul.
Erik log mot mig, fast han verkade sitta litet obekvämt och
hade inte riktigt handlag med det stora spöet. Men vi skulle
få hjälp om det behövdes. Bakom oss satt Archimedes i
halmhatt och med en lång, knöligt handrullad cigarett i mun-
nen. Röken drev förbi mig för vinden, påminde om Gauloise
men var väl någon lokal variant.
Archimedes verkade ha afrikanskt ursprung och var en lo-
kal hjälpreda på båten. Hade hans förfäder rövats av arabiska
slavjägare långt inne i Västafrika och skeppats över till Mau-
ritius för slaveri på sockerplantagerna?
"Captain" kallades han skämtsamt av Anders och skötte
om "Fortuna" när hon låg i hamn, förberedde för fisket, kyl-
de öl och fixade med maten och tog över från Anders när han
lämnade styrratten. Mauritius svar på Ellen Andersson, hade
jag tänkt, fast hon hade väl inte varit direkt road av jämförel-
sen. Barfota, i jeans och randig tröja läste han en tidning och
halsade öl, verkade mera intresserad av fotbollsmatchen
kvällen innan än av oss. Och jag kunde förstå honom. Att
köra runt gapiga turister i brokiga utanpåskjortor och kons-
tiga hattar var säkert inte någon höjdare i längden.
Det är som på en gammaldags safari, tänkte jag. Där hade
amerikanska direktörer och engelska lorder en white hunter
bakom sig. De "hjälpte till" med sina grovkalibriga studsare
när lejonet kom i språng eller noshörningen ångade fram
med sänkt huvud. Om huggande hajar blev för stora för oss
amatörer att hantera så var experthjälp nära.
Archimedes hade också immiga ölflaskor. Det behövdes i
den stekande solen. Och den var dubbelt farlig i vinddraget
när vi forsade fram över den nästan släta havsytan. Hettan
kändes mindre då, kyldes av i vinden, men min bredbrättade
hatt behöll jag på. Solglasögon hade jag också och Francine
hade smort in mitt ansikte med solskyddsfaktor 30. Jag såg på
Erik Fridlunds smala, bleka armar. Jag hoppades han hade
varit lika klok. Annars skulle han få problem.
Med god fart plöjde vi fram i strålande sol över Indiska

oceanen, följde flockar av bruna sjöfåglar som indikerade var stimmen av småfisk fanns. De som jagades av tonfisk och andra rovfiskar.

Och jag mindes andra sortens fiske. Tidiga morgnar hemma i prästgården. Försiktigt smygande ner genom knarriga trätrappor, ett glas mjölk och en smörgås i köket. Sned morgonsol över daggiga gräsmattor när jag gick den knastrande grusgången ner mot sjön och bryggan där den gamla ekan låg. Mitt långa, gula bambuspö över näckrosbladets gröna handflator, det rödvita flötet mot mörkt vatten. En fiskgjuse cirklar högt uppe och kärrhöken som susar förbi, lågt över vassen. Tjärdoften från båten och den litet unkna lukten från regnvatten som öskaret inte kommit åt mot durken.

Eller flugfiske i Lappland. Och jag tänkte på den dramatiska fisketuren för några år sedan, den som börjat uppe i Luspälven och slutat med ond, bråd död.* Att stå mitt ute i forsen, släppa efter på den långa linan med Silver doctor i andra änden. Se fjällen torna upp sig i fonden, känna den syremättade, aromrika luften, hög och klar. Vattnet som forsade och drog längs benen i vadarbyxorna, de glatta stenarna under fötterna. Gröngrå vattenmassor, glittrigt skumbrämade, vände upp blanka, svarta sidor mot himlen. Och så hugget, mjukt men bestämt. Spänningen i att få upp en skimrande röding eller en blank öring. Upp med spöt, fram med håven, försiktigt, försiktigt lirka in fisken där flugan med den lilla kroken satt i yttersta mungipan. Någonting helt annat än att hala in en gädda som svalt det blanka skeddragets stora krokar med hull och hår.

Då högg det. Kraftfullt och hårt. Archimedes bakom mig släppte tidningen, ställde sig bredvid och såg spänt ut över vattnet.

Var han orolig? Trodde han inte jag kunde?

Men jag hade varit med förr. Jag drog in det långa spöt mot mig, så släppte jag efter och spolade snabbt upp linan på rullen. Så drog jag in, släppte. Vevade på. Fortsatte tills fisken kom närmare och närmare.

*Mårtenson: Det svarta guldet

Den var tung, mycket tung. Det kändes i armarna när jag drog åt mig spöt som stod i sin metallhållare. Annars hade det ryckts ur händerna på mig. Då, plötsligt, klövs vattenytan och en stor, skimrande svärdfisk höjde sig över vattnet. Stod ett ögonblick nästan stilla med krum rygg och spretande ryggfena i solskenet innan den med ett stänkande plask föll tillbaka.

–Johan har fått fisk, ropade Francine som satt inne i den stora hytten med de andra. Titta!

De kom ut på däck och Anders saktade farten. Nu fick jag inte göra bort mig, tänkte jag där jag med domnande fingrar kämpade med den stora fisken. Inte tönta till det. Johan Kristian Homan, Köpmangatans svar på Hemingway skulle visa vad han kunde. "Den gamle och havet", version två.

Men jag gjorde inte bort mig. Långsamt och säkert kom fisken närmare. Så gjorde den plötsligt en tjurrusning och vinande löpte linan ut, jag brände nästan fingrarna och veven slog som besatt. Så fick jag grepp på den igen. Kroken måste sitta fast ordentligt, säkert långt ner i svalget, annars hade jag tappat den. Nu gällde det bara att linan höll.

Till sist tröttnade fisken och gled passivt fram mot båten, som en blåskimrande stock. Archimedes öppnade en stor lucka i aktern, ställde sig vid båtkanten med staven med en stor stålkrok i ena änden, förde ner den under huvudet på fisken och drog mödosamt in den. Anders hjälpte till.

–Tungt, pustade Archimedes. Väger säkert femtio kilo. Gratulerar. Han log mot mig, strök svetten ur pannan med handflatan.

–Grattis, sa Erik bredvid mig, och grattis sa de andra. Pommery, sa jag. Erik såg frågande ut.

–Champagne. Har du förträngt det? Då skrattade han. A good loser.

Francine tog fram kameran.

–Det här kortet ska Cléo få i julklapp. Hon kommer att smälla av.

Anders Högman sköljde av händerna i vattenhinken efter närkontakten med den långa svärdfisken som låg längs relingen.

–Det var en riktig baddare. Vi ska ta en riktig bild när vi kommer i hamn. Det finns en anordning där så att man kan hissa upp den. Då kan du stå bredvid och se mallig ut. Han skrattade.

–Nybörjartur, sa jag och försökte låta blygsam, men jag såg på Francine i smyg. Och hon verkade mycket förtjust. Jag hade kommit hem till grottan med byte, jag var lägereldens kung där vi skulle sitta och slita åt oss de bästa bitarna, morra åt varandra och visa tänderna. Sen skulle jag ta henne i håret och dra in henne till björnskinnen i ett mörkt hörn. Jag log för mig själv. Det var tur att ingen förstod varför.

–Det där kan du göra julkort av Johan, sa hon. Skicka runt till alla människor i jul med bilden på framsidan och God Jul under.

–Kanske det, sa jag, fast då borde jag haft tomteluva på mig. Men tanken tilltalade mig. Jag skulle åtminstone skicka ett till Eric Gustafson, "Vem är det", mitt emot min affär. Och till Ellen. Fast Cléo skulle inte tro mig om hon fick se bilden. Så stora monsterfiskar fanns inte i hennes sinnevärld. Där var det strömming som gällde.

–Svärdfisk är jättegott, sa Anna Palmer, helt i vitt, men i motsats till de andra i långbyxor. Och det var väl klokt om man inte ville bränna benen.

–Vi tar med den till hotellet, sa Anders. Där får dom göra svärdfiskkotletter åt oss. För Anna har rätt. Det är verkligen jättegott. Saftigt och mört.

–Jag vet. Med citron eller lime till. Man kan få det ibland i Stockholm, sköt jag in. Och ett kraftigt vitt vin till. En chablis kanske.

–Chablis ska bli. Anders skrattade igen och gick tillbaka till sitt styrratt och fick upp farten.

–Nu är det Eriks tur, ropade han ner till oss. Hoppas du kan spöa Johan. Det blir för mycket för honom annars.

–Oroa dig inte. Jag ska ta en haj, ropade Erik tillbaka.

–Hur går affärerna, frågade jag där vi satt. Du berättade ju att du skötte den sidan åt Anders.

Jag kände mig ostressad, drack en flaska iskall Phoenix, det lokala ölet. Hade redan fått mitt, the catch of the day.

Och med litet tur kunde det bli mera. En haj kanske? Det skulle nästan smälla högre. Repliker som "jag fiskade haj med Anders Högman på Mauritius" eller "när jag fick en svärdfisk hos Anders" skulle sitta fint. Inte för att jag behövde hävda mig, men ibland hade jag en känsla av att Francines högbrynta släktingar och vänner inte tyckte att en liten antikhandlare från Gamla stan var mycket att hänga i julgranen.

– Jag ska inte klaga, sa Erik. Och jag sköter dom ju inte direkt. Assisterar Anders är väl riktigare. Han tar dom stora besluten själv, håller i strategin kan man säga, och jag och mina medarbetare tar hand om det dagliga.

– Jag kan föreställa mig att det blir komplicerat när det spänner över så mycket.

– Det är både en fördel och en nackdel. Fördelen är ju att man inte lägger alla ägg i samma korg, eller ens på samma kontinent. Går det ner i Asien så balanseras det med Amerika. Går Europa bra så gör det mindre om det krisar i Latinamerika och så vidare. Och olika branscher balanserar varandra. Det är naturligtvis lite mer komplicerat än så, men det är vår strategi. Balans och försiktighet. Långsiktighet. En blandning av aktier, obligationer och räntebärande papper. Valutor. Nackdelen är förstås att den internationella utvecklingen är så svår att förutspå. En president mördas, en regim störtas. Sånt annonseras inte i förväg. Men det viktiga är att koncentrera sig och ha en klar målinriktning.

– Hurdå?

– Vi tror på vissa branscher och satsar på dom. Fastigheter till exempel. Hotell. Turismen kommer stort i dom här delarna av världen. På andra håll också. Visste du att ingen bransch tar in så mycket utländsk valuta som internationell turism?

– Verkligen?

– Den toppar listan som den största exportindustrin, slår till och med tungviktare som bilar, textilier, järn och stål. Sen går vi in på IT. Det är Anders stora grej. Och där är vi bara i början. Det är ett paradigmskifte, ungefär som när Gutenberg uppfann boktryckarkonsten. Det förändrade ju världen.

91

Och så blir det med IT också, fast alla inte har insett det än. Om bara några år kommer tredje generationens mobiltelefonsystem med kapacitet för ännu snabbare dataöverföring.

– Är ni inne där?

– Ja, via ett japanskt företag. Fast det finns många frågetecken. Konkurrensen blir hårdare och det är inte säkert att kunderna hänger med på alla nya finesser. Men potentialen är oerhörd. Bara för nåt år sen såldes över hundrasextio miljoner mobiltelefoner. Och det finns snart sex miljarder människor därute som teoretiskt sett kan sitta och prata med varandra i telefon. Och apparaterna blir så utvecklade att dom kan göra det mesta.

– Jag vet. Fast invecklade menar du väl. Själv är jag för dum för att hänga med. Jag klarar av att skriva och trycka ut brev och andra texter i en dator. Men sen är det stopp. Det är väl en generationsfråga. När vi började skolan körde man med multiplikationstabellen och huvudräkning. Nu sätter dom väl ungarna direkt vid datorerna. Och dom börjar tidigare ändå med alla dataspel.

– Lathet, sa Erik och log. Ingenting annat. Slöhet. Det krävs bara vilja. Om du satte dig ner med nån som kan så skulle du bli fena på det efter bara några timmar. Läs instruktionerna förresten. Där finns allting redovisat.

– Satsar Anders mycket på IT?

– Ja, fast det är ju som sagt en litet farlig bransch. Det gäller att hålla tungan rätt i mun och inte hoppa på fel tåg. IT-företag växer som svampar ur jorden och många är sanslöst övervärderade och kommer att gå på öronen. Men hittills har det gått bra. Vi gick just in i ett webbföretag som är ett av dom största i branschen och inte fanns för fem år sen. En jättesatsning. Högrisk, men Anders vet vad han gör. Han brukar säga att vi just gått in i nätverkssamhället, lämnar industrisamhället. Ungefär som när vi gick från jordbrukssamhälle till industrisamhälle för hundra år sen. Och konsekvenserna kan bli dom samma.

– Hur menar du?

– Då var omkring femtio procent eller mer av sysselsättningen koncentrerad på jordbruk. Idag är det knappt fyra procent, men det produceras tusen procent mer och med mycket högre kvalitet. Nu kommer vi att få ett digitalt nät som ger nya affärsmöjligheter över hela världen. Så det gäller att inte stå kvar på perrongen när tåget gått. Och bortsett från IT letar vi nya branscher också.

– Finns det? Är inte allting redan uppfunnet?

– Det finns dom som tror det. Titta bara på Bill Gates. För inte så många år sen visste ingen vem han var. Nu kan han i princip köpa Sverige. Fast det finns dom som säger att han ligger vaken om nätterna och är rädd för att nåt annat snille i nåt annat garage ska komma på ett nytt system som raderar ut Microsoft.

– En rysare, höll jag med.

– Tänk bara på gamla IBM-chefen på fyrtiotalet fortsatte Erik. Han trodde inte på det här nya. Han ansåg att världsmarknaden för datorer skulle ligga på omkring fem stycken. Och i Sverige har vi ju ett bra eller rättare sagt dåligt exempel med Facit. Dom var världsledande på räknesnurror och annat utan att hänga med i vad som hände internationellt och blev tagna på sängen av japanernas fickräknare. Och paradexemplet är bankdirektören som rådde Henry Fords advokat att inte investera i bolaget 1903. "Hästen är här för att stanna. Automobilen är bara en övergående fluga."

– Du talar om att satsa på nya branscher. Då har jag ett tips till dig och Anders.

– Verkligen?

– Vit slavhandel.

Häpen såg han på mig.

– Det var en originell idé, men jag tror inte att det går att börsintroducera.

– Det har dom redan gjort.

– Nu hänger jag inte riktigt med.

– Fotbollsspelare. Dom köps och säljs för många miljoner och tjänar mer än många industrihöjdare. Flera engelska klubbar finns noterade på börsen. Och bland Sveriges femtio högst betalda är nästan hälften fotbolls- och hockeyspelare. Jag såg en bild i Aftonbladet häromdan förresten. Där hade dom samlat alla svenska NHL-stjärnor, ishockeylirare alltså.

Och deras samlade årslön var trehundrafyrtioen miljoner. Nästan lika mycket som du.

Erik skrattade.

– Om det var så väl. Men jag ska fundera på det, prata med Anders. Fast det låter riskabelt. Vad händer om dom bryter benen i första matchen?

– Det är en risk du får räkna med. Dom får väl försäkra benen, som Marlene Dietrich. Fast i din bransch ska ni inte klaga. Bara i Sverige finns ju en massa nya IT-killar som har blivit turbomiljonärer över en natt. Rena explosionen.

– Då har jag det perfekta konceptet. Du kör IT på dagarna och spelar hockey på kvällarna.

Då hände det. Snabbt, utan förvarning. Eriks spö doppade plötsligt mot vattenytan, med båda händerna drog han det långsamt tillbaka. Men det var så tungt att Archimedes måste hjälpa till.

– Big fish, sa Archimedes sammanbitet. Big, big fish.

Gott och väl en halvtimme höll de på innan bytet närmade sig båten och jag såg den trekantiga fenan.

En stund senare låg den stora besten på däck. Både Anders och jag hade hjälpt dem att få den ombord. Jack Nelson höll sig nogsamt i bakgrunden tillsammans med Annika och Francine. Anna och Caroline föredrog salongens relativa trygghet. "Akta tänderna", hade Anders sagt, och det rådet följde jag nogsamt. De långa, gulvita, skarpa tänderna satt tätt i munnen och de stora ögonen fixerade mig stelt där han låg.

– Dom flesta är inte farliga, sa Anders. Inte för människor i alla fall. Dom är verkliga kraftpaket, formfulländade. Det här är ett av skapelsens mästerverk.

Beundrande såg han på den sidenglänsande, torpedformade hajen. Det grågröna muskelknippet som utan ansträngning gled genom havsdjupen, alltid på jakt.

Som han själv, tänkte jag och såg på honom där han satt på huk bredvid den stora fisken. Alltid på jakt efter byte nere i djupen. Alltid beredd att slå till. "Pirat", hade Jacques kallat honom. Och efteråt följde Erik som någon slags pilotfisk. Höll ögonen öppna för möjligheter och höll gälarna rena. Ett

94

effektivt radarpar i finansvärldens oroliga vatten. Fick de vittring av blod slog de snabbt till.

Efter någon timme blev det vaktombyte. Jack och Anders tog över var sitt spö. Archimedes stod uppe vid ratten och Erik och jag var beredda att hjälpa till. Inte för att vi skulle var särskilt effektiva, men om det krisade skulle Archimedes komma ner och hjälpa oss. Ungefär som den gamla elaka definitionen av kustartilleriet, tänkte jag. Uppgiften var att uppehålla fienden tills militär hjälp anlände. "Jalousie de métier." Det var förmodligen myntat av flottan eller någon annan konkurrent om försvarspengarna. Men då hade man inte tänkt på att en av de största förlusterna tyskarna gjorde under invasionen av Norge var när kryssaren Blücher sjönk i inloppet till Oslo. Ett skott nästan på måfå från den gamla, omoderna kustartilleripjäsen på en klipphöjd sänkte den marina bjässen med tusentals man och mängder av ammunition och materiel.

Och fiskelyckan fortsatte. Jack drog upp ett par bamsiga guldmakrillar och Anders fick först en stor gäddliknande barracuda med rakbladsvassa tänder och så en svärdfisk. Till min tysta glädje var den mindre än min. Archimedes klubbade ihjäl fiskarna med en stor träpåk så att blodet sprutade över det vita däcket. Så föste han ner dem genom en lucka till ett förvaringsutrymme under däck och spolade sedan rent med en lång slang.

En som lyckades bättre fram på eftermiddagen var Francine. Hon halade in en haj, inte fullt så stor som Eriks, men ändå imponerande för mig som tyckt att femkilosgäddor var bjässar att fånga. Anna Palmer kammade noll medan Annika tog ett par rejäla barracudor och en fet, blåblänkande tonfisk.

– Vad gör vi med all fisken? frågade jag när vi stävade mot land.

– Archimedes får behålla dom, sa Anders. Det är hans fringe benefits. Han tar hem till familjen och resten säljer han till olika restauranger. The catch of the day. Det har du väl sett på menyerna? Dom vet inte vad dom får in när matsedlarna skrivs så då får det bli en överraskning både för köket och gästerna. Men din svärdfisk får han inte. Den tar vi till hotellet och imorgon kväll bjuder jag på middag. Jag hade tänkt göra det ikväll, men det blir för knappt om tid. Jag vill gärna ha med Veda och Jacques och några andra goda vänner.

Sjön hade blivit grövre nu, båten krängde och stampade. Jag kände hur sjösjukan långsamt började krypa över mig och var glad när Anders vände tillbaka mot Mauritius taggiga bergskonturer vid horisonten. Och jag tänkte på Lord Nelson, Englands store sjöhjälte. Varje gång han gick till sjöss blev han sjösjuk, skrev han till sin älskade, Emma Hamilton.

I den lilla marinan blev det fotografering. Det tog tid att baxa upp min stora svärdfisk, men till slut hängde den där i järnkedjor runt stjärtfenan med det långa svärdet neråt och med den stora ryggfenan spretande, likt en jättelik abborre. Med förhoppningsvis klädsam blygsamhet poserade jag bredvid, log mot Francines och de andras kameror innan det blev Eriks tur.

Trötta och urlakade av sol och vind körde Francine och jag sedan hem på den smalnande vägen mot plantagen. Båtens djupa gungande kändes fortfarande i benen när vi åt en tidig middag. Vi satt uppe ett tag med Veda och Jacques, pratade om Björkesta, om Mauritius innan vi drog oss tillbaka till det stora gästrummet.

Jag låg och läste en stund medan Francine somnade på en gång. Det är en vana jag har, kan inte somna utan en bok. Men den långa dagen till havs tog ut sin rätt hos mig också och snart föll boken med en duns i golvet. Jag släckte lampan, blundade och flöt ut i mörkret, somnade.

Så var jag plötsligt hemma i den gamla prästgården. Kom hem från en fisketur i ekan. Bar kastspöt på axeln och en stor gädda med hajhuvud i den andra. Hade trätt upp den på en kraftig trädklyka från en gren jag brutit nere vid bryggan. Så förändrades gäddan till en svärdfisk som blev större och större tills jag inte orkade bära den längre. Då hörde jag min pappa spela. Han var mycket musikalisk och hade en stor flygel, inramade ofta syföreningsmöten och andra lokala begivenheter med klassisk musik. Han älskade Chopin, både ekvilibristiska stycken som revolutionsetyd och minutvals och mazurkor och nocturner.

Vemodigt, stilla som klart vatten i en bäck med solfläckar mot bottnens stenar kom den, flöt ut under träden, över gräsmattan och trädgårdsgången där jag stod. En vemodig, nostalgisk nocturne. Och drömmen kändes så verklig att jag halvvaken undrade, som man gör i drömmar ibland, hur det kunde komma sig. Drömde jag eller var jag vaken?

Med ett ryck vaknade jag. Och jag tyckte att musiken från drömmen fortsatte, att jag hörde den svagt, mycket svagt, från våningen under där den svarta flygeln stod. Den slutade i samma ögonblick. Och den kom inte tillbaka. Stunden på grusgången när jag hörde min pappa spela var förflyktigad. Liksom min barndom. Kom aldrig tillbaka.

Kapitel X

–Det måste ha varit en sån där Tummelisa åkte på.

–Vem?

–Tummelisa. Det kommer du väl ihåg? Hon satt ju på ett näckrosblad i en saga av H C Andersen. Hos Disney i en tecknad film också tror jag. Annars borde dom göra en.

–Egentligen var det en han, sa Francine där hon stod bredvid mig.

–Skulle Tummelisa varit en han?

–Just det. H C Andersen gjorde om en gammal dansk folksaga om Svend Tomling. Den handlade om en bonde och hans fru som ville ha ett barn, hur litet som helst, bara det blev ett barn. Då får dom en pojke stor som en tumme. Han råkar ut för det mesta. Rider på en råtta, äts upp av en ko som måste slaktas för att man ska få ut honom. Tom Thumb kallas han i England. Världens skräckis för barn.

–Driver du med mig?

–Inte alls. Glöm inte att jag läste litteraturhistoria före juridiken. Hon log.

–Kan du svara på varför Andersen gjorde en flicka av tummepojken?

–Ingen aning. Det kanske var lättare att göra en söt historia med en liten tummelisa istället. Fast Andersen lär ha haft ett komplicerat sexliv. Du borde ha frågat Freud.

–Det är tillräckligt stort i alla fall, sa jag där vi stod vid den avlånga dammen. På ytan simmade jättelika näckrosblad, det största hade säkert en diameter på nästan två meter. Som en stor, grön bricka med uppvikta kanter, eller snarare som en pajform, vilade bladen på det mörka vattnet. De vita blommorna var också i kromosomformat, dubbelt så stora som näckrosorna hemma i Vibysjön. "Victoria Regia" stod det på skylten i gräsmattan under de höga, skrovliga palmerna.

Vår sightseeing på Mauritius hade börjat samma förmiddag, i huvudstaden Port Louis. Med Veda och Jacques som guider hade vi flanerat genom den lilla staden där nergångna envåningshus trängdes med höghus och en och annan skyskrapa. Till marknaden hade vi gått, ett stort område under tak där allt fanns på de uppallade bordsskivorna, från sallad och jordnötter till kryddor, papaya och mango. Chili, morötter, mango och papaya i toppiga pyramider. Torkad fisk, medel mot impotens och feber. Kryddor, örter. Vattenmeloner. Allt verkade finnas i en salig blandning. Flugor surrade över diskarna där nakna, plockade hönor med långa, gulfjälliga ben trängdes med köttbitar av olika format. Försäljarna ropade ut sina varor. Alla skrek högre än grannen. En kakofoni av ljud, dofter och färger. Och lunch åt vi i en totalt kontrasterande miljö, i den nybyggda gallerian som kunde legat var som helst i Europa eller Amerika, det stora affärskomplexet i glas och betong alldeles vid hamnen.

Efter lunchen körde vi till en av de stora textilfabrikerna som Jacques var delägare i. Moderna, luftiga lokaler, effektiva maskiner och mängder av arbetare, mest unga kvinnor. Det verkade rationellt och ostressat trots det höga tempot. Långt från TV-reportagens sinistra bilder av barnarbete och kvinnoexploatering i nergångna och ohygieniska fabriker i avlägsna u-länder. Man hade stor tillverkning för många internationella varumärken, och längs gatan utanför låg affärer där Ralph Laurens och andra storheters produkter kunde köpas till priser långt under vad som gällde i Stockholm. Jag köpte både tröjor och skjortor. Francine tyckte jag behövde fräschas upp, bli lite ungdomlig. Och jag höll med henne. Fast jag tvivlade på att det räckte med färgglada tröjor och skjortor med Laurens polospelare på bröstfickan.

Så tog vi motorvägen upp till Pamplemousse, den kungliga botaniska trädgården som var en av öns stora sevärdheter. Den hade anlagts redan på 1700-talet som en plantskola för att testa växter från Europa och Asien som kunde få botaniskt och ekonomiskt intresse för ön. Sockerindustrin hade utnyttjat anläggningen för att få fram arter som var särskilt lämpade för lokala förhållanden. Senare hade det franska ostindiska kompaniet planterat mullbärsträd där för att se om man kunde producera silke på ön, men misslyckades liksom vi i Kanton på Dottningholm. 1700-talet var ju merkantilismens århundrade där man försökte utnyttja de nationella resurserna i så stor omfattning som möjligt. Det hade legat bakom Linnés olika resor i Sverige där han också skulle kartlägga de lokala möjligheterna till olika slags produktion för att minska importbehovet.

Men Pamplemousse var inte bara till lust och ekonomisk nytta. Den hade också använts av medicinska skäl. Efter allvarliga utbrott av malaria på 1800-talet odlade man eukalyptusträd som planterades i öns träskmarker för att dränera och förstöra malariamyggens kläckningsplatser.

Länge gick vi omkring längs smala, vindlande gångar bland alléer och dungar av palmer och andra exotiska träd. Smala kanaler ringlade fram under överhängande grenar där färggranna fåglar och stora fjärilar fladdrade förbi. Små dammar och bassänger blänkte i solen, några nästan täckta av lotus och andra vattenväxter. Och jag tänkte på den lotus som dyrkades av de gamla egypterna och på Ramses II som nästan tagit mitt liv.*

Väldiga träd med många meters omkrets gav skugga och tropiska blommor lyste i starka färger. Stora sköldpaddor kravlade omkring som levande stenblock bakom låga stängsel och vid en gammal sockerkvarn visades hur sockerrören pressades med hjälp av oxar och slavar.

Trots att solen stod högt var det förhållandevis svalt, och även om mitt intresse för botanik är begränsat var det intressant. Fast har man sett en palm har man sett alla, tänkte jag och längtade till havet. Men det kunde jag ju inte säga till Veda och Jacques som var våra entusiastiska ciceroner, stolta som om de själva anlagt parken.

*Mårtenson: Ramses hämnd

100

Turen avslutade vi med te så långt norrut man kunde komma, på the Royal Palm. Enligt Jacques det dyraste och lyxigaste hotellet på Mauritius där en svit med havsutsikt kunde kosta tusentals dollar.

– Fullkomligt vansinnigt, sa han. Men det är inte sviten dom betalar för.

– Vad är det då? undrade Veda.

– Det är för att visa att man har råd att bo där, att man kan betala.

– Då är det bara vapenhandlare och oljemiljardärer som gäller och dom kan det inte finnas så många av, sa jag.

– Det räcker och blir över, konstaterade Jacques. Titta bara på vår vän Högman. Nej, pengar finns och det är ju bra för oss att dom spenderas här. Turismen blir bara större. Själv har jag investerat en del i en anläggning på västkusten, nära Fourneau. Inte alls lika lyxigt och dyrt som här, mera för familjer med barn.

När vi satt i bilen på morgonen hade jag tänkt på min egendomliga dröm. Inte det att den handlade om fisk och fiske. Det var väl naturligt efter en dag ute till havs. Och inte att gäddan hade vuxit till haj. Det hörde till drömmarna, att den illusoriska verkligheten förändrades och försköts. Och inte sällan kom jag tillbaka till min barndom i mina drömmar. Men musiken. Chopin.

Egentligen är jag ganska barnslig i det fallet också. När jag lägger mig på kvällarna är jag ofta förväntansfull, funderar över vad jag kan komma att drömma om. Som att gå på bio utan att veta vilken film som kommer att visas, men med den där trygghetskänslan också mitt i en mardröm, den sorten där man skriker utan att det kommer några ljud eller man faller, faller. Det där att man någonstans vet att det är en dröm.

Och jag kunde inte frigöra mig från tanken på vad Veda berättat. Att det hördes pianomusik i det stora rummet i bottenvåningen när någon skulle dö. Den där unga kvinnan som fått dödsbudet om sin fästman skulle sitta vid flygeln. Fast det måste varit en ren slump, Vedas spökhistoria och att min pappa älskade Chopin. Förmodligen hade jag i mitt undermedvetna tänkt på vad hon sagt och drömmen från mitt barndomshem och min pappas musicerande hade smält ihop och utlösts i en nocturne. Att min pappa spelade Chopin i drömmen ingick väl i det min hjärna konserverat, det som kommer upp till ytan i skydd av mörker och sömn.

Så enkelt måste det vara. För musiken hade ju tystnat när jag vaknade och jag hade försiktigt frågat Francine om hon hört någonting under natten.

– Vad skulle det ha varit? undrade hon. Jag sov som en stock efter den där sjöturen. Tyckte nästan hela sängen gungade när jag skulle somna.

Fast Vedas reaktion hade varit egendomlig. Jag hade testat henne också när vi satt ensamma vid frukostbordet. Jag hade gått ner före Francine, och Jacques talade i telefon inne i sitt arbetsrum. Hon hade sett egendomligt på mig, som om hon skulle säga någonting, men ångrat sig.

– Nej, jag har inte hört nånting, sa hon sedan. Och vi brukar inte spela Chopin om nätterna. Vi sover alldeles för gott för det. Det måste ha varit vinden som väckte dig. Hon log, men det fanns någonting i ögonen som motsade leendet.

– Egentligen borde man dricka grönt te, sa Jacques som just kom tillbaka och serverade oss ur den stora kannan.

– Varför det? Frågande såg Veda på honom.

– Grönt te förhindrar infarkter. Det lär finnas nån sorts antioxidanter i teet som förhindrar hjärtinfakt. Det har jag sett i tidningen.

– Skulle man tro vad man läste och gjorde som dom sa skulle vi aldrig dö, konstaterade hon och tog en muffins från det runda fatet.

– Hurså? undrade Francine.

– Dricker du vin och sprit så går risken för infarkt och hjärnblödning ner med fyrtio procent. Och äter du en massa frukt och sallad varje dag så klarar du dig också bättre. Likadant med mycket annat. Lägger du ihop allt det där så blir det långt över hundra procent. Då skulle du alltså i princip vara odödlig. Hon skrattade.

– Nej tack, sa Jacques bestämt. Att ligga i en säng när man är hundra och bli uppassad av en massa unga sköterskor utan att kunna göra nånting åt dom är mer än jag skulle klara. Han log.

–Gör du det nu då? Veda lät maliciös. Klarar unga sjuk-sköterskor?

–Jag hoppas det. Men jag vågar inte försöka. Du skulle skära halsen av mig. Och då får spöktanten spela Chopin i salongen.

Veda såg snabbt på mig, som för att se hur jag reagerade.

–Just det. Hon nickade bekräftande. Så det är bäst att du passar dig.

–Intressanta människor hos Högman häromkvällen, jag ledde samtalet in på litet mindre mordiska banor. Kände ni många som var där?

–En del, sa Jacques. Dom som bor här. Mest affärsmän och bankfolk. Det är ju Högmans bransch. Men dom som var från Stockholm har vi inte träffat förut. Och det kommer ju mycket folk från Sverige. Högman är generös. Han bjuder ofta en massa människor på sina tillställningar.

–Det är väl hans sätt att hålla kontakt med Sverige, sa Veda. Anders blir nog lite avskärmad när han sitter där i sin fina svit och tittar ut över havet.

–Det verkar inte så, sa jag. Jag förstod på honom att han reser mycket och tycker det är ganska skönt att dra sig till-baka hit och pusta ut mellan varven.

–Men det går bra att sköta affärerna härifrån, sköt Fran-cine in. Han visade mig sitt arbetsrum. Det var lika fullt av datorer och skärmar och faxar som sambandscentralen på Säpo. Han kunde knappa in vad som helst över hela världen. Just då var det någon deal i Andorra. Och nu går det ju att göra börsaffärer och annat hela dygnet. När det är stängt i New York är Tokyobörsen öppen. Sen spänner det över hela världen, från Sydney till Stockholm. Det finns alltid nånstans dit du kan skicka pengar eller handla.

–Det måste vara jobbigt att tjäna pengar på sånt, sa jag. Då får du ju aldrig sova för att inte missa nånting.

Jag log, men tänkte på vad Francine sagt. Att Anders Hög-man visat henne sitt arbetsrum. Fick alla komma dit eller var det bara särskilt utvalda? Särskilt dom som såg ut som Julia Roberts?

– På tal om unga sjuksköterskor så hade han en läcker samling, sa Jacques. Ja, objektivt sett alltså, lade han till och såg snabbt på Veda.

– Jag tror inte att nån av dom var sjuksköterska, sa hon syrligt.

– Kanske inte, men mera som idé. En jättevacker flicka, blond, var tydligen en stor skådespelerska i Stockholm. Här följer vi inte med vad som händer i Sverige när det gäller film och teater. Ja, Ingmar Bergman förstås. Men han gör mig alltid så nere. Han är så dyster och svår.

– Anna Palmer. Francine nickade bekräftande. Hon är stor och snart får du se henne i en Bondfilm.

– Den ska jag inte missa. Sen en annan som var i samma bransch som du Johan. Antikviteter. Hon skulle visst inreda Hagmans svit.

– Annika Claesson. Ja, vi är kolleger. Hon är mycket duktig.

– Ett annat blont bombnedslag vet jag inte vad hon gjorde. Hon verkade ha lite för trånga kläder bara. Det putade både fram och bak och världens leende. Smällde av nån sorts emotionellt fyrverkeri när man hälsade på henne.

– Akta dig så att du inte får ont i ögonen, sa Veda torrt och tog en liten gurksandwich.

– Jag får ta på mig solglasögon ikväll, log Jacques. Hoppas dom är bjudna.

– Den där lilla bimbon är min före detta mans fru, konstaterade Francine sakligt. Det är ingenting att hymla om när ni nu ska träffa dom igen. Hon är Lasses sekreterare. Eller var. Och dom är säkert bjudna. Den där sortens damer verka vara poppis hos Anders Högman.

– Hennes man är alltså med? undrade Veda försiktigt.

– Lasse, ja? I högsta grad, sa Francine på ett definitivt sätt, som om frågan var utagerad och inte något mer fanns att tilllägga. Och det gjorde det ju inte heller.

– Erik Fridlund har också en vacker fru, sa jag. Ser ut som Barbra Streisand. Utseendekoefficienten var hög igår. När det gäller damerna alltså. Hon sa att dom bodde i varsin världsdel.

– Det lär inte vara så mycket bevänt med det där äktenska-
pet, sköt Jacques in. Och det är inte bara geografi som skiljer
dom åt.

– Hurdå menar du? Veda såg på honom.

– Det är väl ingen hemlighet. Hon lär ha sitt på sin kant. I
sin världsdel så att säga. Men Erik vill inte skiljas säger An-
ders.

– Det är väl inget hinder, sa Francine. Hon kan väl ge sig
iväg utan att fråga honom om lov.

– Visst, men det finns alldeles för mycket pengar med i bil-
den. Man kan inte jobba nära Anders Högman utan att bli
rik själv. Ni har nåt gammal ordspråk i Sverige som säger att
om det regnar på prästen så droppar det på klockaren. Det
ligger mycket i det. Åtminstone om man spekulerar på bör-
serna. Så jag tror hon drar sig för skilsmässa. Då skulle hans
guld försvinna ut genom fönstret.

– Arbetar hon inte? frågade Francine.

– Jo. Hon har ett företag som importerar äkta mattor, är
specialist på antika mattor från Kina och Tibet. Men om det
ger så mycket ekonomiskt vet jag inte. Och Erik vill som sagt
inte släppa henne.

– Det sägs att ni svenskar är kalla och stela, sa Veda fun-
dersamt. Opassionerade. Men jag tror inte att det stämmer.

– Hurså? undrade Francine.

– Jo, jag hörde nånting när vi skulle gå hem från Anders
party. Jag var faktiskt inne på toaletten och tvättade händer-
na. Man hälsar ju på en massa människor och äter kladdiga
kanapéer. Och just när jag skulle gå ut så stod två karlar ute i
hallen. Dom talade svenska så jag förstod inte vad dom sa,
men dom grälade. Så mycket fattade jag. Det var en sån hätsk
och otäck stämning att jag blev riktigt rädd. Och det verkade
som om den ene just skulle slå till den andre när dom hörde
att jag kom.

– Det låter konstigt, sa jag. Jag såg ingenting.

– Nej, dom dröp av, var väl rädda för att bli sedda.

– Kände du igen dom? undrade Francine.

– Det gick så snabbt och ljuset ute i hallen var diskret så jag
såg egentligen bara ryggarna. Men jag tyckte en av dom var.

Anders närmaste man. Erik alltså. Men jag är inte säker. Det kunde varit nån annan också. Och den andre hade en guldring i örat. Jag kommer ihåg det för jag tyckte det verkade konstigt på en vuxen karl.

Kapitel XI

– Död? sa jag.

– Död? ekade Francine.

Jacques stod i dörren till vårt rum. Klockan var åtta på morgonen, solen sken utanför fönstren och höns kacklade nere i trädgården.

– Jag fick just veta det, sa han allvarligt. Det måste ha hänt nån gång i natt.

Kvällen innan hade vi varit på Anders Högmans middag, den han bjudit till efter fisketuren. Egentligen var det väl min middag, hade jag sagt litet skämtsamt till Francine i bilen till President, eftersom huvudrätten var svärdfisk, men jag var generös. Lät Anders stå för värdskapet. Trots allt var det hans båt och hans redskap. Att just jag fick den stora svärdfisken på menyn var rena turen. Vem som helst av de andra kunde ha fått den.

Den här kvällen var det scenbyte som gällde. Vi skulle inte äta uppe i Anders svit utan i restaurangen. Men inte i den stora och lyxiga framför hotellet, den som låg vid poolen och vette mot havet. Utan på en mindre, informell restaurang som låg längs stranden några hundra meter bort inom hotellområdet. Det blev trevligare så, hade Anders sagt när han välkomnade oss med ett glas champagne i den stora hotellentrén bland marmorpelare och höga, gröna palmer. Inte så stelt och uppstyltat.

Själv slog han an tonen med sin kortärmade vita tröja och mörkblå slacks. Hade han också handlat på billiga gatan utanför textilfabriken? Förmodligen inte, tänkte jag. Om det fanns skräddarsydda fritidskläder var det nog sådana han hade och jag var glad att jag också tagit det okonventionella spåret där jag kom utan slips och i udda byxor. Men ett offer på konventionens altare hade jag gjort. Jag gick i min tunna vit- och blårandiga bomullsblazer från Brooks Brothers, ett minne från New York. Och den gick ju lätt att hänga av om det behövdes.

För säkerhet skull hade jag en slips i fickan. Man kunde aldrig veta. Både Francine och Veda hade långbyxor och var liksom Jacques och jag sprejade vid anklarna och i nacken. Vi visste om att vi skulle till en utomhusrestaurang och även om havsbrisen höll undan den värsta myggplågan så fanns det moskiter över så att det räckte till för oss alla.

Vi var inte först. Herr Skalman hade redan kommit, Erik Fridlund, min fiskekamrat från dagen innan.

– Hej hajen, sa jag när jag hälsade på honom.

Han log, solen ute till havs hade förtagit blekheten från första gången jag såg honom och fritidskläderna gjorde honom mindre formell och kamrersaktig.

– Hej själv. Jag har förstått att det är du som bjuder på middag ikväll.

– Tur att det inte är tvärtom. Fast hajkött kanske är gott? Det enda i den vägen jag känner till är hajfenor.

– Det gäller som förrätt nästa gång när det är min haj som serveras. Sen kan vi ta kinesiska svalbon och hundraåriga pekingägg.

Erik skrattade och blev mindre och mindre lik herr Skalman, han med för smal hals i det trånga sköldpaddsskalet.

En bit bort, bredvid en hög, grön växt och framför en indisk gobeläng i dova färger stod Anna Palmer. Var valet medvetet, ett utslag av hennes professionalism? För färgerna i bakgrunden framhävde hennes blondhet, den rena profilen, hållningen. Fast hon hade naturligtvis varit vacker var än hon ställt sig.

– Jag hoppas din svärdfisk är god. Hon log mot mig. Anders berättade att vi ska få den ikväll.

– Han vill väl ekonomisera. Och rik blir man ju inte på dom stora inkomsterna utan på dom små utgifterna. Gästerna får ta maten med sig. Åtminstone fånga fisken. Det är tur för oss att det inte är björn eller vildsvin. Det hade varit lite stökigare att få omkull.

– Pratar ni jakt?

Lasse Berg kom fram till oss. I kölvattnet hade han sin vackra sekreterare, ja, nuvarande fru var väl en rättare beteckning. Och jag undrade litet irriterat varför Anders hade bjudit dem. Var det nödvändigt? Inte för att det spelade mig någon större roll, egentligen, men det kunde väl inte vara så där alldeles lyckat för Francine att konfronteras med dem. Fast hon hade inte verkat direkt besvärad första kvällen. Det kanske var en lycklig skilsmässa. Alla var glada och ingen hatisk. Jag hade inte velat fråga henne.

– Johan pratar om björnjakt. Anna log mot mig. Björn och vildsvin. Det verkar vara hans specialiteter.

– Jag som trodde det var svärdfisk, sa Lasses blondin med stora ögon. Finns det björn på Mauritius?

Blåst tjej, tänkte jag. Men hon hade ju annat som kompenserade.

– Om det finns björn på Mauritius?

Anders hade kommit fram till oss med ett högt champagneglas i var hand. Han gav ett till Anna och det andra till Pernilla.

– Här ordnar vi allt. Det finns faktiskt hjortar som man kan jaga i ett särskilt reservat. Men vill ni ha björnar så blir det björnar. Säg bara till. Och han skrattade.

Det kan du säkert, tänkte jag. Ordna björnar. Det mesta annat också. Du ringer bara ett samtal i nån av alla apparaterna i ditt arbetsrum så kommer en björn inflygande nästa dag. Fast då fick han vända sig till någon annan än mig om den skulle bli middagsmat.

Bara en gång hade jag ätit björnskinka. Det var på restaurangen i Stadshuset. En kraftig, mustig smak som krävde en god bourgogne. Kulinariska minnen från tidigare sekel med karp och svan på menyn bredvid björnsteken. Renässans. Sidenklädda kungar och herremän i högsätena som kastade ben över axlarna till irländska varghundar som vaktade bakom ryggarna. Flamländska gobelänger med enhörningar och

109

dunkelgröna skogsmotiv. Stora ölstånkor, narrar och lekare. Gigor, skalmejor.

– Hej.

Jag vände mig om, kom tillbaka till verkligheten från något avläget renässanshov. Det är ofta så med mig att jag försvinner, går in i en annan värld. Ibland undrar jag om jag levt ett tidigare liv. Finns själavandring? Fast så pretentiöst är det väl inte. Livlig fantasi och ett behov av verklighetsflykt är nog rättare svar på frågan. Kompensationsbehov hos den som ser livet flyta förbi på avstånd från sin affär på Köpmangatan utan att egentligen ta del.

Hans Bergsten stod bredvid mig. Nu liknade han inte längre Rasputin, verkade glad och avspänd i sin mörkblå linnekavaj och ljusblå skjorta. En klädsam kombination mot hans brunbränna ansikte.

– Jag hörde att du var storfiskare häromdan. Jag funderar på att hyra en båt och åka ut nån gång. Häng med om du har lust. Jag behöver nån som vet hur man gör.

– Nybörjartur. Som alltid i livet gäller det att vara på rätt plats vid rätt tidpunkt.

– Det har du rätt i, och för ett sekundsnabbt ögonblick drog en skugga över hans öppna ansikte. Fast ibland blir det fel. Om man är rätt vid fel tid till exempel. Om man kommer för sent.

Han tittade på Anna som stod en bit bort. Hon märkte det, såg på honom. Och hennes ögon fick en ny glans, lyste upp. Ett ljus som försvann lika snabbt när Anders kom med mera champagne.

Var Hans Bergsten fel fast han var rätt? Och vad hade han menat med att komma för sent? Jag tänkte på Anna Palmers reaktion när hon och Hans möttes på Anders party. Då hade hon verkat närmast besvärad.

Men jag fick annat att tänka på. Någon dunkade mig i ryggen så hårt att jag fick champagnen i vrångstrupen och började hosta.

– Förlåt, sa Jack Nelson och log mot mig där han stod i en ny kreation, inte rosa den här gången utan i metallglänsande ljusblått. Tog jag i för mycket? Men det trodde jag att en

110

gammal fiskargubbe tålde. Hemingway hade inte haft några problem. Fast det är ju skillnad förstås.

– Det är väl ingen skillnad på Johan och Hemingway. Francine kysste mig på kinden. Stora, starka tysta karlar. Virila. Svärdfiskar och lejon. Vi måste åka till Kenya nästa gång, Johan. Gå på safari. Dricka Dry Martini vid lägerelden och bada i badkar och vatten som bärarna släpat med sig. Höra lejon vråla i natten en bit bortom tältdukarna.

– Bara du inte har en romans med vår white hunter, sa jag. Under Afrikas natthimmel. Som Karen Blixen. Du har väl läst henne?

– Ja, fast mer Hemingway.

– Han var ju inte alls sån, sa Annika Claesson som kommit seglande med sitt champagneglas efter påfyllning framme vid bordet. Det var mera yta än verklighet. Allt det där macho-köret var kosmetika. Jag läste nånstans att han tyckte om att klä sig i damkläder till exempel.

– Jag visste inte att du var litteraturhistoriker.

– Man behöver inte vara expert. Det räcker med att läsa tidningarna. Han har ju fyllt hundra år.

– Jag gillar honom för en sak, sa Anders Högman. Det där telegrammet han skickade när alla trodde han hade dött i en flygkrasch i Afrika. Nånting om att ryktet om min död är betydligt överdrivet. Fast Mark Twain var visst först med det citatet.

– Man behöver inte åka till Afrika för att hitta faror, sa Jacques. Det finns på närmare håll. Du behöver bara köra härifrån till flygfältet för att ligga risigt till rent statistiskt. Och tänk bara på våra berömda cykloner.

– Det har du rätt i, höll Anders Högman med och hällde upp champagne åt honom ur den stora magnumflaskan. Jag hann se att det var en Pommery. Och jag tänkte på den gamla regeln att den enda franska man behövde kunna var tre P:n. Pommery, Pomerol och Pommard. Då var man säker i alla väder.

– Har du träffat Johan?

Francine kom fram till oss. Bredvid stod en man i vit kortärmad skjorta. Lång och mörk. Såg trevlig ut. Osvensk med

111

markerade drag. Påminde litet om någon gammal filmhjälte. Jag kom bara inte ihåg vilken. Alan Ladd, Gary Cooper? Nej, men vänta nu. Cary Grant. Han som charmade Grace Kelly, Ingrid Bergman och andra stjärnor i somrarnas reprisfilmer.

– Lennart Broman är här på semester och han känner tydligen Erik.

– Jag halkade in på ett banskal. Han log ett glatt leende. Jag kom imorse och Erik har fixat hotellrum här.

– Reducerat pris, sa Erik. Varför tror ni annars han kom?

– Vi gick polishögskolan tillsammans, sa Francine.

– Fast du var bättre på pistol och karate, svarade Lennart.

– Precis. Det är därför jag är på Säpo. Men vi har inte setts på åratal.

– Jag slutade, sa Lennart Broman. Slog om och blev jurist istället. För jag hamnade på ekoroteln och det blev för mycket pappersjobb. Francine skötte terrorister och attentat medan jag fick hålla mig till bokföring och datorer.

– Då fick jag det enklare. Jag skjuter först och frågar sen.

– Jag önskar jag kunde ha gjort detsamma. Men våra nät var alldeles för grovmaskiga. Vi hade inte resurser att ta dom fulaste fiskarna och det bidrog till att jag lade av.

– Men ni kanske kan få hjälp, sa Erik. Han såg allvarligt på Lennart. Och jag undrade varför.

– Hur går det för Hedda? frågade Francine Anna Palmer. Först såg Anna förvånad ut, sedan log hon.

– Tack bra. Det enda problemet är att jag har spillt Coca-Cola på ett par sidor och fått sand mellan bladen i rollhäftet. Men det får man väl ta om man ligger på en strand vid Indiska oceanen. Större problem finns. Men jag ska inte berätta det för mina medspelare.

– Hallå allihopa, sa Anders Högman och slog med en sked mot champagneflaskan. Ni ska inte tro att det här är alldeles gratis. Ni ska få arbeta för födan. Fysisk träning. Vi ska gå en djungelstig genom oländig terräng med ormar och skorpioner och andra obehagligheter tills vi kommer till målet.

– Ormar? sa Veda. Vad menar du?

– Var inte rädda. Det här var bara för att pigga upp er. Få litet fart på adrenalinet. Vi ska bara gå några hundra meter bort till en jättetrevlig restaurang alldeles vid havet. Jag har abonnerat den så att vi inte ska bli störda.

"Sådan är kapitalismen" tänkte jag. Fast inte så dum att ha. Jag önskade att jag kunde abonnera en trevlig restaurang i Stockholm någon gång för att inte bli störd. Men det kanske gick. Det fanns några som jag kände till, några med bara ett tiotal stolar.

Längs den vita hotellfasaden gick vi med stranden alldeles nära inpå. Bruset från bränningarna därute i mörkret blandades med cikadorna under de höga palmerna. De grova stammarna lystes upp underifrån och vi gick på en stensatt gång mellan planteringar och höga buskar. Ett hundratal meter bort låg den lilla restaurangen, var byggd nästan ända ut till vattnet.

– Lustigt, hade Francine sagt alldeles innan vi kom fram till restaurangen, som var byggd på en upphöjd plattform av trä någon meter över marken. Jag har inte sett honom på evigheter och så dyker han upp här.

– Vem?

– Lennart Broman. Vi var ju kolleger. Fast inte så länge.

– Han tyckte tydligen det var tråkigt och slutade.

– Det var inte bara det. Att det var tråkigt.

– Inte?

– Jag minns inga detaljer, men jag tror att han fick sluta. Fick kicken.

– Varför det?

– Han lär ha blivit inblandad med nån av skummisarna som han utredde. Ingenting kunde bevisas, men han lämnade diskret. Fick säga upp sig och avgå.

– Nu har han tydligen kommit på grön kvist i alla fall. Nån sorts jurist, sa han.

– Hur grön kvisten är vet jag inte, men han har i alla fall råd att åka till Mauritius. Så det har nog gått bra för honom.

Vi satt på den öppna delen av restaurangen, på ett stort trägolv med räcke runt under stora parasoller. Levande ljus blänkte på det långa bordet. I bakgrunden kom musik som blandades med vinden genom palmkronorna och havets dyningar som långsamt växte upp över sanden, lämnade ett vitt

113

spetsmönster av skum efter sig.

Hummer fick vi, och min svärdfisk som grillats över en öppen eld på stranden. Saftig, mör, påminde nästan om en välhängd stek.

Chablin var kall och stämningen hög och vi körde inte hem förrän efter midnatt. Jag delade en flaska öl med Jacques ute på verandan innan jag gick upp till Francine. Hon sov redan när jag kom in. Tyst klädde jag av mig, tyst kröp jag ner i den breda dubbelsängen för att brutalt väckas av knackningarna på dörren. Med grus i ögonen kändes det som om jag inte sovit mer än ett par timmar. Och först hade jag inte riktigt fattat vad Jacques sade där han stod i dörröppningen med allvarligt ansikte.

– Vem är död? frågade jag yrvaket.

– Hans Bergsten. Jag hade lovat Anders att ringa om en sak nu på morgonen. Han ville ta med sig några vänner för att titta på vårt hus. Det har ju en historisk tradition och vi skulle spika en dag. Då berättade han det.

– Vad var det som hände? Francine satte sig upp i sängen.

– En olycka. Bergsten var på väg upp till sitt rum och ramlade tydligen i trappan. Den är lång och ganska brant och han slog huvudet i ett trappsteg och bröt nacken. Han hade väl tagit ett glas för mycket. Välkomna ner till frukosten när ni är klara. Det är ingen brådska.

Han nickade åt oss och gick. Verkade inte känna för att konversera. Och jag förstod honom. Döden är för stor, för närvarande när den drabbar. Och även om jag bara träffat Hans Bergsten några gånger kände jag mig illa berörd. Han hade suttit mitt emot mig vid middagen kvällen innan och jag tänkte på hans ögon när han såg på Anna Palmer. Det hade legat något hopplöst över hans blick, någonting uppgivet. Som ett övergivet barn.

Plötsligt kom jag att tänka på det. Drömmen. Hur min pappa spelat Chopin hemma i prostgården då jag kom med min gädda som blev en haj. Och jag tänkte på vad Veda berättat om den olyckliga kvinnan som inte fått ro i sin grav. Hade hon spelat för Hans?

Kapitel XII

Jacques satt vid frukostbordet när jag kom ner. Veda stod ute på gårdsplanen och talade med en man som lutade sig mot en lång kratta. Hon hade en vattenkanna i handen och en korg med blommor på armen.

Jacques serverade mig svart kaffe ur en bukig silverkanna i rokoko. Fanns den med i flyttlasset från Paris? Francine var inte klar med sin morgondusch men skulle komma senare. Ute i köket hördes en radio. ABBA levde än, också söder om ekvatorn. Det slamrade av porslin och morgonsolen gick snett genom de höga fönstren, bildade ett mönster på mattans dova färger.

– Anders Högman kommer om en stund. Jacques bredde apelsinmarmelad på en rostad brödskiva.

Jag tog en ur den bruna, flätade korgen med vit servett över. Brödet var fortfarande varmt och litet svartbränt i ena kanten. Jag skrapade bort det med kniven vid tallriken. Min vanliga grapefrukthalva fanns inte på bordet, inte mitt grova rågbröd heller, det jag äter med Kalles kaviar och gurkskivor. Jag fick tala med Francine så att hon diskret kunde rädda mig i fortsättningen. Fast nypressad apelsinjuice fanns. Och det kompenserade mycket.

– Han ville tala om Bergstens död, fortsatte han. Om den där olyckan.

– Det är lite svårt att fatta, sa jag. Vi satt ju där på restaurangen bara för några timmar sen. Och nu är han borta.

– Ja, verkligen tragiskt. Vi vet så lite vad som kan hända. Tar allting för givet. Att livet bara håller på. Kände du honom?

– Bergsten? Nej, det kan man inte säga. Men jag träffade honom i Stockholm faktiskt. För bara några veckor sen. Han sålde en antik skål till mig. Silver, tidigt 1800-tal. Och jag fick en vag känsla av att han inte var särskilt harmonisk. Det var någonting i ögonen, blicken. Men jag förstår inte riktigt varför Högman kommer hit?

– Jag vet inte heller, men jag anar.

I samma ögonblick svängde en mörkgrön Jaguar upp framför huset. En dörr öppnades och Anders Högman kom ut i vita shorts och mörkblå utanpåskjorta. Han gick snabbt mot huset och kom in genom det franska fönstret som stod på glänt.

– Vill du ha frukost? frågade Jacques när vi hälsat.

– Jag åt på hotellet. Men en kopp kaffe kanske. Han satte sig mitt emot mig.

– Det var verkligen tråkiga nyheter, sa Jacques och serverade honom kaffe. Anders skakade avvärjande på huvudet när Jacques sköt fram den lilla brickan med socker och mjölk.

– Det är det minsta man kan säga.

Anders såg på oss. Ansiktet var fårat och trots solbrännan från vår fisketur såg han trött ut. Den litet tillkämpade pojkaktigheten, ungdomligheten var borta. Han visade sin ålder, som Francine brukade säga. Fast oftast om andra kvinnor.

– Vad hände egentligen? frågade jag. Ramlade han i en trappa?

Anders Högman nickade.

– När ni hade gått satt vi kvar nån timme. Det blev mera vin och Hans tog in konjak. Men det verkade som om han fick för mycket, blev stökig, litet aggressiv. Jag kände honom inte, det var Annika som föreslog att han skulle med. Så jag tog honom åt sidan och föreslog att han skulle gå hem och sova. Då dröp han av och… ja, så såg jag honom inte mera. Inte förrän nu tidigt i morse när dom ringde från hotellet. En städerska hade hittat honom i morse nere i trappan upp till andra våningen. Han hade ramlat och brutit nacken.

– Han var berusad alltså? Jacques såg frågande på honom.

– Det kan man säga. Nu efteråt skulle jag väl aldrig ha skickat iväg honom utan sett till att han kom ordentligt hem. Men hans rum låg ju bara nån minut från restaurangen och han var inte direkt full, blev bara lite otrevlig.

– Ramlade han i sin egen trappa? frågade jag.

– Nej, och det var lite konstigt. Han bodde i uppgången bredvid och hade väl gått fel. Upptäckte det kanske när han kom upp på andra våningsplanet, fick bråttom och när han skulle gå tillbaka snubblade han och föll.

– Är polisen där nu?

– Jag frågade på hotellet, och dom hade ringt. Och jag såg att polisen var där.

– Jag förstår bara inte varför hotellet ringde till dig, sa Jacques. Hans Bergsten var ju en gäst bland många.

– Dom visste att vi kände varandra. Det hade dom förstått eftersom han var med på restaurangen och på min mottagning. Sen var vi ju båda svenskar. Och jag har intressen i den här kedjan. En ganska stor andel faktiskt.

Jag tänkte på Erik Fridlund, på vad han berättat om Anders investeringar där turism och hotell var en av prioriteringarna.

– Och det var därför jag kom. Anders såg på Jacques som avvaktade.

– Du sitter ju på en av dom största tidningarna här och har ett enormt inflytande på ön. Känner alla människor, inklusive polisen, kan dra i alla trådar.

Han tystnade. Jacques sa ingenting, satt fortfarande tyst.

– Jag ska gå rakt på sak, fortsatte Anders. Det är inte bra för hotellet och inte bra för turistindustrin om det här får för stora proportioner. Inte bra för mig heller som delägare. Han log ett svagt leende.

– Så du vill att jag ska lägga locket på?

– Det låter väldigt direkt, men det är väl det jag menar. Pressens frihet och allt det där, men om det fanns nån möjlighet att se till att den här tragiska olyckan inte fick för stora proportioner så skulle jag uppskatta det.

– Jag kan naturligtvis inte lägga mig i vad massmedia här

på ön väljer att ta upp, sa Jacques långsamt. Och jag vill inte göra det heller. Men jag har lika lite intresse som du av att det här blir nån affär som skrämmer bort turister. Har du ringt svenska konsulatet förresten? Sånt här måste väl anmälas på nåt sätt?

Anders nickade.

–Jag känner Dupont personligen så jag ringde hem till honom. Dom har ju inte öppnat konsulatet än. Och han lovade att skicka nån till hotellet som skulle ta hand om det formella. Jag vet inte hur det går till, men jag antar att dom måste identifiera Bergsten och meddela hans släktingar. Och sen vänta på instruktioner från dom om hur det ska hanteras. Begravning här eller om kroppen ska skickas hem och allt sånt där.

–Du sa att Bergsten hade gått fel. Jag tog en bit rostat bröd till. Den här gången var inte kanten svartbränd. Jag strök på litet av den guldgula marmeladen, en pikant blandning mellan apelsin och citron. Hemgjord, hade Jacques sagt.

–Ja hurså? Anders Högman lät förvånad. Har det nån betydelse?

–Det tror jag kanske inte, men jag bara undrade. Vem bodde på det där våningsplanet dit han gått?

–Jag sköter inte bokningarna så jag vet faktiskt inte var dom sätter in gästerna. Men jag vet att Annika bodde där och hennes... ja, den där Jack. Och sen Anna Palmer.

Anna Palmer. Intressant, och jag tänkte på hur de sett på varandra, den tysta spänningen som fanns mellan dem. Hur Hans Bergsten blivit bemött av henne i Anders svit första kvällen jag såg dem. Mötet mellan Rasputin och Hedda Gabler.

–Nej, sa Anders Högman och reste sig. Jag ska inte störa i frukosten längre. Och tack för kaffet. Hälsa Veda och Francine. Han log ett trött leende och gick ut till sin stora Jaguar, försvann i ett dammoln. En vettskrämd höna som sökt skydd mot solen under bilen flaxade skrockande iväg mot ett grönt buskage.

–Jag tror att den gode Anders överskattar mitt inflytande, sa Jacques och slog upp mera kaffe åt oss. Jag förstår att han

118

är orolig för negativ publicitet, men det skulle vara alldeles
för känsligt om jag ringde redaktionen och gav några order.
Det fungerar inte på det sättet. Och det där med polisen för-
står jag inte vad han menade med. Det är ju en olyckshändel-
se så dom får väl skriva rapport i vanlig ordning. Han över-
skattar nog nyhetsvärdet och intresset också. Hit kommer
tusentals turister och tyvärr så har vi vår bit av olycksstatisti-
ken. Inte så stor tack och lov, men det händer att folk drunk-
nar eller råkar ut för bilolyckor eller tjuvar. Men det blir
oftast notiser längst bak om det alls tas upp. Våra redaktioner
flaggar inte för sånt, dom biter inte den hand som föder dom.
    – Hur menar du?
    – Inte att dom är korrupta eller så, men vi lever ju faktiskt
till stor del på turismen. Och då gäller det att visa upp en så
vacker och prydlig ö som möjligt. Dom rika européernas fjä-
rilssvärm kan annars få för sig att gräset är grönare på andra
sidan Indiska oceanen. I Thailand eller på Borneo eller Bali.
För att inte tala om Seychellerna och Maldiverna. Eller Ke-
nya i väster. Så han oroar sig i onödan.
    Det gör han säkert, tänkte jag. En turist som råkar ut för
en olyckshändelse har väl inte något större nyhetsvärde, var-
ken på Mauritius eller i Sverige. Det var en del av livet, en tra-
gisk siffra i den officiella statistikens hav. Fast jag höll med
Jacques. Varför hade Anders inkluderat polisen i sitt ganska
oblyga försök att lägga på olika lock? Det var väl litet väl
magstarkt att föreslå att Jacques skulle utnyttja sin ställning
och sitt inflytande för att lägga sig i en polisutredning. Men
livet kanske var litet mer okomplicerat på Mauritius? Litet
mer flexibelt? Och det var väl så människor som Anders
Högman fungerade. De hade makt och inflytande och var
vana vid att dra i diskreta trådar för att fixa sina problem utan
att dra in "utomstående". Ett telefonsamtal eller några ord på
golfklubben satte hjul i rörelse. Tjänster och gentjänster
bortom den officiella byråkratins tyngande regelverk. Fast
jag hade en bestämd känsla av att när det gällde Jacques så
skulle det inte vara lika lätt.
    – Ursäkta att jag är litet sen.
    Francine log mot oss där hon kom nerför den breda trap-

pan. Fräsch och nyduschad i helvitt. Vita Reeboks, vita shorts och vit T-shirt mot det svarta håret som föll ner över skuldrorna.

– Välkommen.

Jacques reste sig, visade med en inbjudande gest mot en av chippendalestolarna i mörk mahogny. De måste ha kommit från Vedas sida i familjen. Någonting mer tidstypiskt engelskt från senare delen av 1700-talet kunde jag inte tänka mig. Eller hade de inköpts av Jacques gamla anfader i England efter flykten över Kanalen? Man hade väl inte hunnit få med sig så mycket från familjeslottet. Det var livet som gällde då, inte konst och möbler.

Samtidigt kom Veda in från gårdsplanen. I handen bar hon den stora, flätade korgen, fylld med rosor. Hon log mot oss, satte ifrån sig korgen på ett bord längs väggen.

– Jag har redan ätit frukost. An early bird, men jag kan hålla er sällskap med en kopp kaffe.

Hon satte sig bredvid mig, så blev hon allvarlig.

– Ni har väl hört vad som har hänt?

Vi nickade.

– Och jag som satt bredvid honom på kvällen. Han var så rar, så allvarlig. Inte för att jag märkte att han drack särskilt mycket, men han kanske blev litet ostadig på fötterna. Så damp han ner i trappan.

– Anders Högman har varit här, sa Jacques och serverade Francine och Veda kaffe. Han ville att jag skulle se till att pressen inte skrev för mycket om olyckan. Det skulle inte vara bra för affärerna. Ja, han var väl inte så direkt utan skyllde på Mauritus, inte på sig själv.

– Det menar du inte? Veda såg förvånat på honom. Vad skulle du kunna göra åt det? Journalisterna skriver väl vad dom vill?

– Jag sa det också. Men det verkade inte riktigt som om han trodde på mig. Som jag sa till honom så överskattar han mig.

– Det förvånar mig lite. Anders brukar inte vara så framfusig. Vi har ju känt honom ända sen han kom hit, sa Veda förklarande. Det är snart tio år sen. Tiden går bara fortare och fortare. Men han har alltid varit så vänlig, bjudit in oss på allt möjligt. Som igår kväll.

Vänlig och vänlig, tänkte jag. Det var väl inte någon slump att Anders Högman ville hålla sig väl med Jacques, en av öns pampar. Han såg det säkert som en investering i framtiden. En lönsam investering. Det visade sig ju nu när han hade kommit till frukost, oinbjuden och med ett mycket konkret ärende. Att utnyttja sin gamle "vän". "What are friends for?"

– Bodde han på President redan då? undrade Francine.

– Det fanns inte då. Nej, han bodde på ett annat ställe, Le Saint Géran alldeles i närheten. Sen har han tydligen intressen i det där konsortiet som byggde President och ordnade en skräddarsydd svit där vi var härom kvällen. Det är hans högkvarter, säger han. Där sitter han som spindeln i sitt affärsnät.

– Levde han ensam hela tiden?

– Nej, tvärtom. Vi träffade några av hans kvinnor. Ja, inte samtidigt. Dom avlöste varandra kan man säga. Veda log. Och det är inte så svårt att förstå. Med dom tillgångarna kunde han få vem som helst.

– Ja, jag har hört att han är lite ombytlig, sa jag och tog mera kaffe fast jag visste att det skulle straffa sig. Jag fick lätt halsbränna om det blev för mycket. Men jag hade hamstrat en ask novalucol som fanns i tryggt förvar uppe i min necessär, chansade för kaffet var gott. Säkert en lokal produkt.

– Var inte avundsjuk, sa Francine. Du får nöja dig med vad du har.

– Det är verkligen inte det sämsta. Jacques log mot henne.

– Det där med ombytlighet behöver inte ha nånting med karaktär att göra, sa jag. Häromdan läste jag en artikel om livslång kärlek.

– Intressant, sa Francine. Var det Veckorevyn eller Amelia?

– Det var faktiskt en vetenskaplig rapport som hade utarbetats av en professor som i två år hade intervjuat 5 000 personer i 37 länder. Cindy Hazan heter hon.

– Verkligen? Roat såg Veda på mig. Och vilken var professorns slutsats?

– Att den inte existerar. Den livslånga kärleken. För enligt professorn så är förälskelse inte nånting annat än ett kort rus, en kemisk reaktion mellan olika signalsubstanser.

– När du säger "jag älskar dig" så är det alltså bara kemikalier som rusar runt ett tag i dina celler. Francine skrattade.

– Så kan man uttrycka det. Men det är faktiskt en kemisk reaktion i hjärnan och det håller i sig mellan arton och trettio månader.

– Så bra, sa Francine. Då har vi ett tag på oss innan kemikalierna gått åt. Kan dom inte göra piller istället? Då får man sitt känslorus utan att ha allt besvär.

– Vad händer sen? frågade Jacques. Veda och jag har varit gifta i tjugo år. Så det stämmer inte.

– Ni är undantaget som bekräftar regeln. Enligt rapporten så blir det antingen slut på förhållandet eller också håller man ihop av sociala skäl. För barnens skull. Eller också gillar man varann, tycker om varann och tycker att det är praktiskt att fortsätta.

– Om du ursäktar så förstår jag bara inte vad allt det här har med Anders Högman att göra? Jacques såg på mig. Din professor alltså.

– Det var det jag skulle komma till. För enligt honom så är en del människor beroende av att känna det där kemiska ruset hela tiden och letar alltid nya partners.

Veda skrattade.

– Du menar alltså att Anders Högman är drogberoende av kvinnor? Att han hela tiden måste få nya kickar av nya kvinnor?

– Jag känner honom inte, men om man får tro Cindy Hazan så kan det vara en förklaring till att en del människor är ombytligare än andra.

– Eftersom det stod i tidningen måste det vara sant, eller hur Jacques? Veda log mot sin man. Du får tala med dina redaktörer. Dom kanske kan komma och intervjua Johan? Nej, nu ska vi göra nånting trevligare än att sitta här och prata om stackars Hans olycka och Anders flickor, kemiska eller inte. Nu ska jag visa dig trädgården, Francine. Den är faktiskt min stolthet och väldigt vacker om jag får säga det själv.

Det går åt mycket vatten, men vi har djupa brunnar.

Och de gick. Det gjorde Jacques också, hade en del att göra inne på sitt kontor så jag blev sittande ensam kvar vid det långa bordet. Då hörde jag pianomusik från salongen bredvid. Men inte Chopin utan någonting mycket modernare. Vem spelade jazz såhär tidigt på dagen i det gamla huset?

Jag gick in i salongen. Framme vid flygeln satt George, Francines syssling som hjälpt oss med väskorna när vi kom.

Han slutade spela när han hörde mig, vände sig om på den långa pianopallen. Verkade ertappad med någonting otillåtet.

– Hej, sa jag. Vi har inte sett mycket av dig.

– Tyvärr. Men jag har varit hos några kompisar i Port Louis. Vi surfade.

– Du spelar bra.

– Tack. Ja, jag gillar modern musik. Särskilt jazz. Jag trodde faktiskt jag var ensam hemma. Jag såg ju mamma i trädgården med Francine och tänkte att pappa väl var på sitt kontor i Port Louis. För jag tycker att jag spelar alldeles för dåligt för att nån ska lyssna. Och mamma tycker jag ska spela mer klassiskt, men det blir lite tungt. Jag känner inte för det.

Jag stod tyst, såg på honom.

– På tal om klassiskt, sa jag sedan. Det var inte du som spelade härom natten?

Han skakade på huvudet.

– Jag var ju i Port Louis.

– Jag tänkte bara. För det var nån som spelade Chopin. En nocturne.

George såg på mig, sa ingenting.

– Du är säker på det? Det där med Chopin, sa han långsamt.

– Jag vet inte. Kanske jag drömde. För min gamla pappa spelade ofta Chopin. Så det var väl inbillning.

– Det är inte så säkert, sa han långsamt. För jag har också hört det. Fast mamma gillar inte att jag talar om det.

– Varför?

Kapitel XIII

– Tror du att vi träffar dom?
– Vilka då?
– Dom från igår förstås, sa Francine.
– Tala högre, sa jag. Det hörs knappt vad du säger.

Vi satt i en gammal jeep som jag lånat av Jacques. Den enda rutan satt fram och vinden brusade runt i det öppna skalet där vi körde den smala vägen ner mot President. I baksätet låg badkläder och några böcker. Efter Francines inspektionstur i Vedas trädgård hade vi bestämt oss för en förmiddag nere vid hotellets stora pool. Lunch på stranden kanske. Vi hade trots allt semester och ville heller inte att Jacques och Veda skulle känna att de behövde ta hand om oss varje timme på dygnet. Dessutom ville vi vara för oss själva. Det hade blivit litet mycket umgänge nu. Med tragiska konsekvenser dessutom. Inte för att vi på något sätt var inblandade, tänkte jag och bromsade upp för en raggig hund som makligt korsade vägen och försvann in i ett tätt buskage. Men det kunde inte hjälpas. Hans Bergstens död tyngde. Och brutalt hade den slagit sönder den trygghetskokong man väver kring sig. Att livet är oändligt, att slutet aldrig kommer. En överdrift naturligtvis och någonstans längst in vet man vad som ska hända, men förtränger det. Utgår från att döden kommer som en tjuv om natten i en avlägsen och diffus framtid. Drabbar direkt och barmhärtigt under sömnen i en frisk och harmonisk värld, långt från långvård, liggsår och dropp. Och att förtränga döden den där sommardagen på Mauritius var inte svårt.

Solen sken, Francines hår böljade för vinden och stereon

125

fyllde rymden runt oss med musik.

Vi satt som i en annons för någon after shave, tänkte jag och log för mig själv. Eller mittuppslaget i en broschyr från en resebyrå. Men det hade jag ingenting emot. Tvärtom.

Den uniformsklädde vakten vid entrén tog bilnycklarna och gav dem till en medhjälpare som parkerade det medfarna ekipaget mellan en blänkande Cadillac och en öppen BMW. Så gick vi uppför de breda trapporna till den stora ingången. Ingång och ingång förresten. Det var en stor, bred och hög portal, som entrén till ett tempel. Lobbyn var enorm. Högt över oss välvde taket och i fonden öppnade sig de vita väggarna mot en blånande ocean.

Svalkande drog vinden genom hallen. Gröna, höga buskar och stora blomsteruppsatser stod på bord längs väggarna, och det sparsmakade möblemanget gick i antik, indisk stil. Snidade kistor i mörkt trä. Breda fåtöljer i kashmirmönster. Allt andades brittisk kolonialtid från Rudyard Kiplings Indien. Den kontinent som en handfull engelsmän med modern vapenteknik och administrativ skicklighet lagt under imperiet, ädelstenen i den brittiska kronan. Här hade engelska officerare i vita uniformer kunnat sitta med sina gin tonics i solnedgången och diskutera dagens hästpolomatch och morgondagens avfärd för en ny expedition in mot Afghanistans bergmassiv. Turbanklädda tjänare fräschade upp drinkarna med ursprung i den gin man tillsatte den beska kinindekokten som måste intas mot malaria.

Vi gick ut på andra sidan, nerför trapporna och fram mot poolerna som upptog nästan hela ytan mot havssidan. Den breda stranden nedanför gräsmattan som avslutades med en låg mur gick längs hotelletablissemanget bort mot restaurangen vid vattnet där vi ätit middag dagen innan.

Bassängen närmast hotellobbyn var avsedd för barn och grund medan de andra i mjukt rundade former var djupare. Ljusblå mosaik täckte botten och väggar, glimmade i solen. Mellan långa solstolar i trä under vita parasoll rörde sig servitörer med brickor.

Vi parkerade vid nergången till stranden och havet, bredde ut våra stora badlakan över stolsitsarna. Francine smorde in mig på ryggen och i ansiktet. Solfaktor 30.

– Är inte det för mycket? Då är jag lika blek när jag kommer hem som när vi for ut.

– Du är jättebrun redan. Den där dan i båten var nästan i mesta laget. Du måste passa dig för malignt melanom.

– Okej. Då är det bäst jag smörjer in dig också. På hela kroppen.

– Tack för din omtanke. Bli inte för entusiastisk bara.

Jag satt på den låga stolskanten och såg ut över poolen. Det var inte särskilt mycket folk i vattnet, inte på solstolarna heller. Mest medelålders och äldre par. Men det var kanske naturligt med hänsyn till priserna. Hit sökte sig en exklusivare publik med anspråk på komfort och bekvämlighet. Det var inte direkt någon Club Med-inrättning.

Restaurangen borta i hörnet var säkert utmärkt liksom vinlistan. Och jag tänkte på vad den gamle läkaren, kokboksförfattaren och matfilosofen Hagdahl skrev en gång. Någonting om att kärleken för bordets nöjen var en passion som sällan utvecklade sig innan man fyllde fyrtio. Och den var den sista som övergav oss och som till slut tröstade oss över förlusten av de övriga. Det låg nog mycket i det och jag såg för mig hur jag på ålderns höst spenderade min knappa pension på Östermalmshallens råvaror och stans bättre restauranger.

Två små knubbiga barn plaskade omkring med röda badringar runt magen. På en liten stol satt en bastant barnsköterska i prydlig uniform, blå med vitt förkläde och en liten vit sak i håret. Hon läste en pocketbok, men höll ungarna under effektiv uppsikt medan de båda föräldrarna låg en bit bort, utfläkta i sina stolstolar. Höga glas med paraplyer stod på bordet mellan dem, det enda som hade den avlägsnaste likhet med en hederlig svensk charterresa till Mallorca. I planteringarna under palmerna plockade kvinnor i grönskimrande saris blad och vissnande blommor i stora säckar. Sandstranden nedanför krattades av en grupp män och jag insåg vad turismen betydde för arbetsmarknaden på ön.

En snabbfotad servitör med en clubsandwich och en immande ölflaska bredvid ett högt glas hastade förbi med sin bricka och en man i pensionärsåldern med svällande midja och rödrosa, bränd rygg gick förbi med en ung kvinna vid handen. Han hade solhatt med ett blommigt band runt, solglasögon och den håriga magen hängde ner över shortskanten. Stora fötter i birkenstocksandaler. Flickan var säkert trettio år yngre. Vackert brun, smal, med guldlänk runt vristen och minimal baddräkt, tanga snarare som inte lämnade någonting åt fantasin men som ändå dolde. Topless. Ett nytt exempel på pengars makt, tänkte jag lojt och litet avundsjukt. Det som Anders Högman utnyttjade. Fast jag fick medge att han som man måste vara attraktivare för kvinnor än farbrorn därframme vid poolkanten.

– Roligt för dig att det finns så mycket att titta på, sa Francine och nöp mig i magen.

– Aj. Jag sitter här i lugn och ro och ser ut över havet och så nyper du mig. Jag filosoferar, tänker djupa tankar. På tal om det så spökar det hemma hos Jacques och Veda.

– Jag vet det. PomPom går omkring på nätterna. Veda berättade ju det.

– Jag har upplevt det själv.

– Har du sett honom? Francine skrattade. Det blev kanske litet för mycket vin igår. Och jag såg nog att du tog en stor gin tonic.

– Spionerar du på mig? I brist på Dry Martini så får man ta vad som bjuds.

– Det är i alla fall för starkt i det här klimatet. Berätta om ditt spöke istället. Hur såg han ut? Det märktes på rösten att hon inte tog mig på allvar.

– Jag har inte sett nånting, men hört.

– Vinden som slår mot fönsterluckorna, en gren mot en ruta. Och hon fortsatte att smörja in min rygg där hon satt bakom mig.

– Musik. Ingen vind. Det var Chopin. Från flygeln.

Francine slutade smeka min rygg.

– Var det nån som spelade?

– Jag vaknade i förrgår natt av musik. En nocturne av Chopin. Och du kommer väl ihåg att Veda berättade om det. Att det skulle finnas en kvinna vars fästman just dött, alldeles före bröllopet. Och att det var hon som spelade när nån skulle dö.

– Dumheter, sa Francine och började energiskt med mitt solskydd igen. Om det var mitt i natten så skulle jag ha hört det. Jacques och Veda också.

– Jag trodde det först. Att det var inbillning alltså. För jag drömde just att jag hörde min pappa spela hemma i Viby när jag vaknade. Och eftersom han älskade Chopin och Veda hade berättat om den där damen så hade jag väl bakat ihop det i mitt undermedvetna och sen drömt om det. Det var därför jag ingenting berättade för dig.

– Självklart var det en dröm, sa Francine, avslutade behandlingen och satte sig bredvid mig.

– Men drömmar fungerar ju så ibland att när du hör nånting i sömnen, en bil som tutar, en telefon eller ambulansen eller nåt annat, så går det in och blir en del av drömmen. Så jag kunde ha hört musiken och inkorporerat den i min dröm. Och idag frågade jag George om det var han som spelat.

– Han verkar inte spela Chopin överhuvudtaget. Särskilt inte mitt i natten. Han gillar häftigare saker.

– Döm inte hunden efter håren. En tonårskille behöver inte enbart vara road av rap och pop. För han satt och spelade efter frukosten och berättade att han gillade klassiskt också. I vilket fall hade han inte spelat den där natten. Han hade varit med några kompisar i Port Louis. Men han hade hört det själv en gång. Musiken alltså. Natten innan hans farfar dog. Fast Veda ville aldrig att han skulle tala om det.

– Det där du hörde skulle alltså vara kopplat till Hans Bergstens död?

– Det var säkert bara en dröm, men medge att det är litet otäckt. Jag hoppas jag slipper höra det flera gånger.

– Och här sitter ni och steker er?

Jag såg upp. Framför oss stod Annika och Jack. Hon var som klippt ur något damtidningsreportage om vad man skulle ha på badstranden, fast där hette det väl "vid poolen". Snarare Vogue än Året Runt. En bredbrättad, vit solhatt med ett knallrött band runt. En röd och svart baddräkt, raffinerat draperad, lacksandaler i svart och matchande tår i hattbandets och baddräktens färg. Närmare fyrtio var hon säkert, men väl bibehållen. Inga valkar, inga celluliter. Fast, platt mage.

Jack Nelson hade långa, blommiga shorts som gick över knäna. Mönstret såg ut som överblommade pioner i grälla färger. Till det hade han T-shirt med någonting som kunde ha gjorts av Picasso. Skapelsen kröntes av en vit tropikhjälm, som rosen på hans kreativa tårta.

– Vi kom just, sa Francine. Har ni badat?

– Vi är precis på väg. Ni hörde väl vad som hänt? Och nu var hennes leende borta.

– Jacques berättade det imorse. Fruktansvärt.

– Vaknade ni av det? frågade jag. Jag hörde att han hade ramlat i trappan till er våning.

Annika såg snabbt på Jack, som om hon ville hindra honom från att säga något.

– Nej, sa hon sedan. Inte som vi tänkte på i alla fall. Det var nån som pratade högt utanför vår rumsdörr, grälsjukt på nåt sätt. Vi hörde inte vad dom sa. Men det var ingenting som vi brydde oss om. Och det tystnade ganska snart. Förresten hade vi gått och lagt oss.

– Det är ju inte säkert att det var Hans, sa Jack. Vi stod ju inte direkt bakom dörren och lyssnade. Och innerdörren var stängd så det hördes inte särskilt mycket. Dom där rummen har ju dessutom en korridor ut till trapphallen och luftkonditioneringen var på.

– Polisen var här imorse, lade Annika till. Vi berättade samma sak. Men det verkade på dom som om det var ett rutinfall. En full turist som ramlar och slår ihjäl sig. Nej, nu måste vi ut i vattnet. Ska vi äta lunch tillsammans? Det är trevligt att sitta vid poolen.

– Gärna, sa Francine. Nånting lätt bara. Säg till när ni är hungriga.

– Absolut. De vinkade och gick ner mot den vita sandstranden.

– Annika verkade väldigt oberörd, sa Francine och såg fundersamt efter dem.

– Hur menar du?

–Jag såg dom igår kväll. Henne och Hans.

–Det gjorde jag också. Vi satt ju vid samma bord allihop.

–Jo, men efteråt. Vi sträckte ju på benen innan kaffet kom. Gick ner på stranden för att Anders skulle demonstrera stjärnhimlen där det var mörkare. Restaurangen hade ju inget tak, men lamporna var för starka. Och då såg jag dom.

–Och?

–Jag hade kommit litet efter för jag hade glömt min väska. Och jag ville inte lämna den med pengar och kreditkort på bordet. Bakom några höga palmer stod dom. Alla andra tittade upp mot himlen en bit bort när Anders pekade på Södra korset och andra stjärnbilder. Och dom kysste varandra.

–Hans och Annika?

–Precis.

–Hur vet du att det var dom? Det var ju mörkt på stranden, nästan i alla fall.

–Jag kände igen Annikas jacka. I vitt och svart. Stormönstrat, zebrarandigt. Det gick inte att ta fel. Så det verkar lite konstigt.

–Att hon inte var mer dämpad nu menar du?

–Just det. Om hon hade nånting på gång med Hans så borde hon ha varit ganska tagen dagen efter han dog. Det skulle jag ha varit i alla fall.

–Då var det ju tur att det inte var du som hade ihop det med Hans. Men hon hade faktiskt solglasögon och ville väl inte visa nånting inför Jack. Dessutom pratade dom med oss bara nån minut och hon verkade faktiskt ganska forcerad.

–Ja, jag vet inte. Jag såg hur dom kysstes i alla fall. Och nu är Hans död, fast Annika verkar inte bry sig.

–Det kanske bara var en liten fling. Dom sitter bredvid varandra, dricker vin. Varm natt i tropikerna, stjärnhimmel. Hela köret ur Mitt Livs Novell. Det ena ger det andra och dom rycks med av stämningen, kysser varandra. Det behöver ju inte betyda så mycket.

–Du verkar veta hur det går till. Antingen är du rutinerad eller också har du läst för många Mitt Livs Novell.

–Självklart. Det är där jag hämtar mina kunskaper om det kvinnliga psyket. Jag prenumererar och gömmer undan dom för dig. Fast det är en sak jag inte förstår.

– Bara en?

– Det här med Annika och Jack. Vad kan hon se hos honom? Jag som är karl kan naturligtvis inte bedöma hur kvinnor uppfattar män, men Annika kunde ha fått nånting mycket bättre. Hon är ju cool som tjej.

– Hurdå menar du?

– Jack är säkert snäll och hygglig och duktig och allt det där. Men en kille som drar omkring i skära kostymer, guldlänkar och ring i örat och pratar trender verkar inte riktigt seriös.

– Vilken mansgris. Francine skrattade och himlade med ögonen. Du menar att hon skulle skaffat nåt mellanting mellan Clint Eastwood och Sylvester Stallone? Helst i kritstreckigt och med attachéportfölj i handen.

– Fåna dig inte. Du vet precis vad jag menar. Men han har väl en ömsint och vacker insida och en påse Viagra i fickan.

– Det har han säkert. Han har nånting annat också.

– Vad skulle det vara?

– Pengar. Har du inte hört talas om Kakmonstret?

– Var inte det nån sorts seriefigur för länge sen? Sesame Street?

– Precis.

– Jag fattar inte kopplingen. Man kan koppla Jack till mycket, men inte direkt till ett barnprogram på TV.

– Hans mamma satt på ett kakimperium. "Kak-Emma" har du väl hört talas om? Finns överallt. I alla snabbköp och varuhuskedjor. Hon dog och koncernen såldes till nån utländsk livsmedelsjätte. Och Jack var enda barnet. I skolan kallade dom honom för Kakmonstret.

– Hur vet du allt det där?

– Jag har läst om honom hos frissan. Han finns med i alla kändisreportage från premiärer och fester. Du vet dom där sidorna med en massa hopträngda människor som stirrar dumt in i kameran med ett glas i handen. Blixtarna gör att alla ser ut som runda grisar med blanka kinder och tio år äldre.

– Hos frissan? Det måste finnas en helsickes massa frissor i Sverige om Svensk Damtidning ska ha såna upplagor. Det är väl ingenting att skämmas för att du har enkla vanor och läser tidningar på din nivå.

Francine knuffade brutalt ner mig på det hårda marmorgolvet, sprang nerför trappan mot havet och ropade: Sisten i är en fegis!

Dröjande reste jag mig och gick efter. Det där med fegis fick jag bjuda på. Det kunde inte vara nyttigt att springa. Och jag tänkte på Hans Bergsten, hur han stått framför mig i affären med sina sorgsna ögon och haft så bråttom med att sälja sin fina silverskål.

Tiotusen fick han. Var det resan till Mauritius? Kunde han inte klara tanken på hur Annika och Jack solade på vita plager långt borta under tropiska solar när han satt ensam i Stockholm? I så fall hade gamle silvermästaren Zethelius hans liv på sitt postuma samvete.

Kapitel XIV

Några timmar senare satt vi vid ett av de runda borden alldeles vid bassängkanten. Det stora, vita parasollet gav skugga, havsbrisen fläktade behagligt. Solen slog glittriga reflexer i poolens vatten som blänkte turkosfärgat av kaklets mosaik. Jag ögnade igenom dagens L'Express och på sidan fyra hittade jag vad jag sökte. En notis på tio rader. "Accident. Un tourist suèdois à succombé à ses blessures" var rubriken. Han hade ramlat i en trappa i ett icke namngivet hotell. Fanns Jacques hand bakom, eller hade Anders Högman dragit i trådarna för att tysta ner olyckan, reducerat Hans Bergstens död till en anonym episod?

Jag satt i nya shorts från Hennes och Mauritz i rött, blått och vitt, trikolorens färger. Det var vad min budget tillåtit. Expeditionen till Mauritius hade grävt ett alldeles för stort hål i min budget för att kunna tillåta utsvävningar när det gällde kläder. En vit T-shirt skyddade mot solen.

Men några ekonomiska restriktioner verkade inte besvära Annika och Jack. Den ena var mer sofistikerat elegant än den andra. Det var väl Kak-Emma som betalade, Kakmonstrets mamma, tänkte jag elakt. Fast mest avundsjukt. På en del regnade det manna från himlen, eller småkakor. Andra fick dra sig fram så gott det gick. Strömming för en del. Gravlax för andra.

Fast Francines svarta bikini var lite i minsta laget. Hon borde haft mera på sig, åtminstone då vi åt. Servitören tittade intresserat ner i den minimala urringningen varje gång han kom. Jag måste tala med henne. Nån sorts skjorta kunde hon

134

väl ändå ha på sig om inte annat så för solens skull. Jag fick väl vara glad för att hon inte solade topless.

–Jag tog med mig lite förslag från rummet, sa Annika och böjde sig ner, tog upp en stor strandväska i mörkblå bast. Som jag sa häromkvällen borde jag inte visa er, men jag tror inte Anders misstycker. Vi är ju goda vänner och kolleger och jag vill ha era synpunkter. Få fräscha ögon. Man blir lätt hemmablind när man har hållit på länge med ett projekt. Och Anders är jättekritisk.

Hon drog fram ett par plastmappar, drog ut fotografier och skisser.

Jag plockade undan kaffekoppar och tallrikar och hon lade upp materialet på bordet.

–Anders vill skapa ett hem som han säger. Hans våning är ju fantastisk, men som ni såg så är den standardmöblerad utom en del konst. Och det är i och för sig inte det sämsta i det här fallet. The President har inte sparat på nånting, men det blir naturligtvis lite könlöst och opersonligt.

–Han har ju bott här i många år, sa Francine. Då måste han väl haft möbler tidigare?

–Jo, men han hyrde en hel villa av nån engelsman. Den var möblerad så nu får han starta från scratch. Och han tänker möblera dom tre sällskapsrummen konsekvent genomförda i rokoko, gustavianskt och modernt. En stil i varje rum. Tänk dig en minimalistisk salong med en stor, geometrisk Baertling på väggen, betongstolar av Jonas Bohlin och hans skåp Slottsbacken. Eller ett par karmstolar av Mies van der Rohe. Glasbord på stålben med vävda mattor i svart och vitt. Och sen Haupt i den ena salongen och Lundbergs rokokopasteller i den andra.

–Det vore inga dåliga grejer i så fall, konstaterade jag. Jag var med på den där auktionen på Bukowskis när van der Rohe-stolarna gick för 340 000 mot ett utrop på 60 000. Och Bohlin får också betalt. Skåpet gick på 125 000. Sen ska vi inte tala om Haupt eller Lundberg. Ett porträtt av Gustav III som barn bjöd jag på åt en klient i Bern. Men vi hoppade av på 270 000.

–Du behöver inte vara orolig. Annika log. Anders är en

135

dröm för en inredare. Det är inte priset som är problemet, det är att få tag på rätt prylar. Och det är ju ett kärt besvär.

– Och ett dyrbart nöje, sa jag. Åtminstone för din klient. Men han verkar ha råd.

– Hur många rum har han? undrade Jack där han satt i sin mörkblå skjorta med röda och gula papegojor. Och Rolex-klockan var inte den vanliga utan hade mera shejkstuk. Urtavlans glas var omgiven av tättsittande små diamanter som glittrade i en krans runt. Jag associerade till vetekransar med pärlsocker på. Hade de ingått i Kak-Emmas sortiment?

– Sex, sa Annika. Han har lagt till ett nu. Tre salonger. Ett stort sovrum, ett gästrum och ett hypermodernt arbetsrum med alla tekniska prylar du kan tänka dig. Och där är ju inte så mycket att göra för mig. Det finns inte plats för några utsvävningar.

– Berätta mera. Jack lät sarkastisk. Hur ser det ut i hans sovrum? Du som är expert.

Annika gav honom en blick, han tystnade.

– Som jag sa finns det sex rum, och kylan i hennes röst var klart märkbar. Nu har Anders bett mig att ta fram ett förslag som är en blandning av gammalt och nytt. Både Jonas Bohlin och Georg Haupt alltså. Det ska ge honom hemkänsla och samtidigt vara representativt. Och på ett sätt som tilltalar utlänningar. Inte så mycket Jenny Nyström och allmoge om ni förstår vad jag menar. Han har ju stor representation och rör sig på högsta nivå i dom där affärskretsarna.

– "Tilltalar utlänningar", härmade Jack. Imponerar, menar du. Det är väl det den där finanshajen vill. Visa upp sina rikedomar. Han kan ju inte gå omkring och be folk titta i hans bankbok.

– Tyst nu, sa Francine. Jag är intresserad av att höra hur Annika tänker lägga upp det.

– Om jag får fortsätta utan att bli avbruten, sa Annika med en ny blick mot Jack, så säger Anders alltid att han inte vill bo i nån sorts kulturhistorisk och konstnärlig installation. Det ska vara sofistikerat och elegant, men också ett hem där han kan lägga sig i soffan, ha fötterna på bordet, gå omkring barfota och slänga tidningar på golvet. Inte nån sorts Brasilia, som han brukar säga.

– Brasilia? sa jag. Vad menar han med det?

Annika log.

– Det vet du väl? Huvudstaden i Brasilien. Den som Niemayer byggde och är fantastisk att se på avstånd. Byggd som en stor fjäril som har landat i bushen och med monumentala byggnader. Men går man nära så upptäcker man att det är svårt att bo där. Mera till estetisk lyst än praktiskt bruk. En fest för ögat mera än till vardags.

– Jag förstår. Han vill hellre ha Rio de Janeiro för att fortsätta med det geografiska. Vackert, sensuellt och samtidigt personligt.

– Det måste jag tala om för honom. Hon skrattade. Rio de Janeiro med Haupt, Baertling och här och där en Picasso plus en Ikea-soffa att ligga i när du ser på TV. Men här ska ni få se.

Och hon öppnade stora kuvert, fyllda med fotografier. Det var en salig blandning som fick det att vattnas i min antikhandlarmun. En hög, gustaviansk spegel av Åkerblad med ett bord med marmorskiva framför. Pärlstavar runt och krönt av ett mytologiskt motiv i vitt under en bladrosett. Ovala lampetter av samma mästare, en byrå av Linning, ett spelbord av Sjölin. Mattor som jag inte kunde bedöma, ett Roslinporträtt av en rysk furstinna, några Malmstensfåtöljer, ett skåp av Josef Frank. Ett magnifikt golvur i rokoko av Petter Ernst, sin tids ledande urmakare i Sverige. Några dukar av Halmstadgruppen. Gammalt silver och nytt av Georg Jensen och Wiwen-Nilsson. Och så Bohlins stolar och skåp. Annan modern design av toppklass fanns också. Kronan på verket var ett magnifikt skrivbord av Haupt. Dessutom fanns några sidor ur engelska auktionskataloger med en stor van Gogh och en Picasso från den blå perioden. Värden för många hundra miljoner låg framför oss på bordet.

– Här har vi en godbit. Annika höll upp ett foto av ett högt golvur. Engelskt 1700-tal med dödsängeln överst med lie och timglas. Sanden rinner och vi vet aldrig när den rinner ut. Bara att den gör det. Förr eller senare.

Jag tänkte på Hans Bergsten. Pianomusiken i det tysta huset. Vems timglas stod nu på tur?

– Och allt det där ska du smälla upp i hans svit? Francine såg på henne. Hur i all världen ska det få plats?

Annika skrattade.

– Naturligtvis inte. Det här är bara smakprov, förslag. Jag har gjort skisser på hur det skulle kunna se ut i de olika rummen. Sen bestämmer naturligtvis Anders själv vad han vill ha. Han följer den internationella konstmarknaden mycket noga. Alla auktionshusen i Stockholm också, så han vet vad som finns och ungefärliga prislägen. Det är alltid roligt att jobba med proffs, men krävande.

– Det här måste kosta skjortan, sa Jack. Har han råd med det?

– Du får väl fråga honom, sa Annika kort. Men pengar lär inte vara hans största problem.

Jag har förstått det, tänkte jag och såg på henne. Det blonda håret som föll över de nakna skuldrorna. Den stora, lystna munnen och de intensiva ögonen. Föll Annika inom Anders Högmans intressesfär? Varför inte? Hon var vacker, sensuell och attraktiv. Men då hade hon väl inte kysst stackars Hans bakom palmerna kvällen innan?

Fast aptit på erövringar var väl inte begränsad till män. Och igen förvånades jag över Annikas brist på, om inte sorg, så ändå nedstämdhet. Om den man hon varit attraherad av hade dött plötsligt och för bara några timmar sedan så borde hon väl ha varit mera dämpad? Men det syntes inte några spår av sådana känslor. Hade hon förträngt Hans Bergstens död, inte riktigt fattat vad som hänt? Skulle reaktionen komma senare?

Kanske hade det att göra med hennes relation till Jack Nelson. Om han nu var så förmögen som Francine inhämtat i sina damtidningar så fick hon väl se om sitt hus. Inte göra någonting förhastat så att hon i slutänden hamnade mellan två stolar. Hon ville kanske inte hamna mellan en död Hans och en levande Jack, på väg ut.

Då kom Erik Fridlund förbi i mörk kostym, vit skjorta, slips och med en portfölj i handen. Herr Skalman på väg till kontoret. Men skenet bedrog. Jag hade själv sett när han drog upp en stor haj. Jag vinkade till honom.

– Kom och ta ett glas. Var har du badbyxorna?

Han stannade upp, log mot oss.

– Tyvärr. Jag jobbar. Anders har några viktiga gubbar här om en stund. Japaner. Vi ska diskutera ett stort hotellprojekt. Men sen kanske.

– Har du aldrig semester? sa Annika.

– Semester? Hur stavar du till det? Tragiskt det här med Hans Bergsten förresten. Anders ringde i morse. Det är inte bra för hotellet heller. Visserligen var det en olyckshändelse men ändå. Folk kan få för sig att säkerheten inte är tillräcklig. Man ska helst inte bryta nacken av sig när man bor på hotell. Inte på President åtminstone. Hej så länge.

Och han gick med bestämda steg bort mot restaurangen och Anders svit.

De andra satt tysta, påminda om vad som hänt. Och igen slogs jag av Annikas likgiltighet. Spelad eller äkta? Erik hade heller inte verkat särskilt tagen. Nu diskuterade han väl med Anders hur man effektivast skulle sopa dödsfallet under mattan. Och Anders hade redan varit aktiv, försökt få Jacques att använda sitt inflytande över pressen och polisen. Och han hade ju lyckats. Åtminstone i L'Express. Stora rubriker skulle inte underlätta kontakten med japanerna. Men det var ju inte min sak. Business var business och där fick personliga hänsyn vika. Fast i rättvisans namn fick jag erkänna att ingen hade väl känt Hans Bergsten närmare, med undantag för Annika kanske. Inte jag heller.

Så vi var ju inte personligt berörda mer än som en obehaglig påminnelse om att döden fanns, existerade i all sin obeveklighet också i ett semesterparadis som Mauritius. Ormen i paradiset. Vår lika eviga som ovälkomna följeslagare och skugga där det enda vissa är att han slutligen skulle hinna upp oss. Och vi ville inte bli påminda om att världen skulle fortsätta som om ingenting hänt när vi var borta.

Så tog Annika fram en stor mapp ur sin bag, öppnade den och lade upp stora blad med rutmönster på bordet. Det var detaljerade teckningar där hon hade lagt in möbleringsförslag i Anders Högmans svit med alla dörrar och fönster skalenligt på plats. Och jag måste medge att det var snyggt. Snyggt och proffsigt. Teckningarna var färglagda med vattenfärger för att antyda kombinationerna och mot de Högmanska vita väggarna hade hon satt ihop djärva färgkombinationer och skapat en raffinerad blandning av gammalt och nytt.

– Det här är bara ett alternativ, förklarade Annika. Sen har jag lösa bilder på möbler och tavlor. Tagit fotografier som jag har klippt ur så att vi kan flytta runt sakerna. Anders kommer säkert att ha en massa andra idéer och det är ju bara bra. Han köper alltid intressanta föremål på sina resor som han vill ställa fram. Precolombianska skulpturer, helgonbilder från Filippinerna och buddor från Burma. Myanmar heter det visst nu. Efter några omgångar kommer vi förhoppningsvis fram till en kompromiss.

– Vad händer sen? undrade jag.

– Då reser jag tillbaka till Stockholm. Köper in vad jag föreslagit eller någonting i samma klass. En del har jag ju redan på hand. Annat finns exempelvis i Sotheby's och Christie's kataloger. Anders prenumererar. Han läser dom som du läser kändisreportagen i Se och Hör. Hon såg på Jack.

– Precis. Man måste följa med och se om man existerar. Syns man inte så finns man inte. Och det måste man i min bransch. Finnas alltså. Han log belåtet. Tydligen fanns han i slaskspalterna.

– Är du inte inkopplad på det här projektet? frågade jag. Du är ju också inredare.

– Ja, men i större skala. Hotell, båtar, stora kontor och banker. Jag arbetar med stora ytor och genomgående teman. Fångar upp framtiden, läser av trenderna och översätter dom till verklighet. Det här plottrandet med små byråer och 1700-talstavlor är lite pluttenuttigt för mig.

– Då passar det väl bra i så fall. Annika log elakt mot honom. Förresten är du inte tillfrågad. Nej, som sagt så är det mycket stimulerande att jobba med Anders. Jag har hjälpt honom både i London och New York. Han är så kunnig och så intresserad.

140

– Inte bara av antikviteter, sköt Jack in som ett tack för senast. Yngre saker också har jag förstått. Ja, halvgamla får man väl säga i det här fallet.

– Lägg av, sa Annika kort. Så vände hon sig mot Francine och mig.

– Vad tycker ni? Har ni några förslag?

– Jag tycker det är jättesnyggt, sa Francine. Du borde komma hem till mig på Lützengatan nån gång och sätta lite studs på mina saker. Dom behöver plockas runt för att få fart på våningen. När jag ser den här blandningen av gammalt och nytt märker jag vad som kan göras. Det blir en mycket mera levande miljö på det här sättet.

– Gärna.

– Hon är dyr, sa Jacques.

– Inte för mina vänner. Bara för dom som kan betala.

– Som Anders Högman menar du?

– Som till exempel. Hon log. Nej, nu måste jag gå tillbaka till rummet. Jag ska presentera det här förslaget om några timmar så jag måste gå igenom det i lugn och ro. Vi ses.

Annika Claesson reste sig och gick. Jack följde efter.

– Lycka till, sa jag efter dem. Men jag vet inte om Annika hörde vad jag sa. Hon verkade inte vara beroende av lyckönskningar. Verkade veta precis vad hon ville. Och hur hon skulle bära sig åt för att få det.

Då hördes ett våldsamt plaskande i poolen bakom mig och vatten skvätte och stänkte över bordet. Jag vände mig om. Och där fanns Lasse Berg. Han hade armbågarna på poolkanten och log glatt. Håret hängde vått och stripigt och på ena överarmen fanns en svensk flagga tatuerad. Igen frågade jag mig hur Francine kunnat falla för en sån typ. Men det var väl ungdomligt oförstånd och jag förstod att hon skilt sig från honom.

– Hur är läget?

– Tack, vi klagar inte, sa Francine kallt.

– Nej, hur fan skulle man kunna det. Underbart väder, sol och drinkar. Synd bara på den där killen igår. Bergsten. Jag snackade en hel del med honom på Högmans mottagning. Och sen på middan igår. Men när olyckan är framme så är den.

141

– Han hade visst fått lite hjälp, sa jag.

– Hurdå menar du?

– Att han var rund under fötterna.

– Du menar att han var på dojan?

– Det kan man säga. Det var väl därför han snubblade och ramlade.

– Konstigt. Lasse såg fundersam ut. Jag satt med honom som sagt och han var jätteförsiktig. Drack bara litet vin. Han skulle träffa nån, sa han. Och det var viktigt. Den viktigaste kvällen i hans liv. Vad han nu kunde mena med det. Så det var ju tragiskt att det skulle sluta så illa.

Kapitel XV

– Nå, vad tycker du?

Jacques öppnade locket på det avlånga schatullet av mahogny. Mot mörkröd sammetsinfodring blänkte två långa slaglåspistoler med kannelerade valnötskolvar och blanka stålpipor. Bredvid fanns olika attiraljer för kulstöpning och laddning.

– Det var inte dåligt, sa jag imponerad. Och i perfekt skick.

– Som nya. Han log. Dom är signerade av Lepage-Moutier som var hovleverantör till "le Roi & des Princes à Paris". Kaliber 12 och piplängden är 25 centimeter. Det är alltså duellpistoler.

Vi satt i stora salongen i det vita huset. Klockan var elva. Veda och Francine hade gått och lagt sig och George var någonstans med sina kompisar. När han gått från middagsbordet upprepades den globala dialogen: Vart ska du gå? Ut. Vad ska du göra? Ingenting. När kommer du hem? Jag kanske sover över. Hej.

Men Veda hade inte verkat orolig, inte Jacques heller. Och Mauritius var väl en lugnare miljö för uppväxande barn och unga än Paris och New York. Efter några minuter hördes det vassa smattret från en moped.

– Han har en god vän som bor bara nån kilometer bort, sa Veda. Dom laddar upp med videofilmer, chips och Coca-Cola och sover sen till långt fram på dan. Men eftersom han har skollov så får han hållas.

Efter middagen och kaffet i salongen gick Francine upp på vårt rum. Var trött efter en soldag vid havet. Veda drog sig

143

också tillbaka och Jacques serverade mig mer konjak i de kupiga glasen. Sedan hade han tagit fram sitt schatull, satt det på bordet framför oss.

– Det här tillhörde min farfars fars farbror, sa han. Och det är en del av vår familjehemlighet. Men eftersom jag räknar dig dit, ja till familjen alltså, inte till hemligheterna, så ska jag berätta nånting som kan intressera dig. Jag har ju förstått att du är road av historia.

Jag nickade. Det här verkade bli intressant.

– Som jag sa så är det hans duellpistoler och var beställda i Frankrike. Han köpte dom i Paris. Revolutionsyran var ju över och Napoleon störtad så det var inte några problem för fransmännen här att resa tillbaka även om deras familjer hade flytt 1789.

– Vad skulle han ha dom till? Dueller var väl inte så vanliga?

– Det är riktigt, men såna här schatull och pistoler var statussymboler för gentlemän på den där tiden. Och dueller var inte ovanliga faktiskt. Heder var nånting viktigt då. En förolämpning måste bemötas. Inte minst gällde det familjens heder. Om din syster blivit förförd exempelvis av nån som inte gifte sig med henne. Och den sortens konflikter finns ju fortfarande i vissa länder. Vanheder måste utplånas. I Tyskland var det mer eller mindre tillåtet ända fram till andra världskrigets slut. Då gällde inte pistol, men fäktning. Du har hört talas om mensurärren? Manlighetstecknen, dom där ärren i ansiktet från en värjspets efter en duell.

– Jag har läst om det. När Erich von Stroheim spelade tysk officer med stenansikte och monokel i Hollywood sminkade dom på honom nånting sånt.

– Exakt. Och i England förekom det långt in på 1800-talet liksom på kontinenten, fast i dom flesta länder var dom formellt förbjudna. Till och med hertigen av Wellington, han som slog Napoleon vid Waterloo, blev utmanad när han var över sextio av en politisk motståndare. Det slutade väl, utmanaren sköt sitt skott rakt upp i luften och bad om ursäkt. Men många gånger blev döden en konsekvens. Och man kunde absolut inte avböja en utmaning.

–Jag vet att feghet var något av en dödssynd på den tiden.

–Just det. En viktig del av hedersbegreppet, och den som avböjt en duellutmaning blev utfrusen ur samhället. Fast det var inte vem som helst som duellerade. Det nöjet tillhörde överklassen. Burr och Hamilton är ett intressant exempel från början av 1800-talet.

–Vilka var dom?

–Burr var USA:s vicepresident och Hamilton George Washingtons finansminister. Han dog.

Ungefär som om Lena Hjelm-Wallén hade skjutit Bosse Ringholm, tänkte jag. Man kanske skulle införa dueller igen. Då blev det mer fart på det politiska livet.

–Fanns det inte särskilda regler?

–Det är riktigt. I princip gick det till så att den som kände sig förolämpad utmanade för att få upprättelse. Och utmaningen förmedlades av utmanarens sekundant. Var och en av parterna fick ha två sekundanter som skulle bistå dom. När utmaningen var antagen så träffades sekundanterna först för att försöka få till en förlikning. Gick inte det så bestämde dom tid, plats och vapen för duellen. I början var värja vanligt, men eftersom det mest bara var officerare som kunde fäkta gick man mer och mer över till pistol. Innan duellen började så visiterade sekundanterna parterna och såg till att dom till exempel inte hade några skyddsvästar eller liknande. Sen övervakade dom att allt gick rätt till.

–Sköt man på varandra rakt upp och ner?

–Det var lite mer invecklat än så. Man skulle exempelvis bestämma avståndet mellan skyttarna. Normalt var det omkring tio meter. Och pistolerna valdes ur endera partens schatull eller nån god väns och laddades sen i närvaro av sekundanterna för att garantera att laddningen var den normala. Sen räcktes dom till duellanterna som tog emot pistolerna med spända hanar och vänster hand, med mynningen pekande från motståndaren och flyttades sen över till pistolhanden utmed låret med mynningen mot marken. Det står i den engelska duellkoden från 1824.

–Var den så detaljerad?

–Det var den. Och det fanns intressanta avsnitt som att

om stater kunde förklara krig borde det vara möjligt för hederliga män att utmana varandra på duell. Och om duellerna skedde efter reglerna så fanns det ingen anledning för staten att lägga sig i. Sekundanten hade det mest ansvarsfulla värv som kunde läggas på en gentleman.

– När fick man börja skjuta på varandra?

– Det fanns olika åsikter. Den som utmanats fick skjuta först eller också tvärtom. Man kunde dra lott eller kasta krona och klave. Men normalt stod man rygg mot rygg och gick fram till i förväg markerade ställen. När en sekundant ropade "eld" vände man sig om och sköt. Sen berodde det på villkoren i varje särskilt fall när det skulle sluta. Ofta gällde att duellen avblåstes vid första sår eller när ena parten dödats.

– När började man duellera?

– Det var långt tillbaka. Det finns uppgifter att redan germanerna på fyrahundratalet använde en duellform som någon slags gudsdom för att se vem som var skyldig. På tiohundratalet blev det till och med lagligt bevismedel i Tyskland och Frankrike. Den som förlorade var skyldig.

– Envig tror jag det hette på svenska. Men det innebar samma sak. Att två kämpar slogs tills den ene stupade.

– Det är själva idén.

Intressant, tänkte jag och såg på de vackra vapnen, tog upp en av pistolerna och vägde den i handen. Hade den någonsin använts för sitt syfte? Hade någon dött för ett skott ur den långa pipan?

– Du kanske undrar varför jag visade dom här, sa Jacques. Som jag sa så tillhör du ju familjen och jag trodde att de kunde intressera dig. Alla har vi ju familjeskelett i olika skåp, skandaler och annat som sopats under mattan sen många generationer tillbaka. Och det här är vårt skelett. Han log. Det kanske finns flera men inte lika vackert förpackade som i det här schatullet.

Denise, den unga flickan som hjälpte till i köket, kom in och frågade om vi ville ha någonting innan hon gick.

– En flaska Perrier tack, sa Jacques, annars är vi nöjda. Eller hur? Frågande såg han på mig. Jag nickade instämmande.

– Veda berättade häromkvällen om den där unga flickan

som bodde här när hon fick veta att hennes fästman dött. Dom skulle ju gifta sig bara några dagar senare.

– Men han blev vådaskjuten.

– Just det. Det kan man säga. Men han sköts faktiskt i duell med en av dom här pistolerna.

Jag såg på de glänsande vapnen mot den mörkröda sammetsbakgrunden. Ett av dem var alltså en dödsbringare i ett förflutet 1800-tal.

– Vad hände?

– Det var min farfarsfars farbror Etienne de Selon de Sancerre som utmanade honom. Etienne var löjtnant i garnisonen i Port Louis och Bastien, fästmannen, hade en spelskuld till Etienne som han vägrade att betala. Påstod att Etienne spelat falskt. Nånting värre än det kunde man knappt beskyllas för på den tiden. Så affären måste regleras och Etienne utmanade honom för att rentvå sig. Men dom inblandade hade en överenskommelse som sekundanterna förhandlat fram eftersom de visste att Bastien just skulle gifta sig. Man skulle inte skjuta för att döda, utan helt enkelt bomma. Men det bar sig så olyckligt att Etienne snubblade till när han skulle vända sig om i skottögonblicket och kulan tog i hjärtat istället för att missa som det var tänkt.

– Det är därför hon spelar?

– Spelar? Förvånat såg Jacques på mig.

– Veda berättade ju det. Att den där stackars flickan spelar en nocturne av Chopin på flygeln här ibland. När nån ska dö.

– Det är vad som sägs. Han log överseende. Du vet hur det är. Det finns gott om spökhistorier. Men ingen har nånsin sett ett spöke. Bara gamla döda släktingar eller vänners vänner. Aldrig den som själv berättar. Och den sortens historier var väl naturliga på den där tiden. Radio, film och TV existerade inte. Man behövde underhållning och då fantiserade man ihop sagor och spökhistorier och andra skrönor. Elektriskt ljus fanns inte heller, det var gott om mörka hörn och prång i stora gamla hus. Man drack mycket vin och konjak. Vinden ven, råttor sprang på vinden.

– Fast råttor och blåst spelar ju inte direkt Chopin.

Jacques skrattade.

– Det har du rätt i. Men historierna bättrades väl på efter
hand. Och särskilt gällde det dramatiska händelser, som med
den här stackars flickan som väntade på sin fästman som ald-
rig kom.

Jag satt tyst, såg på Jacques. Varför berättade han allt det
här? Var det bara för att han visste att jag var intresserad av
historia? Att jag kunde uppskatta hans redovisning av duel-
lering och kunna beundra hans pistolschatull? Eller hade han
förstått att jag hört pianomusik om natten och ville mota
Olle i grind och sticka hål på min inbillade ballong med logi-
kens synålsvassa udd? Rationalisera bort min upplevelse
som vindens gång i träden och för mycket vin?

– Fast jag hörde det, sa jag sedan. Jag hörde henne spela.

Jacques stelnade till, skrattade sen lite besvärat.

– Du drömde säkert. Och så hade du just hört den där
gamla spökhistorien.

– Kanske. Men jag tänkte på vad George hade berättat.
Om den spröda pianomusiken natten innan hans farfar dog.
Fast jag ville inte säga någonting om det. Då kanske George
skulle få obehag eftersom Jacques tydligen var så angelägen
om att tona ner.

– Vet du om att det finns en mördare i släkten, sa jag till
Francine som låg i den breda sängen och läste när jag kom
upp.

– Det finns säkert fler. Hon gäspade och lade ner boken
mot täcket. Vi var ju på plats redan i Jerusalem.

– Hurdå menar du?

– När du talar om mördare. Min anfader var med och in-
tog Jerusalem 1099. Och det var ingen söndagsskola. Rena
slakten. Hurså?

– Den där damen som spelade Chopin häromnatten, hen-
nes fästman dödades i en duell. Och den som sköt var din
mammas, få se nu, farfarsfars farbror var det väl. Jacques be-
rättade det och visade pistolerna.

– Så med din ska vi säga konstruktiva fantasi så kopplar du
ihop det med Hans Bergstens olycksfall? Den gamla döda
tanten spelar Chopin för antikhandlare Homan för att herr
Bergsten från Sverige ska dö i en hotelltrappa några mil här-

ifrån? Ett lysande exempel på kreativ slutledningskonst. Hon skrattade.

– "Mer finns mellan himmel och jord, Horatius", citerade jag Hamlet. Jag har inte gjort nån som helst koppling mellan Chopin och Bergsten. Jag har bara sagt att jag hörde pianot häromnatten. Och att det inte var nån dröm.

– Inte? Hur vet du det?

Jag svarade inte för jag visste naturligtvis inte säkert. Men jag ville gärna tro att jag hört vad jag hört. Att det inte varit en dröm.

Det var väl mitt lättrörliga och romantiska sinne som var framme igen. För jag fängslades av idén. Den unga kvinnan i lång, vit empireklänning med förgråtna drag som sitter ensam i den mörka salongen, bara upplyst av en månstrimma genom de höga fönstren, och spelar ut sin längtan, sin sorg. Och på en bår långt borta vilar en blek och skön ung löjtnant med en kula i sitt hjärta.

Hon skulle aldrig få frid i sin grav. Varje gång någon oskyldig dog för en mördares hand delade hon sin smärta med de efterlevande. Fast det fanns en hake förstås. Hans Bergsten hade inte fallit offer för en mördare. Han hade snubblat och ramlat. En lika tragisk som banal olycka.

Jag slog bort mina tankar. Trots allt var jag inte en liten engelsk miss som tårades när hon läste systrarna Brontës sentimentala romaner. Alltihop var inbillning. Jag hade drömt om Chopin. Punkt och slut. Döda 1800-talsdamer låg i tryggt förvar under sina stenhällar. Jag levde mitt i livet, älskade Francine, drog upp stora svärdfiskar och drack nästan lika stora Dry Martini. Köpmangatans svar på Ernest Hemingway. Papa Ernest Homan. Egentligen borde jag lägga mig till med skepparkrans också. Gråsprängd. Katt hade jag redan.

– Har du hört det senaste, älskling? sa jag när jag gick ut i badrummet. Vet du vad dom kallar hemkörd vodka?

– Nej, kom det borta från sängen, men Francine verkade inte intresserad, hade tagit upp boken igen.

– Pitbull Perrier.

Kapitel XVI

Nästa morgon följde jag med Jacques in till Port Louis. Det var mulet och grått, molnen gick låga, men bad och frisk luft hade jag nästan fått för mycket av dagen innan. Det sved fortfarande på ryggen som stötte lätt i rosa trots T-shirt och Francines sololjor. Och ögonen var lätt grusiga när jag vaknade. Då hade jag ändå haft solglasögon, men de hade tydligen inte räckt mot det skarpa ljuset över havet. Och det första besöket i öns huvudstad hade varit en snabbvisit.

Men det som drog mest var Jacques löfte att visa mig frimärksmuseet. En av öns ledande banker hade byggt upp ett litet museum där de berömda frimärkena satt i högsätet. Och genom sina kontakter i bankledningen hade han ordnat en specialvisning med chefen för museet.

– Hur gick det i natt? hade Jacques frågat när vi rullade ut från gårdsplanen i hans stora Range Rover. Hörde du nån pianomusik? Han skrattade.

– Nej, och jag duellerade inte heller. Jag kunde ha drömt om det annars. Om dina duellpistoler. Stått med ryggen mot min utmanare och sen blixtsnabbt snott runt och skjutit honom. Det är nästan som i Vilda Västern, fast inte riktigt.

– Hurdå?

– Jo, där duellerade dom ju rakt framifrån. Stod öga mot öga för att vänta på vem som först skulle dra. Då fick den andra reagera. "The fastest gun in the West." Där var snabbheten viktigast.

– Det där är nog en kliché som bara fanns på film. Ungefär som att skurken alltid hade svart hatt och hjälten vit. Jag tror

150

nog att dom flesta dödades med ett skott i ryggen, bakifrån och inte i regelrätta dueller. Eller i krogslagsmål. Du sitter runt ett pokerbord på nån saloon. Alla fyllnar till och plötsligt kommer en revolver fram och så pang.

– Avromantisera inte Vilda Västern.

– Vaddå avromantisera. Det var säkert inte särskilt romantiskt i verkligheten. Laglöst, fattigt, tuffa levnadsförhållanden.

– Men John Wayne var bra, håll med om det.

– Verkligen. Prototypen för en västernhjälte. Stor, stark och trygg. Lika rättrådig som en pastorsadjunkt. Men han sköt bättre och drack mera whisky. Jacques skrattade igen.

– Exakt. Och där fanns igenkännandet. Han var John Wayne i alla väder. Gick ut och in i filmerna utan att egentligen byta kläder emellan. Hade han börjat köra med rolltolkningar och inlevelse hade han fått lägga av. Lawrence Olivier eller Alec Guinness skulle aldrig klarat såna roller.

Så rullade vi in i utkanten av Port Louis och hamnade i samma bilköer som i alla städer jorden över. Tack och lov fanns det luftkonditionering i den stora bilen. Iskall luft spolade över våra ansikten.

– Den vite mannens börda för att parafrasera Kipling, sa Jacques och nickade mot ventilationsmunstyckena.

– Börda? Det är väl tvärtom. Utan det skulle du inte överleva.

– Min familj har funnits här i över tvåhundra år och det gick bra förr med, men det är växlingarna som är problemet. Du går på gatan och blir genomblöt. Och sen kommer du in på kontoret och blir avkyld. Sitter du där hela dan går det väl an, men om du har ärenden på stan och växlar mellan varm fukt och torr svalka, våtvarma omslag och ishavsvindar så blir du förkyld innan du vant dig.

– Värre problem kan man ha. Och förkylningar går över.

Jacques kontor låg högst upp i ett modernt femvåningshus. Genom stora fönster kunde man se ut över hamnen och den nya gallerian i skinande futuristisk kontrast mot de låga husen runt om. Framför låg också marknaden som vi hade tittat på några dagar innan. Luftkonditioneringen hummade i bakgrunden och det var svalt och skönt i de luftiga rummen.

– Jag har bokat dig till klockan elva, sa Jacques och hängde av sig kavajen på stolsryggen vid det stora skrivbordet. Banken ligger precis mitt emot ingången här så det är inte svårt att hitta. Fråga efter monsieur Lefabre. Det är han som ska ta med dig runt. Sen föreslår jag att vi äter lunch på restaurangen därnere. Fast en annan än häromdan. Han pekade ner mot Gallerian.

– Den ligger alldeles vid vattnet med utsikt mot hamnen och alla båtarna och jag har beställt. Om jag inte är där när du kommer så säg bara att du har ett bord. Att det är jag som har bokat.

– Okej. Då ses vi klockan tolv.

Jacques vinkade från skrivbordet, satte sig i den svarta stolen. Jag tog hissen ner till bottenplanet. På andra sidan blänkte en stor skylt med Mauritius Commercial Bank och jag gick in genom den stora svängdörren i glas och blank mässing.

Framme vid informationsdisken frågade jag efter monsieur Lefabre som kom bara några minuter efter det att den vänliga damen ringt upp honom.

Det var en lång, smal och trevlig person. Trots sitt franska ursprung verkade han mera som en lågmäld och tillbakadragen engelsk akademiker. Jag fick väl börja rensa ut bland mina klichéer, tänkte jag där jag gick bredvid honom mot hissen en bit bort. Alla fransmän såg inte likadana ut, inte alla tyskar heller. Det var bara John Waynes västernhjältar som var stöpta i samma form.

Det blev en intressant rundvandring bland montrar, skåp och väggar fyllda med fotografier och föremål. Mycket kretsade kring banken och hur den kom till och utvecklades. På köpet fick man också en stor portion om Mauritius historia. Och i särskilda montrar under tjockt glas fanns museets rariteter, de världsberömda frimärkena, världens dyraste dessutom.

Frimärkena var i olika valörer och olika färger fanns. Men gemensamt var bilden av drottning Victoria som förhållan-

152

devis ung med ett vackert diadem till det uppsatta håret i empirefrisyr. One Penny-märkena hade en gul nyans medan Two Pence var mörkt blå. Det fanns både ostämplade och stämplade varianter. Helsaker också. Kuvert med stämplade frimärken.

– Våra finaste märken är dom här båda, sa monsiuer Lefabre och visade på två små, ganska oansenliga märken. Båda ostämplade. Det ena orangegult, det andra blått. One Penny och Two Pence. Det trycktes femhundra av varje.

– Det var några finansiärer från Mauritius som köpte dom på auktion i Schweiz för ett tag sen. Hos David Feldman. Two Pencen gick för en komma två miljoner dollar och One Pennyn för hundratusen dollar mindre. Märkena donerades till Mauritius och deponeras här. Vi ser dom som en del av vårt kulturella arv.

– Intressant.

– Och det lustiga är att det egentligen är feltryck.

– Hurdå?

– Som ni ser så står det "Post Office" istället för det korrekta "Post Paid" som på dom andra. Det gör dom ännu mer unika. Guvernörens fru skulle ha en stor bal i Port Louis för societeten i kolonin 1847 när frimärkena kom ut. Tanken var att festen skulle bidra till att brygga över motsättningarna mellan dom franska och brittiska invånarna. England hade ju ganska nyligen erövrat ön från Frankrike och en finess i sammanhanget var också att frimärkena hade drottning Victorias bild. Då upptäckte man att texten var felaktig. Ett misstag alltså och man skulle förstöra dom exemplar där det stod "Post Office" och göra en ny edition som var korrekt.

– Men det gjordes inte?

– Nej. För tanten ville introducera den här nymodigheten med frimärken och satte dom på inbjudningarna till sin fina fest. Hon hann inte vänta på dom nya. Nästan alla inbjudningsbrev är naturligtvis borta nu, vem sparade ett kuvert, men för några år sen såldes ett för över en miljon dollar. Ett annat brev som skickats till Bordeaux med ett Two Pence och ett One Penny gick för omkring fyra miljoner dollar. Det är världens dyraste filatelistiska objekt hittills.

Tio i tolv tackade jag min kunnige ciceron och gick ner till hamnen och den stora gallerian för lunchen med Jacques. Glas, betong, tegel i osymmetriska former. Den var byggd i någon slags internationell köpcenterarkitektur och kunde lika gärna ha legat i Täby eller Partille som här, söder om ekvatorn. Fanns det mallar för arkitekter eller fick de samma utbildning?

Fast formen kunde kanske förklaras med funktion och rationalitet. Det var inte det estetiska utan det praktiska som fått avgöra. Stora ytor för affärer och boutiquer. Breda passager under glasade tak. Restauranger och barer blandades med bokhandel och mattaffärer. Sidentyger glänste i fönstren bredvid modeboutiquer med de "stora" namnen.

När jag kom till restaurangen var Jacques redan där. Han satt framme vid den stora glasväggen ut mot havet, vinkade och log mot mig där jag stod i dörren. En välskräddad hovmästare brådskade fram och förde mig i nästan artigaste laget till Jacques bord. Det märktes på honom att Jacques var en VIP, en Very Important Person. Och det var han naturligtvis i stadens ekonomiska och sociala liv. Familjen hade varit framgångsrik ända sedan revolutionen och anpassat sig väl till de nya förhållandena långt borta från Paris boulevarder och vinodlingarna i Loiredalen.

– Hade du trevligt?

– Mycket, sa jag och satte mig mitt emot honom. Det var väldigt intressant. Nästan så att jag fick lust att börja samla frimärken igen.

– Igen? Är du samlare?

– Som alla pojkar hade jag en period. Och jag hade en ganska fin samling faktiskt. Jag hade inte råd att köpa särskilt mycket, men på vinden hemma fanns en massa gamla brev med alla dom svenska frimärkena från 1850-talet och framåt. Skilling Banco och allt vad dom hette. Fast dom ligger i bankfack nu. Jag har inte haft råd att komplettera.

– Då måste du be att Erik Fridlund visar sina.

– Samlar han?

– Ja och nej. Han samlar, men jag tror inte att det beror så mycket på intresse. Han ser det nog mera som en kapitalplacering. Så han har kanske fler och bättre exemplar än dom du såg nu. Mauritiusmärken alltså. Han visade mig för ett tag sen ett par som han köpt på auktion i Zürich. Och han sa att det var säkrare och bättre än diamanter.

– Verkligen?

– Om man bara satsade på toppkvalitet av dom exklusivare märkena så fanns det alltid en marknad. Och på den sortens objekt steg bara priset. Han berättade förresten om ett märke som kom från Sverige. När det såldes första gången fick säljaren en dollar kanske. Och senast låg det på närmare två miljoner dollar. Kung Carol av Rumänien hade ägt det.

– Jag vet. Tre Skilling Banco gul. Ett feltryck som skulle varit grönt. Det finns bara ett enda i världen.

Jacques skrattade och serverade mig iskall Perrier ur en flaska på bordet.

– Det är ju ganska bisarrt, sa han sedan. Du ger alltså två miljoner dollar för ett litet frimärke, en papperslapp och det är så dyrt bara för att det är ett feltryck. Kan man komma längre i perversion? Jag menar två miljoner kan hålla en indisk by gående i många år. Kapitalismen har verkligen sina skönhetsfläckar.

– Det är ju likadant här. Står det "post office" istället för "post paid" så kostar skillnaden miljoner.

– Det har du rätt i. Jag har faktiskt ett inbjudningskuvert med ett sånt märke. En del andra också. Han berättade väl historien för dig på museet? Om inbjudningen till balen? Mina gamla släktingar slängde aldrig nånting. Sparade allt. Och i det här fallet är jag oerhört tacksam för deras samlarmani.

– Det kanske är Erik som äger den där gula treskillingen nu. Vem vet? Den såldes på auktion för bara några år sen, men jag har ingen aning om vem som köpte den. Den sortens köpare brukar vilja vara anonyma. Skattmasar är intresserade av var pengarna kommer ifrån, dessutom har vi förmögenhetsskatt, och tjuvar är alltid på hugget. Såna här märken går ju inte att sälja, men dom kan alltid göra en deal med försäkringsbolaget.

– Jag vet faktiskt inte. Men han verkade lite hemlighetsfull, för jag frågade om samma sak. Anders antydde att Erik hade det, men sa det aldrig rakt ut. Och han tyckte att det var ett bra exempel på en fin placering. Lätt att ta med sig om det knep. Du lägger dina frimärken i ett kuvert, stoppar det i innerfickan och flyger iväg när det blir revolution eller krig. Sen får man inte lägga alla ägg i samma korg, som han sa. Det gällde att diversifiera sig om man skulle klara svängningarna på marknaden och politiska omvälvningar. Erik och han har ju intressen över hela världen.

– Högman har säkert rätt. Och jag såg en film på det där temat en gång. Skurken skulle föra ut pengar men kunde inte resa med en väska full med sedlar eller guldtackor. Då köpte han den här sortens frimärken och fäste dom på ett kuvert så att det såg ut som ett vanligt brev. Och tull och polis tittade inte närmare på kuvertet i hans portfölj. För dom låg det bara nåt vanligt affärsbrev där och deras kunskaper i den högre filatelin var obefintlig.

– Det ska jag komma ihåg, sa Jacques. Om jag behöver sticka från polis och åklagare nån gång så klistrar jag bara på mina Mauritiusmärken. Sätter dom på kuvertet med inbjudningen till guvernörens bal. Världens överfrankering. Vet du förresten att Port Louis bytte namn under revolutionen? Staden var uppkallad efter Ludvig XV:e men döptes om efter några år till Port Napoleon. Tala om att vara politiskt korrekt. Han skrattade.

Då kom den servile hovmästaren tillbaka med en meny stor som en kvällstidning. Men Jacques viftade bort den, log mot honom och frågade om man hade Bouillabaisse à la créole. Mannen nickade.

– Oui Monsieur. Idag är den excellent.

– Om du inte har nånting emot det så tar vi den, sa Jacques. Fast du kan välja precis vad du vill i menyn. Men jag äter här ganska ofta och det är en specialitet för Mauritius som jag vet att du kommer att älska. Fisk, räkor, vitlök, tomatpuré och mycket annat.

– Det blir utmärkt. Är jag på Mauritius så vill jag gärna pröva era specialiteter.

– Och så tar vi en Sancerre och en flaska Perrier till.

– Nostalgi?

– Sancerre menar du? Han skrattade. Kanske. Och jag har faktiskt fått dom att köpa in det. Men jag tycker om det. Friskt och lätt, smakar lite vinbärsblad. Och vi har kvar ett av slotten som du vet. Francines mamma är ju delägare. Själv sålde jag ut när vi skulle göra en del investeringar här nere. Men det stannade inom familjen.

Och Jacques hade haft rätt. Bouillabaissen var utsökt. Vinet likaså, lagom svalt. Fast egentligen hade jag föredragit någonting tyngre, med kropp som kunde matcha den kraftiga soppan.

– Hello Jacques. Comment ça va?

En man hade kommit fram till vårt bord. Som Karlsson på taket tänkte jag. Lagom rund och i sina bästa år. Han var korrekt klädd, en av de få i restaurangen som hade både kostym och slips. Det glesnande håret stod ut på sidorna från den kala hjässan och ett par metallbågade glasögon blänkte i det lätt rundade ansiktet. Men han påminde mera om en annan författares alster än Astrid Lindgrens. Charles Dickens låg närmare med Pickwickklubben.

– Douglas! Jacques sken upp. Vad roligt att se dig. Det var hundra år sen sist. Slå dig ner och ta ett glas vin.

– Ett litet i så fall. Karlsson på taket log. Jag har en affärslunch här om fem minuter, men din Sancerre kan jag inte motstå.

– Det här är alltså Douglas Dupont, sa Jacques förklarande. Och en utmärkt bekantskap för dig Johan. Johan Homan, en släkting från Stockholm och Sverige. Douglas är svensk vicekonsul i Port Louis. Fast vi kallar honom konsul. Hans familj kom hit från Bretagne nästan samtidigt med oss. Shipping. Så om du tappar pass och pengar på nån bar i hamnen så kan du alltid ringa på hos honom och bli hemskickad.

– Det går utmärkt, sa Douglas Dupont fryntligt. Hans engelska hade en tydligt märkbar fransk brytning. Kom ihåg bara att ni får betala tillbaka när ni kommer hem. Staten ger ingenting gratis. Vi måste tänka på skattebetalarnas pengar. Visserligen är jag honorärkonsul och inte svensk UD-tjänsteman, men jag måste agera med svenska statens bästa för ögonen.

157

–Jag hoppas slippa komma. Jag får försöka avstå från hamnkrogarna, men det blir svårt. Skål.

Och vi skålade.

–Apropå det, sa Dupont när han satt ner sitt glas. Ja, det här med svensk konsul alltså. Vi hade en förskräcklig olycka med en av era landsmän.

–Hans Bergsten?

Förvånat såg han på mig.

–Hur visste ni det?

–Jag kände honom. Ja, det är kanske lite överdrivet, men jag har träffat honom. Både här och i Stockholm. Och vi åt middag samma kväll som han förolyckades.

–Intressant. Jo, som sagt händer det tack och lov ganska sällan att vi får handlägga den här sortens sorgliga fall. Men polisen är effektiv och allting är klart nu. Både deras rapport och läkarpapper och allt annat som behövs. Nu ska kistan flygas hem om några dar, han hade en mamma och en syster i Stockholm. Tack och lov sköter svenska UD kontakterna där så jag slapp ringa mamman och berätta. Jag klarar inte såna samtal. Det blir för tungt.

Han tystnade. Servitören kom med desserten, någon sorts kokosbakelser i olika färger.

–Det kan jag förstå, sa Jacques. Det skulle nog inte jag heller. Att förlora ett barn är det svåraste som kan hända en människa. ·

–Och det var ju så onödigt, sa Dupont och drack mera av det solblekta vinet. Han kunde ju ha sett sig för och inte bara drullat nerför trappan på det där viset.

–Han hade väl druckit för mycket, konstaterade Jacques och intog sin efterrättstallrik.

–Det trodde jag också först, men doktorn förnekade det. Visst hade han druckit en del, men inte så mycket att han skulle ha varit direkt påverkad. Att han raglade och hade svårt med balansen.

–Man kan ju ramla fast man är nykter, sköt jag in.

–Det är riktigt. Douglas Dupont nickade bekräftande. I alla fall var det en sorglig historia. Men vi försöker ligga lågt och hittills har det inte fått nån större publicitet. Det var ju en olycka bland många andra.

Jag såg på Jacques? Var det han som låg bakom? Hade han gjort vad Anders Högman bett om? Dragit i olika trådar, lagt på lock?

– Fast en sak förvånar mig lite grand. Den rundnätte konsuln såg fundersamt på oss. Polisen hittade en diamantring i hans ena kavajficka. En ring i platina med en stor diamant. Såg ut som en förlovningsring. Jag har den i kassaskåpet på mitt kontor och ska skicka den till Stockholm. Skulle han förlova sig? Frågande såg Sveriges konsul i Port Louis på mig.

Kapitel XVII

– Förlovningsring? sa Francine. Hur kunde konsuln veta det?

– Han sa det i alla fall. Och i England och Amerika lär dom ha diamantringar. Jag läste nånstans att i USA ska diamanten motsvara tre månaders lön så att fästmön kan kolla om han är nånting att ha. En skröna kanske, men ganska effektivt.

– Är det därför svenska förlovningsringar brukar vara släta? Intressant att se den du ska ge mig. Då kan jag gå till en juvelerare och få reda på vad den kostar för att se om du är nånting att satsa på rent ekonomiskt. Jag känner Hans Bohlin. Hans familj gjorde smycken åt tsaren i S:t Petersburg.

– Det behöver du ingen juvelerare för att se. Det räcker att du tittar på mig och min affär. Förresten är jag svensk, så du får en utan stenar.

– Lustigt det där med diamanter, sa Francine. Det är ju faktiskt bara kol i form av grafit som förvandlas vid högt tryck och 1 200 grader till en skimrande liten hård ljusdroppe. Själv skulle jag inte kunna skilja på en diamant och en glasbit.

– Inte jag heller. Och rätt som det är hittar man nya fyndigheter nånstans så att priserna går ner om inte syndikaten håller dom uppe. Fast en vackert slipad diamant är festlig på en kvinnas hand. Håll med om det.

– Helst infattad i platina eller vitt guld. Jag gillar inte guldsmycken. Dom blir lite för tunga och pråliga.

– Skit samma, sa jag. Det intressanta är i alla fall att Hans Bergsten hade en ring i fickan när han dog vare sig han skul-

160

le förlova sig eller inte. Den måste vara ganska värdefull om det nu var en diamantring.

– Om han inte skulle ha den själv eller ge den till nån karl så måste den vara till en kvinna, eller hur?

Francine såg på mig där hon satt i däcksstolen i randig smärting i skuggan under ett av de stora träden i Vedas trädgård. Jag hade just kommit tillbaka från lunchen inne i Port Louis och bytt till shorts och kortärmad skjorta. Men skor avstod jag från. Jag älskar att gå barfota om sommaren. På bordet bredvid oss stod en stor karaff iskyld juice.

– Det låter logiskt. Och den måste vara till nån på Mauritius. Annars skulle han inte gå omkring med en dyrbar ring i fickan utan vidare. Då skulle han lämnat den i Stockholm, eller hur?

– Good thinking. Hon log.

– Sen det här med att han ramlade. Anders Högman sa att han hade druckit för mycket, men där höll Lasse inte med. Inte läkaren heller som undersökte Hans efter fallet. Lasse satt ju bredvid honom och han var jätteförsiktig. Drack bara vin, sa Lasse vid poolkanten. Han skulle träffa nån.

– Det innebär alltså att Hans var försiktig med spriten för att han ville vara i form. Och han går iväg till den där trappan med sin diamantring i fickan. Francine såg fundersamt på mig.

– Precis. Och lägg till en sak. Du såg honom kyssa Annika Claesson bakom några palmer, eller hur? Du kände igen hennes svartvita jacka.

Francine nickade.

– Slutsatsen kunde då vara att Hans skulle träffa Annika. Att han skulle ge henne diamantringen, men att han snubblade i trappan innan av nån anledning och slog ihjäl sig.

– Du menar att han skulle förlova sig med Annika?

– Jag vet inte. Lite ensidigt i så fall. Hon är ju här med Jack. Men det verkar ju inte vara sådär jättehett mellan dom. Jag får väl fråga henne.

– Gör inte det, sa Francine bestämt. Det är ingenting som angår dig och vad än svaret blir så kommer hon inte gilla att du lägger dig i. Sen en annan sak.

– Vaddå?

– Det kan ju hända att Hans ville ge Annika ringen, förlovning eller inte. Men hon kanske inte ville ha den, har du tänkt på det? Och Jack är också där, blir arg och slänger ut honom. Då går han från hennes rum, för hon bor ju på det där våningsplanet och så drullar han nerför trappan, arg och ledsen, ser inte riktigt efter hur han går.

– Det är inte omöjligt. Såvida inte Jack har följt efter ut i trappan och klipper till honom så att han ramlar. Kakmonstret slår till.

– Hans är faktiskt död. Det är ingenting att skoja om. Och lova mig en sak.

Hon böjde sig fram mot mig där jag satt på gräsmattan bredvid henne.

– Håll nu inte på att spekulera i allt det här. Stackars Hans ramlade nerför trappan och slog ihjäl sig. Svenske konsuln tar hand om allt det praktiska och Anders Högman vill att vi ska glömma alltihop så fort som möjligt. Tänk istället på att vi har semester, att solen skiner och havet är underbart. Tids nog är du tillbaka i snöslask och mörker. Carpe diem. Hon log. Lev nu och här. Njut.

– Jag lovar.

Fast jag visste med mig att det var ett tomt löfte. Att en olycka kunde hända accepterade jag. Tragisk, men sådant var livet. Men varför Hans Bergsten gått omkring på Mauritius med en diamantring i kavajfickan förstod jag inte. Var det inte flygbiljetten hit han köpt för Zethelius silverskål? Var det istället en ring? Men det blev väl inte mycket till diamant han fick för tiotusen.

Så gick jag och hämtade mig en egen däcksstol i vitt och blått. Som vanligt fick jag hålla på en stund att sätta upp den. Den egendomliga träkonstruktionen parerade skickligt alla mina försök och jag kände mig som Monsieur Hulot i Jacques Tatis film om semestersabotören.

Francine skrattade åt mig, men jag var för stolt för att be om hjälp. Till slut, efter dryga fem minuter hade jag överlistat den ondsinta stolens träspjälor och satte mig ner bredvid henne. Men så där är det med mig. Det är knappt att jag kan

162

knyta ett par skosnören. Allt praktiskt är anatema för mig, mannen med två tummar mitt i varje hand.

Jag drack ett stort glas kall, nypressad apelsinjuice, lutade mig tillbaka i stolen och somnade, fridfullt som ett litet barn som tar en middagslur. Eller folkpensionär snarare. Det låg väl närmare tidsmässigt. Fast än var det ju långt kvar även om tiden gick som ett dånande tåg genom tillvaron, snabbare och snabbare. Vart tog allting vägen egentligen, var min sista tanke innan jag gled ner i sömnens mörker. God hjälp hade jag fått av den kraftiga, vitlöksdoftande fisksoppan på gallerian och den kalla Sancerren.

När jag vaknade efter en halvtimme ville Francine åka ner till havet och bada. Jag var först inte så pigg på det, men hon övertalade mig. Och hon hade rätt. Vi hade inte rest hela vägen till Mauritius för dyra pengar för att sova bort tiden. Och det var heller inte så gassigt nu på eftermiddagen. Några timmar under vita parasoll och med Planters punch bredvid skulle sitta fint. Sedan fanns det ju mycket att titta på. Och då tänkte jag inte enbart på havet. Var jag gubbsjuk? Det hade jag i så fall varit sen jag konfirmerades i den lilla vita kyrkan i Viby.

"Den gubbsjuke konfirmanden." Det kunde vara titeln på någon surrealistisk novell. "Mannen som gav gubbsjukan ett ansikte", kanske passade ännu bättre nu. Men att vara intresserad av vackra flickor var väl inte något fel? Man kunde ju i alla fall titta. Man behövde inte gå omkring med förlovningsringar i fickan som Hans. Var han en sorts kärlekens och passionens boyscout? Alltid redo! Men jag slog bort mina opassande tankar. Han var död, stackarn. Frid över hans minne. Francine hade rätt. Det var ingenting att skoja om.

En timme senare simmade jag längs repavspärrningen något femtiotal meter utanför den vita sandstranden nedanför hotellet. Ytterligare ett par hundra meter ut gick bränningarna vita mot korallrevets skyddsmur i Indiska oceanen. Med lugna, jämna simtag plöjde jag fram genom det salta, klara vattnet.

Jag såg bottnen under mig. Långa tångruskors armar följde med strömmen, vinkade långsamt därnere. Snabba silverstim av fiskar pilade över sandbottnen, som solreflexer från ytan. Då och då dånade en motorbåt förbi på andra sidan det långa repet med de vita bojarna, lämnade efter sig ett stinkande moln av avgaser. Den enda plumpen i det fridfulla protokollet.

Det kändes hur nyttigt det var för hela kroppen. Varje muskel användes utan några risker för sträckning eller stukning. En idealisk sport egentligen, långt borta från joggningens svettdrypande plåga eller gymmets tortyrmaskiner.

Efter ett par vändor mellan hotellet och repets förtöjning i några svarta klippformationer längre bort längs stranden simmade jag tillbaka igen. Vadade långsamt efter den långgrunda bottnen och gick uppför stranden och den breda trappan till hotellet och poolerna där vi suttit dagen innan. Sköljde av mig saltvattnet vid en liten dusch alldeles bredvid trappan.

Francine hade fått sällskap. Någon satt och pratade med henne på min låga solstol. Anders Högman i mörkblå badbyxor och med en knallgul frottéhandduk över axlarna.

– Hej Johan. Han log mot mig. Har du simmat?

– Ja. Det var jätteskönt. Och jag såg inga hajar.

– Dom ger sig inte in bakom revet. Och nästan alla är ofarliga.

– Anders har just gett mig lite aktietips, sa Francine. Jag kommer att bli vansinnigt rik.

– Ska man inte göra tvärtom? Jag satte mig bredvid henne. Om alla analytiker som ger råd i tidningarna hade rätt så skulle dom vara stormrika och inte behöva skriva för att försörja sig. Då är det bättre att köpa guld och gräva ner det i trädgården. Då slipper man alla nervösa ryck på börsen.

– Det är nog inte nån vidare bra idé, sa Anders. Det är ute som placering. Guldpriset sjunker och guld har blivit en råvara som nästan vilken som helst.

– Men har inte centralbankerna guld i sina valutareserver?

– Jo, det har dom fortfarande av historiska skäl. Två tredjedelar av den amerikanska valutareserven består av guld sen det gamla växelkurssystemet och Schweiz hade till ganska nyligen fyrtio procent. Men dom har släppt kopplingen och ska byta guld mot värdepapper. Och titta bara på den svenska valutareserven. Jag såg en siffra häromdan som visade att riksbanken förlorade långt över en miljard på prisfallet. Dom har ju 185 ton guld i sina valv.

– Vad ska man satsa på då? Jag som trodde guld var det enda som höll i längden. Och det är fascinerande.

– Hur menar du? sa Francine.

– Det återanvänds ju hela tiden. Smälts ner och görs om. Om du har ett guldföremål i handen så kan guldet ha kommit från inkans skatter i Sydamerika. Det kan ha rövats av conquistadorerna eller varit faraonska amuletter eller romerska guldmynt som germanska legosoldater fick i sold.

– Eller tandguld från nazistiska utrotningsläger, sköt hon in. Tänk så mycket mord, blod och våld som kan ligga bakom guldet i en vigselring till exempel.

– Ett till skäl för att inte gifta sig. Anders Högman log. Nej, jag sysslar inte med vanligt guld. Däremot med framtidens guld. Wap.

– Wap? Vad är det? Undrande såg Francine på honom.

– Det är nästa steg när det gäller Internet. Först kom det, sen mobiltelefonerna och nu är det dags för waptelefoner. Enkelt uttryckt så är det mobiltelefoner som kan göra nästan allting som en vanlig persondator som kopplats till Internet. Du kan få börskurser, väderleksrapporter, resturangtips eller beställa biljetter och köpa böcker. Listan är nästan utan slut.

– Vi kommer alltså att gå omkring med hela världen i byxfickan?

– Just det. Och i den här branschen är the sky the limit. Titta bara på ett av dom här nya, svenska företagen. En god vän till mig satsade 250 000 kronor när dom startade för några år sen. Idag är hans andel värd omkring hundra miljoner.

– Ge mig papper och penna, men fort. Francine skrattade. Du får berätta mera för mig nån gång.

– Gärna. Anders Högman såg på henne, men det verkade inte vara aktiekurser och investeringar han tänkte på.

– Fast bygger inte den där kursutvecklingen i IT-aktier mycket på förväntningar? Att det ska gå jättebra i fortsättningen. Då verkar det som om det finns ett bättre alternativ.

– Som till exempel?

– Konst. Jag såg häromdan i tidningen att en tavla av van Gogh hade sålts för närmare en miljard. Den hade köpts på en auktion 1990 av en japansk textilgubbe för 685 miljoner och det sas att han skulle ta med den i sin grav. Svårt att slå den statusgrejen. Men det gjorde han som tur var inte och nu gick den till en samlare i Amerika. En hygglig värdestegring. Det är nästan bättre än dina waptelefoner. Särskilt om man tänker på att van Gogh nästan inte sålde en enda tavla när han levde.

– Det har du rätt i. Men det är lättare att köpa wapaktier än att hitta en ny van Gogh.

– Jag ser att Bukowskis har börjat med dom där prisannonserna igen, sa Francine. Listar sina auktionspriser. Det är ungefär som på åttiotalet när man nästan köpte konst efter kvadratcentimeterpriset på Zorn och Liljefors.

– Man kan ju göra både och. Det ena förskjuter inte det andra. Du kan ha konst på väggarna och aktier i byrålådan.

Lätt för dig att säga, tänkte jag avundsjukt. Om jag hade haft dina resurser så hade jag hängt Matisse i badrummet och ställt Haupt i köket.

– Jag träffade konsuln idag, sa jag för att byta samtalsämne. Douglas nånting. Han är visst vicekonsul, men alla kallar honom konsul.

– Dupont?

– Precis. Jag åt lunch med Jacques i Port Louis. Och Dupont berättade att polisen hade hittat en diamantring i Hans Bergstens kavajficka.

– Konstigt. Jag såg honom aldrig med nån ring. Inte för att jag kände honom särskilt väl, men en karl med diamantring kommer man ihåg. Han var ju på min mottagning och kom med på middagen.

– Han kanske skulle förlova sig. Och letade efter nån som ville ha honom. Var beredd på alla eventualiteter.

– Det var ju förutseende i så fall, sa Anders och log, men leendet nådde inte ända fram till ögonen.

– Vem bodde förresten på den där våningen där trappan finns? Där han ramlade alltså.

–Som jag sa när vi sågs hos Jacques så är det Anna Palmer. Och sen Annika och Jack.

–Lasse också tror jag, sa Francine. Lasse och hans sambo vad hon nu heter. Den där blonda bimbon.

–Pernilla, sa jag och såg på henne. Satt det fortfarande kvar en tagg efter Lasse? Förträngde hon Pernillas namn eller ville hon verka som om hon inte brydde sig, inte ens kom ihåg vad hans nästa hette.

–Då har vi alltså tre kandidater, sa jag litet skämtsamt.

–Till vad? Anders såg frågande på mig.

–Till Hans förlovningsring. Pernilla, Anna och Annika.

–Det där förstår jag inte alls, sa han kort och reste sig. Inte för att jag kände Bergsten närmare, men såna där spekulationer är lite osmakliga. Han dog ju för bara några dar sen. Nej, nu måste jag kila tillbaka till min våning och duscha. Hej så länge. Han nickade och gick.

–Det var värst vad han blev putt, sa jag. Jag skulle ju bara testa honom på hur mycket han visste.

–Om vaddå?

–Om Hans och hans ring. Och kvinnorna i hans liv. Vem som var hjärter dam. Men det lär vi väl aldrig få veta.

Kapitel XVIII

"Din kropp är ditt hem, vi vill forma den till ett palats och fylla det med skatter."

Som ambitionsnivå är det inte så dåligt, tänkte jag när jag såg bokstäverna ovanför dörren till gymmet på President. Det kunde kanske vara någonting för Sturebadet att ha på väggen. Där körde man med rakare rör. Visserligen fanns både massage och fotvård, men själen hade inte lika mycket att hämta. Det gamla romerska citatet om en sund själ i en sund kropp passade bättre där, litet mera sakligt kamrerarsvenskt. Kunde kommit som en rekommendation från Socialstyrelsen på baksidan av Arlas mjölkpaket.

Men att kalla hotellets luxuösa anläggning i källarvåningen för gym var en grov underskattning. Vita marmorgolv, boaserade väggar i något mörkt, tropiskt trädslag. Bord med stora vita blommor bland mörkgröna blad. Indiska skulpturer och möbler estetiskt utplacerade. Gamla engelska kopparstick på väggarna. Låg, österländsk musik och en svag doft av rökelse. Dämpad belysning. Massage, yoga, avslappning. Helande.

Jag var på väg till den stora salen fylld med motionsapparater. För jag ville inte dega ihop. Att bara ligga på stranden och dricka långa, tropiska drinkar var inte bra för midjan även om själen fick sitt. Och till lyxen på hotellet hörde att motionsrummet nästan alltid var tomt. Rika turister hade inte kommit till Mauritius för att svettas och misshandla sina kroppar.

En lång, vältränad man i shorts och T-shirt lyfte vikter

168

med ryggen mot mig i ena hörnet när jag satte mig på en av motionscyklarna och trampade igång. Baksidan av hans tröja var mörk av svett. För att underlätta mödorna hade jag tagit med mig ett nummer av Financial Times som låg mot styret framför mig. Jag hade kunnat titta på tv också. Flera skärmar med olika program fanns inmonterade i väggen, men det verkade mest vara inhemska program med lokala fotbollslag och annat som inte frestade.

– Det här är tråkigt men nyttigt, sa mannen i hörnet plötsligt. Jag såg på honom. Nu kom jag ihåg. Han som hade kommit häromdan och var med på middagen nere vid stranden. Francines gamla kurskamrat som tjänstgjort på ekoroteln. Lennart Broman.

Han kom fram till mig med en mörkblå frottéhandduk över axlarna.

– Jag håller mig till cykeln, sa jag. Att lyfta skrot är inte min idé om semester.

Han skrattade.

– Inte min heller egentligen. Men man måste ju straffas lite för att få vara i den här fantastiska miljön. Det är väl gamle Luther som är framme och spökar. Människan ska arbeta i sitt anletes svett och så vidare. Det sitter djupt.

– Jag bryr mig inte så mycket om Luther. Men midjan börjar vifta med pekfingret och säga hoppsan.

– Intressant midja. Han log. Vi sågs ju häromkvällen. Lennart Broman.

– Jag vet. Du var kollega med Francine.

– Har varit. Men jag hoppade av. Fick nog av polisjobbet.

– Hurså?

– Det var i och för sig intressant, men jäkligt frustrerande på samma gång.

– Ni hade inte tillräckliga resurser?

– Bland annat. Vet du att bara sex procent av alla inbrott i Stockholm klaras upp? Men mera den där släpphäntheten och mesigheten. Du kunde spana på buset i månader och sen göra tillslag. Men då kommer dom dragande med godtrosförvärv och skickliga advokater och sen är dom snart tillbaka i jobbet igen, flinar åt oss.

– Det har väl med rättssäkerheten att göra.

– Självfallet, men det utnyttjas på ett absurt sätt. Och det som är välment tänkt, som olika åtgärder för att föra in buset på rätta vägar och in i ordnade förhållanden, används hänsynslöst av "fel" personer. Frigång, permissioner och hela det där köret. Titta bara på dom där killarna som skulle spela teater men istället rånade banker och sköt poliser. Och jag läste häromdan att av 300 interner som satt på minst fyra år för grova brott hade hälften fått mellan 50 och 80 permissioner på tio månader. Tio av dom fick 100 eller fler. Det är tio permissioner i månaden. Var tredje dag. Vilket djävla flum.

– Jag förstår vad du menar. Jag har en god vän som blev av med en massa gammalt silver vid ett inbrott. Bland annat en dopskål från 1700-talet som hade gått i släkten sen dess. Där fanns alla namn och data ingraverade på dom som hade döpts i den. Sen hittade polisen skålen instoppad längst in i en gammal vedspis i ett torp där dom var för att hämta en hembrännare. Han var också tjuv och hälare. Men han friades för skålen och det var knappt att min kompis fick tillbaka den. För formellt var det tjuvens.

– Hur kunde han frias?

– Enkelt. Han sa bara att han aldrig låste dörren till stugan så att vem som helst hade kunnat ta sig in och stoppa skålen långt in i hans spis. "God tro" och "okänd person" är två starka kort i det där spelet. Här fick dom hjälp av en gammal vedspis.

– Du ser. Fast mina hembrännare spelar i högre serier.

– Hurdå menar du?

– Knarksyndikat, ekonomisk brottslighet i stor skala. Momsbedrägerier. Den sortens affärer. Men idén är densamma som med din dopskål. Vi vet vilka storfräsarna är, men alldeles för ofta sitter dom kvar i orubbat bo.

– Var det därför du slutade?

– Bland annat. Lönen också. Så jag tog en jur. kand. på nolltid, jag hade ju mycket juridik i bagaget redan, och nu är jag på en internationell advokatbyrå, på deras Stockholmskontor. Fast här har jag semester. Hundra procent.

Intressant, tänkte jag, fast du glömde en sak. Att du inte

slutade frivilligt om jag fick tro vad Francine berättat. Att du hade hamnat på fel sida av ditt polisstängsel. Men jag hade ju inte någon anledning att döma. Jag kände inte till några detaljer, inte Francine heller, och vad han än gjort så hade han tydligen klarat upp det nu och var rehabiliterad in i en ordnad borgerlighet. Istället skulle jag se om han kunde bidra till en förklaring av vad som hänt.

– Då ska jag fråga dig en sak, du som har varit polis. Märkte du nånting speciellt häromkvällen? När vi åt på den där restaurangen nere vid havet. Det som hände sen.

Frågande såg han på mig.

– Menar du det där med Hans Bergsten? Att han omkom?

– Just det.

– Nej. Jag halkade med på ett bananskal egentligen för jag kände ju inte Anders Högman, bara Erik Fridlund. Hans Bergsten hade jag aldrig träffat förut. Hurså?

– Inte för nånting särskilt, sa jag och trampade på, torkade svetten ur pannan med den lilla handduken som hängde på handtaget. Jag tyckte det var litet konstigt bara att han ramlade och föll så illa.

– En olycka händer tyvärr. Det är i alla fall ingenting vi kan göra nånting åt. Trappan är kanske brant och han hade väl inte samma precision som före middagen med allt vinet.

– Han hade väl inte det. Känner du Erik väl förresten?

– Sådär. Jag har träffat honom i Stockholm några gånger. En av våra klienter, en stor amerikansk bank, gör affärer med Högman. Och Erik är ju hans högra hand. Det var han som ordnade rum åt mig här. Jag bor förresten på samma våningsplan som där han ramlade. Bergsten alltså.

– Gör du? Hörde du nånting?

– Nej, ingenting som hade med olyckan att göra. Visserligen var det några som tjoade utanför min dörr på kvällen, verkade som om dom grälade, men det tog slut innan jag behövde säga till.Och det kan ju inte ha varit Bergsten.

– Varför inte?

– Man kan inte gräla ensam för sig själv om man inte är lite knäpp. Så om Bergsten ramlat nerför trappan efter ett gräl så skulle naturligtvis den han hade pratat med försökt hjälpa

171

honom och ringt på läkare. Åtminstone kallat på hotellpersonalen. Eller hur?

Han såg på mig och jag nickade.

– Det är klart. Men jag var inte lika övertygad som Lennart Broman.

– Bodde han i din korridor?

– Nej, det tror jag inte. Jag har för mig att han bodde i andra änden av hotellet, bortom restaurangen. Jag tyckte nån sa det. Nej, nu måste jag dra. Jag behöver några vändor ute i havet också. Det är så härligt nu när det inte är lika hett som mitt på dan. Vi ses. Hej.

– Hej, sa jag och fortsatte min cykling utan mål, höll på en kvart för att fortsätta med andra muskelstärkare längs väggarna som var inglasade med speglar för att få rummet att verka större. Men jag försökte hålla ögonen borta. Jag var inte någon uppmuntrande syn. Rufsig, andfådd och svettig. Och spegeleffekten underströk magens rundning under min vita T-shirt.

Det är likadant när jag ska prova kläder i affärernas provhytter. Jag avskyr speglarna runt om och det obarmhärtiga, blåvita neonljuset som förstorar och framhäver alla defekter. Då tänker jag ofta på historien om Margaret Thatcher, på en av hennes kvinnliga partikamrater. Hon sa att Margaret Thatcher kunde kliva av tåget klockan fem på morgonen och ändå se ut som om hon kom direkt från en skönhetssalong. Själv kunde jag stiga ut från en skönhetssalong och se ut som om jag klev av tåget klockan fem på morgonen. Det är ungefär så jag känner mig när jag ser mig i spegeln vid morgonrakningen.

Kvinnor verkar ha en helt annan relation till sig själv och sina kroppar. Kan utan vidare ställa sig inför samma speglar som jag utan några som helst problem. Eller ta fram en liten spegel ur handväskan och forskande se sina ansikten före en ny omgång med läppstift eller andra attiraljer. Jag tänkte på det gamla romerska ordspråket att om man gav en kvinna en spegel och en påse brända mandlar så fick man lugn och ro. Fast det vågade jag inte ens tänka. Francine hade telepatisk förmåga och var stridbar feminist.

Varm och svettig och trots allt ganska nöjd med mig själv,

gick jag ut i det luxuösa omklädningsrummet, duschade och klev in i bastun. Det var turkiskt ångbad. Vita dimmoln av het fukt svävade över det mörkblå kaklet, sipprade ut från munstycken längst ner vid kortväggen. Jag satte mig på en av de låga kakelbänkarna med min gula handduk under mot hettan.

Då öppnades dörren. En man kom in med en stor badhandduk runt höfterna Först kände jag inte igen honom. Så såg jag att det var Erik Fridlund.

– Varmt välkommen, sa jag, eller hett välkommen skulle jag väl säga. Festligt att ni har bastu här i tropikhettan. Det räcker ju att sätta sig i solen.

– Det kan man säga. Men det var faktiskt Anders som insisterade på det. Han är ju delägare som du vet. Och det är faktiskt ganska skönt att få svettas ut ordentligt ibland.

– Du ser spänstig ut, sa jag. Går du på gymmet också?

– Man måste försöka hålla sig i form så jag tar några pass i veckan när jag hinner. Fast idag har det varit lite körigt. Vi hade en brasiliansk delegation här. Det gäller ett stålverk i Minas Gerais.

– Ska ni gå in eller ur?

Han skrattade.

– Det skulle du bra gärna vilja veta. Nej, min mun är förseglad. Det måste den vara när man jobbar för Anders Högman. Annars skulle det påverka aktiekurserna.

– På tal om affärer så träffade jag Lennart Broman på gymmet. Han är visst din kompis?

Erik nickade.

– Kompis och kompis, men jag känner honom ganska bra. Vi ses då och då i Stockholm. Han är på en advokatbyrå som vi använder oss av. Dom har nära samarbete med en av dom största amerikanska affärsbankerna och han är nån sorts länk mellan oss i Sverige. Vi har mycket business där också. Den svenska börsen är intressant och där finns ju också många av dom stora multikoncernerna som Ericsson och andra.

– På tal om Anders Högman så verkade han bekymrad. Försökte undvika negativ publicitet. Han talade med Jacques om det. Om Hans Bergsten alltså.

–Jag vet. Bortsett från att det var tragiskt och dramatiskt så är det ju inte bra för hotellet, även om det var en ren olyckshändelse. När ett flygplan har störtat och innan dom har hunnit få undan vrakdelarna så brukar dom måla över alla igenkänningstecken. Särskilt om det har hänt nära ett flygfält.

–Nu var det ju inte ett flygplan.

–Det är klart. Och som jag sa så var det fruktansvärt. Men idén är densamma. Att inte få för stor uppmärksamhet.

–Sopa under mattan menar du?

–Så kan man se det om man vill vara cynisk. Fast på ett sätt var det en bra död.

–Nu fattar jag inte. En bra död? Hur kan det vara det?

–Ja, nu menar jag inte Bergsten utan mera generellt. Att dö totalt oförberedd. Utan sjukdom innan, utan dödsrädsla. Knall och fall. Tänk dig själv att du fick veta innan när du skulle dö. Förutom allt annat skulle du få ett helsicke att göra iordning allting. Åtminstone jag. Gå igenom papper och handlingar. Rensa ut, ordna upp. Ungefär som tanterna förr på Östermalm när dom hade städfruar som kom. Då dammsög dom innan. Men skämt åsido så tror jag att Bergsten fick skylla sig själv.

–Vad menar du?

–Han verkade ur balans. Och samma kväll som Anders hade sin mottagning när ni var med så grät han i min grogg.

–Grät han i din grogg? Förvånat såg jag på honom.

–Ta det inte bokstavligt. Han log ett snabbt leende. Ni gick ju hem tidigt såg jag, men vi andra stannade kvar och sen gick vi ner i baren ett tag. Och då satte han sig bredvid mig och blev mer och mer deppig.

–Vaddå för?

–Han ville inte riktigt ut med det, men det gällde en kvinna. Så mycket förstod jag. Och dom skulle ha förlovat sig härnere. Det var därför han kommit till Mauritius. Nu hade hon dumpat honom.

–Sa han vem det var? Kvinnan alltså.

–Nej, och jag försökte lugna ner honom. Sa att alla fåglar, fiskar, bakterier och organismer hade en funktion i det uni-

174

versella systemet. Att bli fler, att föröka sig. Däggdjur också. Och människan är ett däggdjur. Djävligt intelligent i och för sig. Kan åka till månen, spränga atomer och knappa på datorer. Men lik förbannat ett däggdjur i botten. Så det där med kärlek var bara kosmetik och hormonstormar. Snart skulle han hitta nån ny. Du vet det där med spårvagnar och bussar. Missar du en så kommer det snart en annan.

– Det låter cyniskt.

– Men sant. Fast Bergsten ville inte diskutera, lugnade sig inte. Satt bara där och malde om att hon hade sagt att han var underbar, att hon älskade honom. Att hon hade ljugit, varit ohederlig. Och det var tydligen det värsta för honom. Till slut blev det så djävla patetiskt att jag sa till honom att gå hem och sova. En sån tjej var ändå ingenting att ha.

Kapitel XIX

– Det står här att drottningmodern tar två rediga Martinis
före middagen och till maten dricker hon gärna ett gott röd-
vin. Francine såg upp över tidningssidan.

– Klok kvinna, sa jag. Så är hon 100 år också. Fast hon går
inte upp mot Richard Burton.

– Han blev väl inte 100?

– Nej, men han kunde ta sjutton Dry Martini på raken.

– Var har du läst det? I Guiness rekordbok?

– Jag tror inte dom tar in såna uppgifter. WHO, FN:s
världshälsoorganisation skulle säkert inte gilla att folk satt i
världens alla hörn och tävlade i vem som kunde hälla i sig
mest av olika sorter. Tänk dig om du blev världsmästare på
Bäska droppar.

Francine rös.

– Hellre champagne. Men då fick jag ligga på träningsläger
först.

– Vet du förresten vem som drack den första Dry Mar-
tinin? På tal om drottningmodern.

Francine skakade på huvudet.

– Det gjorde John D. Rockefeller. Barmästaren på hotell
Knickerbocker i New York, Martini di Arma di Taggia upp-
fann den och originalblandningen var hälften gin, hälften
Noilly Prat, litet Grange Bitter, en droppe från ett citronskal
och en oliv på en tandpetare.

Vi satt i de stora rottingfåtöljerna i skuggan ute på loggian
till det gamla huset och väntade på Veda och Jacques. Det
var tid för afternoon tea, en gammal brittisk tradition

som Veda fört med sig i boet. Klockan fem skulle det drickas och klockan fem kom hon.

– Ni är punktliga ser jag. Hon log. Det kan jag tyvärr inte säga om Jacques, men han blev försenad på kontoret och kommer när han kommer. Så det är lika bra vi börjar.

Hon satte sig vid det låga bordet, ringde i en liten silverklocka och några minuter senare kom Denise från köket med ett rullbord, så snabbt som om hon stått bakom dörrarna och väntat. Och det kanske hon gjort också. Det var ordning och reda i Vedas hus.

– Det var egentligen mormor som höll på traditionerna, sa Veda och serverade oss ur en stor blåvit porslinskanna. Litet lustigt egentligen eftersom hon var halvindiska och morfar engelsman. Men i Indien drack man minst lika mycket te som i England. Det var ju nånting engelsmännen infört när dom koloniserade landet. Det och gin tonic. Fast skillnaden var tidpunkten.

– Hurdå? frågade Francine.

– Gin tonic var en sundowner, det dracks efter solnedgången när arbetsdagen var slut, på kvällen före middagen. Medan te var ungefär nu. Vid fem. Five o'clock tea har du väl hört talas om?

– Självklart. Fast i Sverige är det kaffe som gäller. Jag tror att vi, isländningar och finnar dricker mest kaffe i världen per capita.

– Och brännvin, sköt jag in.

– Det har väl med klimatet att göra, sa Veda. Mörkt och kallt nästan hela året. Då behövs det nånting som värmer.

– Varifrån i Indien kom din mormor? frågade Francine och slog litet mjölk i sitt te.

– Hon var faktiskt född på Mauritius. Som ni vet har vi en mycket stor indisk befolkning, ja, med indiskt ursprung alltså. Det var hennes farfar som kom hit. Osmandabad. Han var från en gammal krigarsläkt och hade med sig sitt svärd på båten. Det finns på museet i Port Louis idag. Han hade deltagit i det stora indiska myteriet som engelsmännen kallade det, 1857, ett av dom första försöken till självständighet. Men det slogs ner mycket blodigt så han flydde hit via Bombay. Som många hinduer var han mycket arbetsam och aktiv och började på en sockerrörsodling. Han arbetade sig upp, blev förman, kunde köpa litet mark med hjälp av plantageägaren. Och så fortsatte det, blev mer och mer. Likadant med hans fyra bröder.

– Han började med två tomma händer alltså? Francine såg på henne.

– Det kan man säga. Med en sockerrörskniv i handen förstås. Sen intresserade han sig för hästsport. Det är ju den stora saken här på ön. Alla spelar och alla är intresserade. Den första kapplöpningsbanan på södra halvklotet byggdes förresten här så tidigt som i början av 1800-talet. Så det gick bra för honom och han hamnade till och med i den lokala regeringen. Ironiskt nog gifte han sig med dottern till en engelsk officer. En allians med den gamla arvfienden. Han hade ju krigat mot drottning Victorias armé i Indien, men var bland värdarna när en av hennes yngre söner, hertigen av Edinburgh, besökte ön. Sen fortsatte familjen både med socker och hästar fast mera som en hobby. Ja, hästarna alltså. Och vi har intressen i fastigheter och textil.

– Var din pappa hästuppfödare eller i socker?

– Advokat faktiskt. Kom från en av dom gamla engelska familjerna. Satt i parlamentet men var mycket road av hästar. Hade egen uppfödning.

– Då står Jacques för det franska inslaget, eller fanns det andra fransmän i familjen? frågade jag.

– En och annan. På kvinnosidan. Och det hade sina poänger för det fanns ett mycket stort underskott på kvinnor i början. Man fick "importera" flickor från Bretagne och till och med från olika barnhem i Frankrike. Och det kanske inte direkt var några familjeflickor som kom. Hon log.

– Fransmännen dominerade ju ön under hela 1700-talet sen holländarna lämnat. Då var allting nerkört i botten, men dom var duktiga, grundade Port Louis, dränerade träsken och byggde en hamn. Och liksom holländarna tog dom hit murare och hantverkare från Indien som var särskilt skickliga på att bygga i sten, Port Louis byggdes exempelvis av tamiler från Pondicherry. Men den stora indiska vågen kom senare för textilindustrin. Idag är ungefär sjuttio procent av indiskt ursprung, fortsatte hon.

– Det måste ha varit ett tufft liv för nybyggarna, sa Francine.

– Verkligen. Folk dog som flugor. Pest, smittkoppor och usla levnadsvillkor. Och i början var det inte många som lockades hit. Sen kom engelsmännen 1810.

– Det kom väl afrikaner också?

– Just det. Veda nickade. Slavar togs från Madagaskar och Östafrika för att arbeta på sockerrörsfälten. Det krävdes ju väldigt mycket folk eftersom sockerrören höggs för hand och hela processen var manuell. Kreolerna som dom kallades är nästan en fjärdedel av befolkningen. Ganska mycket kineser kom också hit efter omvälvningarna i Kina. Dom är ju skickliga affärsmän och dominerar mer eller mindre ekonomiskt i Asien. Allt det här gör att vi inte har några egentliga rasproblem jämfört med många andra länder. Det finns naturligtvis ekonomiska och sociala klyftor, men alla har vi ett stänk av någonting i oss så ingen förhäver sig. Och det är ju tur. Hon skrattade.

– Här sitter ni och jag får inte vara med.

Jacques kom mot oss, kysste Veda och Francine på kinden och satte sig ner vid det runda bordet.

– Du får skylla dig själv som kommer försent, sa Veda. Men teet är fortfarande varmt och det finns färska scones.

– Dom är härliga. Francine strök guldgul apelsinmarmelad på en vit brödbit. Marmeladen är ljuvlig.

– Tack, sa Veda. Jag har faktiskt gjort den själv.

– Vi har just haft en intressant historielektion, sa jag. Veda har berättat allt om familjen.

– Det hoppas jag verkligen inte. Jacques log och lade en tunn citronskiva i sitt te. Det finns alldeles för många skelett i skåpen. Lustigt med te förresten.

– Vaddå lustigt? Veda såg på honom. Har det dragit för länge? Är det beskt.

– Jag menar inte så, sa han snabbt. Det är gott som vanligt, men häromdan läste jag ju att te är väldigt nyttigt eftersom det är verksamt mot hjärtinfarkt och annat. Särskilt grönt te. Det finns nån sorts antioxidanter eller vad det heter i te. Men idag såg jag i en annan tidning att kaffe är mycket nyttigare.

Te kunde vara farligt. Så vad ska man tro?

– Gör en kompromiss, sa Francine. Drick kaffe på morgonen och te på kvällen. Då tar dom negativa effekterna ut sig.

– I så fall är kokt vatten ännu bättre. Veda log. Silverte. Kokt vatten med mjölk.

– Passa dig, sa Jacques. Det dröjer inte länge förrän forskarna konstaterar att kokt vatten och mjölk är grogrund för nån sorts särskilt negativa partiklar.

– Det är farligt att leva, konstaterade jag. Man bara dör. Alla skrattade.

– Jag hoppas bara att jag inte tråkade ut er med min familjehistoria, sa Veda och hällde upp mera te i våra koppar.

– Inte alls, sa Francine. Tvärtom.

– Mauritius historia är verkligen intressant, sa Jacques. Jag ska inte trötta er med nån föreläsning, men där finns allt från fenicier och araber till drottning Elisabeth och självständighet. Mark Twain skrev en gång att Gud först skapade Mauritius och sen gjorde han paradiset efter den modellen. I början var ön bara intressant för fartyg som behövde vatten och mat. Och det var först holländarna som blev mer permanenta i början på 1600-talet. Dom till och med uppkallade ön efter prins Maurits av Nassau. Det blev en strategisk bas för deras Ostindiska kompani. Nederländerna hade ju kolonier på Java och andra platser. Batavia var en viktig stad för dom med all handel på Kina. Men det var inte nån lyckosam period och när holländarna huggit ner alla ebenholtsträd och slaktat alla drontar, dom där stora, köttiga fåglarna som inte kunde flyga, så åkte dom hem. Fast dom hade infört sockerrör från Java förstås. En anledning till misslyckandet var att dom inte var tillräckligt många. Totalt, med slavar och allt, fanns det inte mer än en 400 personer på Mauritius på den tiden.

Då pep det i Francines bag som stod på golvet. Gälla, ilskna signaler.

– Civilisationens gissel, suckade Francine, böjde sig ner och tog upp den svarta mobiltelefonen.

– Francine, sa hon och upprepade det. Det är dålig förbindelse här. Du hörs väldigt dåligt.

– Gå runt huset, sa Jacques. Ut på gräsmattan. Där brukar

det bli bättre mottagning. Tala inte för länge bara. Du har väl läst att man skadar hjärnan.

– Jag tar risken. Francine reste sig och gick. Efter en stund kom hon tillbaka, såg allvarlig ut.

– Strul, sa hon sammanbitet. Jäkla otur när man för en gångs skull har semester och solen skiner. Det var Stockholm och det krisar. Attentatshot mot statsministern och fullt pådrag. Dom vet inte om det är nån vanlig galning eller nånting organiserat. Jag måste tillbaka så snart som möjligt. När går nästa plan?

– Ikväll, sa Veda. Till Paris och sen är det lätt att ta sig till Stockholm. Men är det verkligen nödvändigt? Finns det inte folk i Sverige som kan klara det?

– Det verkar inte så. Fast det är klart att det finns kolleger som ställer upp. Men jag är faktiskt chef för den avdelningen. Och du måste stanna Johan. Du behöver sol och bad.

– Nja, drog jag på det. Om du åker far jag också.

– Det var snällt sagt, men det går faktiskt inte.

– Varför det?

– Du har en biljett som man inte kan boka om utan att betala skjortan. Vi fick ju ett paketpris.

– Det är klart att du ska stanna, sa Veda bestämt. Det vore ju dumt om du åkte hem efter bara några dagar. Du har ju knappt hunnit bli brun.

Och så blev det. Francine åkte och jag stannade kvar. Men jag följde med i bilen när Jacques körde henne till flygfältet.

På vägen dit berättade jag för henne där vi satt i baksätet vad Erik Fridlund sagt om Hans Bergsten. Om hur han gråtit i groggen för att kvinnan han älskade hade lämnat honom.

– Konstigt, sa Francine.

– Han grät naturligtvis inte i groggen. Men symboliskt gjorde han väl det.

– Det var inte det jag menade. Jag såg ju hur han kysste Annika Claesson samma kväll han dog. Så han måste ha tröstat sig jättesnabbt. Eller också var det Annika som inte ville ha ringen. Fast du. Lova en sak.

– Jag ska tvätta händerna innan jag äter. Jag ska inte simma för långt ut och jag ska inte dricka fler Dry Martini än Richard Burton.

– Var inte dum. Allvarligt såg hon på mig. Jag menar bara att du inte ska hålla på och gräva i det här med Hans Bergsten. Han dog och det kan ingen göra nånting åt. Inte du heller.

– Det skulle vara intressant i så fall.

– Hur menar du?

– Helbrägdagörare på Mauritius. Sensationell insats av antikhandlare från Stockholm. Återuppväcker de döda. Jag kan se rubrikerna.

Då nöp hon mig i låret, hårt så att jag skrek till. Kärleksfullt naturligtvis, men det gjorde ont. Jacques vände sig om, men sa ingenting. Och det var väl tur det. Katolik som han var hade han säkert inte uppskattat min blasfemiska förklaring. Att jag hädat och skämtat med uppståndelsen.

Men jag kände på mig att jag inte skulle hålla några löften. För jag visste att det var någonting som var fel med Hans Bergstens död. Helt fel. Att det inte var ett olycksfall.

Kapitel XX

Bara George fanns vid frukostbordet när jag kom ner nästa morgon. Både Jacques och Veda var utflugna, hade ärenden i Port Louis enligt George. Egentligen hade jag velat äta frukost i sängen. Det tillhör min ritual för att börja dagen, annars blir den förfelad. Att ligga med kuddarna uppallade bakom mig och den runda, röda brickan bredvid i sängen med svart kaffe, solgul juice, en halv grapefrukt och grovt rågbröd med Kalles kaviar och grön gurka. Och till det kommer det njutningsfyllda försjunkandet i Svenska Dagbladet och Dagens Nyheter. Egentligen är det väl onödigt med två tidningar, dyrt är det också, men det är en av de få utsvävningar jag unnar mig i livet. Och jag skyller på att jag måste hänga med. Dessutom går den ena tidningen på firman.

I min bransch måste man ju följa trenderna, prisutvecklingen och det som skrivs om auktioner och antikviteter. Fast här hos Veda och Jacques fanns inte den möjligheten. Och nu menar jag svenska dagstidningar. Frukost på sängen hade jag naturligtvis kunnat få om jag velat, men det hade kanske verkat litet pretentiöst. Så jag fick vara utan både dagstidningar och det grovfibriga rågbrödet. Men grapefrukt fanns och nypressad apelsinjuice. Svart kaffe fattades inte heller och till skillnad från mitt vanliga Classic bryggmalet kom det här från Mauritius, egenproducerat i familjen. Så skulle man ha det. Ett eget vinslott i Sancerre och en kaffeplantage på Mauritius. Från Jacques sockerplantage fick man familjens bitsocker också, om man nu tog socker i kaffet. Det hade jag valt bort i min ojämna kamp mot kalorierna. Jag måste fråga

183

Jacques om han hade kor också. I så fall var frukostcirkeln sluten. Kaffe, grädde, socker. Grapefrukt och apelsinjuice från trädgården. Jag bodde definitivt i fel del av världen.

I början satt George tyst, såg då och då på mig, litet förstulet. Som om han observerade mig.

– Hörde du nånting? sa han sedan.

– Vaddå hörde?

– Ja, inatt.

– Vad skulle det ha varit? Hade du på stereon för högt i ditt rum?

George skakade på huvudet, såg ner på tallriken. Så tittade han på mig, först litet tvekande, så verkade han ha bestämt sig.

– Pianot. Jag hörde hur någon spelade igen. Som när farfar dog.

– Du drömde nog. Jag hörde faktiskt ingenting och jag är lättsövd.

– Jag drömde inte alls. Och det var Chopin.

Trotsigt såg han på mig, som om jag tillrättavisat honom. Så avslutade han snabbt sin tallrik med cornflakes och mjölk, gick från bordet med en surmulen blick på mig.

Det var värst vad han blev stött. Var det för att jag inte tagit honom på allvar? Men solen sken ute på gårdsplanen, en tupp gol bakom det gamla slavhuset och vinden fläktade genom de tunna tyllgardinerna för det öppna fönstret. Och än så länge hade ingen dött. Hade George skojat med mig? Velat skrämma släktingarna från Sverige? Och var det han som hade spelat häromnatten?

Efter frukosten tog jag jeepen och körde ner till President. Jag hade med badkläder och ett par böcker. Att ligga utsträckt på en av de låga, bekväma solstolarna under ett vitt parasoll med utsikt över havet var ett bättre alternativ än att sitta hemma och titta ut genom fönstret. Att läsa tills man tröttnade för att ta ett avbrott nere i havet, slumra till ett tag, beställa en club-sandwich och en kall öl och sen ta siesta under parasollet var min planering för dagen. Och på kvällen var det film. Veda hade visat mig en inbjudan från hotelledningen och frågat om jag ville följa med. En amerikansk komedi och middag innan. Var det en PR-drive från hotellets sida, en sofistikerad ersättning för välkomstdrink och gris-fest, eller fanns Anders Högmans ordnande hand i bakgrun-den?

"Gärna", hade jag sagt. Att sitta ensam hemma i det stora huset var inte särskilt lockande. Och jag tycker om oförarg-liga komedier. Tjocka farbröder som ramlar omkull i vatten-pölar, halsbrytande förväxlingar och pinsamma situationer. Allt i den trygga förvissningen att det ordnar sig i slutscener-na. Livet utanför filmduken var för brutalt, tragiskt och våldsamt för att jag skulle vilja se det repeterat på film. TV-nyheternas verkliga våld och dramatik räckte och blev över.

Jag var alldeles för ointellektuell, påstod Francine. Jag in-tresserade mig inte för New Age och jag borde se Buñuel och film noire. Nattsvarta tragedier och bottenlöst elände. Men jag är för snäll, hade jag svarat. Jag klarade inte av det. Och blev det för känslosamt rördes jag till tårar. Det hade jag ald-rig vågat berätta för Francine. Det är ju löjligt att en vuxen man gråter på bio.

Jag hade tur när jag kom ut på den stora altanen vid den av hotellpoolerna som vetter ut mot havet. Min favoritplats, i ett avskilt hörn alldeles vid den låga stenmuren som var gräns mot sandstranden, var ledig. Gästerna åt fortfarande frukost i den stora restaurangen under de höga palmerna en bit bort eller på balkongerna utanför rummen. Och många hade väl inte masat sig upp. Deras biologiska klockor var annorlunda än min som tyvärr alltid var för tidigt inställd. Vid fem bru-kade jag vakna oavsett när jag hade gått och lagt mig. Och jag var avundsjuk på alla som kunde sova hur länge de ville på morgonen. Då blev de pigga och glada på kvällarna, medan jag började klippa med ögonen framåt tio. Det var också nå-gonting Francine inte var riktigt nöjd med, så jag fick kämpa mig igenom många sena kvällar. Där var nyårsafton ett pro-blem.

Jag har aldrig förstått vitsen med att skåla in ett nyår. När allt kommer omkring var ju varje tolvslag ett nytt år eller nytt sekel eller millennium. Det berodde ju bara på när man började räkna. Och det här millenniumfirandet hade jag heller aldrig förstått mig på. Ett stort kommersiellt, uppblåst jippo, ungefär som mors eller fars dag. Förmodligen sponsrat av champagnefabrikanterna. Och dessutom ganska så arrogant. I den västerländska kulturkretsen utgick man från sin egen tideräkning och tänkte inte på att andra religioner och kulturer räknade tid på ett helt annat sätt och med andra utgångspunkter. Men vi verkade ha monopoliserat den sortens firande med Jesu födelse som utgångspunkt. Faktiskt hade Buddha, Muhammed och andra stora religiösa ledare också fötts. Dessutom visste man inte med säkerhet när Jesus egentligen föddes och det fanns ju till och med historiker som deklarerat att han aldrig funnits.

Själv har jag alltid varit avundsjuk på religiösa människor, de som verkligen trodde. Det måste vara underbart att kunna lägga sitt liv och sitt öde i en högre makts händer och att alltid kunna få förlåtelse för sina försyndelser. Bikten i katolska kyrkan var ju en välsignelse och psykologisk säkerhetsventil för hundratals miljoner människor. Kanske var det förklaringen till att antalet psykiatriker var så mycket större på Madison Avenue i New York än på Via Veneto i Rom.

Det blåste en behaglig bris från havet, långt därute gick den vita skumranden över korallrevet och sanden hade ännu inte hunnit bli för het att gå på. Jag vadade ut över den långgrunda sandbottnen, en vit motorbåt studsade fram utanför repavspärrningen med de runda flötena en bit bort. Och så simmade jag ut i långa simtag, kände hur musklerna i hela kroppen fick arbete. Det behövdes. Jag hade suttit stilla alldeles för mycket alldeles för länge. Ätit och druckit. Nu fick jag ta en ordentlig omgång på Sturebadet när jag kom hem. Lättfil och müsli istället för stekar och friterad fisk med pommes frites. Apelsinjuice istället för Planters punch.

När jag kom tillbaka satt Caroline Fridlund på en av solstolarna bredvid min. Hon log när jag kom.

– Är du ensam?

– Ja, Francine åkte hem igår kväll. Plikten kallade.

– Business?

– Precis. Statsministern ringde.

– Statsministern? Caroline såg imponerad på mig.

–Francine är chef för Säpos personskyddsavdelning. Och han måste hastigt och lustigt ut och resa.

Litet tummade jag på sanningen. Det var ju inte statsministern personligen som hört av sig, men hon kunde gärna få veta att Francine hade andra kvaliteter än att bara vara vacker.

–Hur går det med dina mattor förresten?

–Jaså, det känner du till? Jo, jag ska inte klaga. Det är ju en ganska exklusiv bransch. Jag specialiserar mig på antika, kinesiska mattor alltså, men det finns köpare än så länge. Och mycket säljer jag utomlands. Priserna är högre där.

Hon öppnade en stor bag i mörkblått jeanstyg och tog fram solcrème, en bok och en liten flaska nagellack. Så satte hon upp ena foten på solstolen och började långsamt och metodiskt måla tånaglarna glänsande mörkröda.

–Kommer du ofta hit?

–Det händer. Hon log. Men jag har mitt och Erik sitt. Och hittills har det funkat. Fast man vet aldrig.

Hittills. Vad menade hon med det? Jag såg på henne och tänkte på vad Jacques berättat. Att Carolines äktenskap med Erik inte var särskilt lyckligt, hur han nu kunde veta det. Att Erik inte ville skiljas och egentligen inte Caroline heller fast hon ville. Egentligen. Men det fanns för mycket pengar med i bilden. Och att hon hade hittat en kompromiss genom att bo i Sverige. Fanns det någon i Stockholm som lockade mer än Erik på Mauritius? Förmodligen, men det angick ju inte mig.

Plötsligt kom jag att tänka på Hans Bergsten. Var det henne han älskat? Hade han desperat åkt ner från Stockholm för att träffa henne och hade hon dumpat honom definitivt? Hade de haft en affär i Stockholm, men Caroline tagit det säkra för det osäkra? Talade Eriks pengar ett tydligare, högre språk än Hans Bergstens kärleksviskningar?

På kvällen kom jag tillbaka till hotellet i sällskap med Veda och Jacques. Först skulle vi äta middag på den stora restaurangen i hotellet och sedan se filmen. Ett långbord var reserverat för oss och de andra inbjudna längs ena väggen, den som vette ut mot vattnet. Vägg är kanske fel uttryck för den bestod helt av stora fönster eller öppningar mot havet, avgränsade av kraftiga stolpar. De kunde stängas med spjäljalusier av samma mörka trä som den övriga inredningen. Och det var ett förnuftigt arrangemang som gav svalka och luft utan att vara dragigt och som stängde ute solen när det behövdes. Nu öppnade sig väggarna ut mot havet och den tropiska grönskan. Avlägset kom bruset från bränningarna, vinden gick genom palmernas bladkronor och de höga, fjälliga stammarna lystes upp av indirekt belysning. De påminde om kraftiga elefantsnablar. Högst däruppe i bladverket blänkte gröna kokosnötter.

Jag satt mellan den blonda Pernilla och Francines föredetting Lasse. Han visade sig vara betydligt trevligare än han verkat förra gången vi träffats. Humoristisk och kultiverad. Och jag kände ingen animositet. Kanske bidrog det att Francine lämnat honom och inte tvärtom och att han tydligen var känslomässigt död för henne. Lasse frågade om min affär, om de aktuella trenderna och prisbildningen på antikviteter och jag frågade honom i min tur om hans verksamhet som advokat.

– Egentligen är jag asgam.

– Verkligen? Det låter inte så trevligt.

– Men det är det. Djävligt trevligt. Ekonomiskt sett alltså. Jag är lite specialist på konkurser. Och det har gett feta pengar.

– Gör det inte det nu då?

– Jo, föralldel. Men konjunkturerna har förbättrats och konkurserna minskar. Och det är ju i och för sig bra för Sverige, men inte för mig. Sen sysslar jag med ekonomisk brottslighet.

– Vågar du berätta det?

Lasse skrattade.

– Missförstå mig inte. På rätt sida om stängslet alltså. Med generalklausuler och annat skit så har skattemyndigheterna alltid övertaget. Det verkar ofta vara så att du har en omvänd bevisbörda. Dom måste inte visa att du har gjort fel utan det är din sak att visa att du inte har gjort något galet och straffbart. Och där kommer jag in.

– Räddar ekonomiska brottslingar från galgen?

–Det kan man inte säga. Ingen är brottslig förrän han är dömd. Men jag hjälper dom som har råkat illa ut att försvara sig, att hitta argument som visar att dom har rätt och inte är några skurkar.

Pernilla visade sig också vara trevlig trots att hon hade kläder på sig. Förstå mig rätt. Jag menar bara att jag inte distraherades av hennes minimala baddräkt som när vi sågs på stranden. Nu kunde jag koncentrera mig på konversationen. Hon berättade att hon varit sekreterare på Lasses kontor och att det var där de träffats. Och att hon slutat för att börja läsa juridik.

–Har du läst Tomas Tranströmers senaste förresten? frågade hon.

–Sorgegondolen?

–Precis. Jag har med den på stranden. Den är underbar. Fantastiska bilder. Om han inte varit svensk hade han fått nobelpris för längesen.

–Säkert, sa jag och undrade vart hon ville komma.

–Och jag tänker på Hans Bergsten där jag ser ut över havet. Om hur Liszt håller havspedalen nertryckt när han spelar "så att havets gröna kraft stiger upp genom golvet" och att "Gondolen är tungt lastad med deras liv, två tur och retur och en enkel". Det var Hans som inte skulle få komma tillbaka. Bara dom andra två.

–Nu förstår jag inte riktigt.

–Se dig om så förstår du.

Jag såg på henne, sorgen i ögonen nu. Jag hade tydligen underskattat henne. Och det var ju ingenting nytt för mig. Men jag skulle följa hennes råd. Se mig om. Visste hon vem som skulle fått ringen i Hans Bergstens ficka? Kunde det varit hon själv som kommit tillbaka med gondolen och lämnat Hans kvar?

Mitt emot mig satt Caroline Fridlund i en vit, urringad klänning. Vid kortänden fanns hennes man tillsammans med Jack Nelson, medan Lennart Broman satt vid andra bordsänden med Anne Baxter, Eriks unga sekreterare, en mörkögd flicka från Port Louis. Där fanns också Jacques och Veda.

Anders Högman var en självklar medelpunkt med Annika

Claesson på ena sidan och Anna Palmer på den andra. Han hade verkligen placerat sig strategiskt. Omgiven av två av kvällens vackraste kvinnor tronade han som en pascha i ett harem.

Bland de övriga gästerna kände jag igen några jag träffat första kvällen på Anders mottagning. Några engelsmän från Port Louis och ett par franska plantageägare och affärsmän. Ja, engelsmän och fransmän var väl inte korrekt. De var mauritiska medborgare, men tillhörde de gamla familjerna som koloniserat ön med hjälp av svarta och indiska slavarbetare i sockerrörsfälten.

Svenske konsuln i Port Louis, vicekonsuln för att vara exakt, var också med, Douglas Dupont. Jag hade frågat honom innan middagen började om allt var klart med Hans Bergsten. Han hade bekräftat det.

– Mr Bergstens kista har skickats till Sverige och läkarundersökningen är klar. Dom konstaterade brott på en nackkota genom olycksfall.

– Förlovningsringen då? Har ni hittat nån förklaring?

Dupont hade skakat på huvudet.

– Ingen alls. Och vi har ju inte direkt nån anledning att undersöka det närmare. Mr Hellsten hade druckit lite för mycket, snubblat i en trappa och förolyckats. Det han hade i sina fickor och i sin plånbok har vi returnerat till Sverige. Ringen också.

Vid middagen fick jag en omedveten uppvisning i kroppsspråk. Caroline såg knappt åt Eriks håll, vände sig nästan från honom och när hon någon gång tittade åt hans håll fanns ingen värme i ögonen, tvärtom. Caroline verkade inte särskilt tacksam, tänkte jag, om det nu var rätt vad Jacques sagt. Att hon levde ett behagligt liv i Stockholm baserat på Eriks pengar. Otack var världens lön. Då verkade Erik desto kärleksfullare när han såg på henne. Såg nästan förälskad ut. Det hade tydligen Pernilla också märkt.

– Erik ser ut som om dom just har träffats, Caroline och han. Jag undrar om han vet att hon har en annan.

– Har hon?

Pernilla nickade.

–Jag har ingen aning om vem det är, men det är nån i Stockholm. Och det finns flera här ikväll som har trasslat till det för sig. Men hon lät inte beklagande, snarare glatt intresserad.

–Verkligen? Vilka skulle det vara?

–Det skulle du allt bra gärna vilja veta. Hon fnissade och jag undrade om hon fått för mycket champagne före maten.

–Inga ord efter mig, men din kollega i antikbranschen pratas det om.

–Annika Claesson?

–Precis. Huvudet på spiken. Det är kanske dig hon prasslar med?

–Det skulle hon aldrig få för Francine. Hon skulle låsa in henne.

Förvånat såg Pernilla på mig.

–Är hon så svartsjuk?

– Nej, men hon är polis. Och hon har nycklar till finkan. Handbojor också.

–Ojdå. Då får jag hålla mig på avstånd, sa hon flirtigt och skålade med mig.

Inget särskilt avstånd för min skull, tänkte jag säga, men avstod visligen. Jag var inte säker på att Pernilla skulle uppfatta det som ett skämt. Och om Francine fick för sig att jag var intresserad av hennes före detta mans nuvarande så blev det jag som åkte in. Eller ut snarare.

Filmen efter dessertens persikosorbet såg vi i en elegant konferenslokal. Stor som en balsal, under själva hotellet, vägg i vägg med gymmet. En amerikansk komedi, inte särskilt märkvärdig, men behagligt avkopplande. Steve Martin spelade den amerikanska fadern med stort F som chockerande plötsligt får veta att hans artonåriga dotter tänker gifta sig. Motvilligt dras han in bland clichéerna och stereotyperna i de mycket amerikanska bröllopsbestyren som svindlar upp mot atronomiska kostnadshöjder. Men, all is well that ends well, och som alltid blev det en mycket happy ending.

När filmen slutat satte vi oss ett tag i baren. En orkester – som hämtad från Savoy's Ballroom, the Ritz eller filmer om the Great Gatsby – spelade. En suveränt genomförd 20-talspastisch. Fem allvarliga herrar i smoking med barytonsaxofon, klarinett och banjo i spetsen gav en perfekt tidsbild från en epok som för länge sedan gått i graven. Den nostalgiska, litet struttiga jazzmusiken med en doft av New Orleans passade som hand i handske i den koloniala miljön, som kunde ha varit Raffles i Singapore just efter första världskriget eller en salong på Titanic.

Men trots nostalgitrippen till en svunnen värld stannade jag inte kvar länge. En dag vid havet tog sin tull liksom vinet och middagen. Avslutade min Long Island Iced Tea, en hyllning till orkestern, Scott Fitzgerald och hans hektiska 20-talsepok där han skapat Gatsby med sitt magnifika hem på Long Island. På rom, gin, vodka, cointreau, lemon juice och Coca-Cola var den gjord. Veda och Jacques ville också åka hem eftersom han skulle tidigt upp för att inspektera en sockerrörsodling på norra delen av ön.

Det var först på morgonen jag fick veta det, när jag kom ner till frukosten. Allvarligt såg Jacques på mig där han satt vid det mörka mahognybordet.

– Din landsman är död, sa han korthugget. Skjuten. Jag talade just med chefredaktören på min tidning.

Kapitel XXI

Först uppfattade jag inte riktigt vad han sagt. Som om jag förträngde budskapet, inte ville förstå. Skjuten? Vem?

– Det var tydligen ett inbrott, fortsatte Jacques. Tjuven hade trott att han skulle vara borta längre och överraskades när han kom hem. Fick panik och sköt. Det är åtminstone vad polisen tror.

– Jag förstår inte riktigt. Vem är det som har skjutits?

– Erik Fridlund. Du har ju träffat honom. Anders Högmans närmaste man. Och det var därför Rostand ringde mig. Ja, chefredaktören. Han vet ju att jag har intressen i hotellet och sa att han skulle tona ner det. Bara publicera att en turist skjutits i samband med ett inbrott utan att ge detaljer. Men han ville informera mig.

Erik Fridlund. Jag hade ju träffat honom kvällen innan, för bara några timmar sedan. Och nu var han död. Mördad, skjuten av en tjuv. Fortfarande kunde jag inte riktigt fatta.

– Vet du nånting mera? När det hände.

– Jag ringde och talade med Anders. Han var chockad och det undrar jag inte på. Erik och han har ju arbetat ihop i över tio år. Ingen kände honom bättre än Anders. Och så är han plötsligt borta. Men det var väl som Rostand sagt. Erik kommer hem, tjuven tror att han är borta, skjuter och försvinner. Anders visste inte vad han kunde ha fått med sig. Men lådor och skåp var utdragna, kläder och papper låg slängda över golvet och några skrivbordslådor var uppbrutna. Kassaskåpet hade han också gett sig på.

– Och inga misstänkta?

193

– Inte än. Polisen inventerar sina register nu. Letar efter våldsbenägna inbrottstjuvar och kollar alibin, söker fingeravtryck och hela poliskören. Det är väl som att leta efter nålen i höstacken. Det krävs ju inte några större talanger att bryta upp en dörr och ta sig in i ett hus. Men dom lutar mot en amatör.

– Varför det?

– Ett proffs skulle aldrig skjuta. Att åka dit för inbrottsförsök är en sak, mord är nånting helt annat. Och riktiga proffs är heller inte beväpnade. Tas dom med vapen på sig blir det ordentlig påbackning på straffet.

– När hände det?

– Igår kväll vid tiotiden.

– Men då såg vi ju filmen?

– Erik hade avstått, sa Anders. Han måste gå igenom en del handlingar. Dom skulle haft ett möte med några japanska bankgubbar nu på morgonen. Det gällde nåt hotellprojekt i Kyoto.

– Det kan vara ett insiderjobb.

– Varför?

– På hotellet måste alla anställda ha vetat att det skulle bli föreställning på kvällen efter middagen. Och då utgick dom från att Erik också skulle vara med. Alltså var det fritt fram i hans hus, åtminstone för några timmar under middagen och filmen.

– Det är möjligt, sa Jacques. Jag förstår bara inte vad dom skulle vinna på det. Att få jobb på President är inte lätt. Hotellet är alldeles nytt och har förstklassig utrustning, personalpolitiken är mycket bättre än på många andra håll. Lönerna också. På varje vakans har dom omkring åttahundra sökande. Att bryta sig in hos Erik borde vara alldeles för riskabelt om man tänker på konsekvenserna. En video, hans stereo och litet småpengar är alldeles för lite för en sån risk. Dessutom patrulleras området av vakter från hotellet. Det måste personalen vetat, men inte nödvändigtvis en utomstående.

– Då utgår du från att folk är rationella. Du är ung, du är inte särskilt smart och du vet att Erik äter middag och sen ska se en film och vara borta i flera timmar. Kanske du är hög på nånting. Det ena ger det andra och du tar dig in i huset. Sen får du panik när han kommer och skjuter.

– Nej, jag är rädd att det är nån utifrån. Från Port Louis kanske och då blir det svårt för polisen att nysta upp det. Vi har varit besparade den här sortens brottslighet hittills, men det har förekommit att turister rånats. Fast ingen har mördats i samband med ett inbrott. Men det är väl den värld vi lever i. Ingen kan skydda sig.

Uppenbarligen inte, tänkte jag. Inte ens på paradisön Mauritius eller lyxhotellet the President. Där hade döden slagit till två gånger med bara några dagars mellanrum. Först Hans Bergsten och nu Erik Fridlund. Och slumpen hade gjort att båda var svenskar. Eller var det inte slumpen? Fanns det någonting mera bakom än ett olyckligt sammanträffande mellan ett fall i en trappa och ett skott från en skrämd inbrottstjuv?

Då kom George släntrande, gick fram till sin pappa och kysste honom rutinmässigt och morgonsömnigt på kinden. Satte sig sedan mitt emot mig och slog upp te ur en stor kanna.

– Du hörde vad som hände? Jacques såg på honom.

– Nej. George såg ointresserad ut. Hällde mjölk i sin tekopp och sträckte sig efter en rostad brödskiva som låg under den vita servetten över brödkorgen.

– En annan svensk har dött, sa Jacques. På President. Sköts av en inbrottstjuv.

George såg uppmärksamt på honom. Så tittade han på mig.

– Jag visste det, sa han lågt. Och jag sa det till Johan.

– Hur kunde du ha vetat det? Det hände ju igår kväll.

– Jag hörde Chopin, sa George. Och jag berättade det för Johan, men han trodde mig inte.

– Menar du att du hörde någon som spelade? Vad är det för dumheter. Jacques såg strängt på honom.

– Jag vet vad jag vet, sa George trotsigt. Och jag hörde det, fast han ville inte tro mig. Det var som när farfar dog.

– Det är riktigt, sa jag. George berättade det för mig igår. Men jag hörde absolut ingenting och är lättsövd. Jag brukar vakna om det hörs nånting särskilt på natten. Till och med när tidningen kommer.

–Tidningen? Undrande såg Jacques på mig.

–Hemma i Stockholm stoppas den i brevinkastet vid fem, sex på morgonen och det dunsar till när den ramlar ner. Du får den alltså inte inburen till ditt frukostbord, som här.

–Jag vill inte höra talas om dom här dumheterna mera, sa Jacques skarpt och såg på George. Här finns inga spöken som spelar på flygeln när nån ska dö på Mauritius. I så fall skulle vi inte få en blund i ögonen. Antingen har du drömt eller också försöker du göra dig märkvärdig och få uppmärksamhet.

–Jag tror att George talar sanning, sa jag till hans försvar.

–Vad menar du?

–Jag tyckte också att jag hörde pianomusik samma natt som Hans Bergsten ramlade i trappan.

Jacques satt tyst, såg forskande på mig.

–Jag måste tala med Veda om menyn. Maten vi serverar är kanske för kryddstark och ger er egendomliga drömmar. Ni har hört för mycket om dom här gamla spökhistorierna. Snart ser ni väl PomPom också. Han som hängdes härute vid slavhuset. Jacques log, men leendet var ansträngt.

När jag kom ner till President den där morgonen i Jacques gamla jeep stod flera polisbilar parkerade utanför entrén. Jag gick uppför den vita marmortrappan, in genom den höga portalen under det katedralliknande taket och gick ut på altanen med poolerna på andra sidan. Allt såg normalt ut. Nästan alla solstolar under de vita parasolltaken var upptagna. Några barn stojade och plaskade i en av poolerna och utanför låg havet lika blått som dagen innan. En lyxig idyll där döden var långt borta, men ändå hade kommit så nära.

En ung polis i kortärmad, ljusblå skjorta, mörkblå långbyxor med svart lackskärp och skotskrutigt band i svart och vitt runt uniformsmössan gick snabbt bort mot ena änden av hotellet. Var uniformen en sista kvarleva från det brittiska imperiet? Jag följde efter honom och såg hur han försvann in i en låg, vit bungalow i bortre änden av trädgården runt hotellet. Det måste vara Eriks hus.

Jag gick närmare, såg in genom ett öppet fönster. Där satt

196

två poliser vid ett skrivbord. En talade i mobiltelefon och den andre skrev på en powerbook. Poliskåren på Mauritius var tydligen modern och tekniskt välutrustad. Det skulle underlätta.

– Kan jag hjälpa till?

Jag vände mig om. En annan polis stod bakom mig med vaksamma ögon.

– Är det här mr Fridlunds hus?

Han nickade bekräftande.

– Yes, sir.

– Han som sköts igår?

Igen kom en bekräftande nick, men han verkade inte särskilt talför.

Då kom Anders Högman ut genom dörren tillsammans med en man i vit kostym. Jag kände igen honom. Mr Olivier, hotelldirektören. Förvånat såg Anders på mig. Han såg härjad ut, rödögd och orakad. Som om han inte sovit.

– Johan. Vad gör du här?

– Jag hörde om Erik. Och jag kom förbi. Är egentligen här för att bada.

– Det är ju rent för djävligt, sa Anders. Och så meningslöst. Här får nån typ för sig att han ska bryta sig in och ta TV:n och stereon. Och så kommer Erik oväntat hem och blir skjuten. Så totalt, djävligt meningslöst. Så, så…

Han tystnade och såg på mig, nästan med tårar i ögonen.

Hotelldirektören sade någonting ursäktande och gick brådskande bort mot altanen.

– Ni kände varandra sen länge, du och Erik?

Anders nickade.

– Erik började hos mig för över tio år sen. Han var väldigt duktig. Oerhört skicklig analytiker. Och inte bara det, han hade ännu viktigare kvaliteter. Anders tystnade, såg ut över havet. Erik var oerhört lojal och diskret. Aldrig ett ord i onödan till nån utomstående. Och det är A och O i min verksamhet. Jag syr ihop stora och komplicerade affärer med många komponenter och dimensioner. Skulle fel personer få veta fel saker så kan det vara kört. Men det hände aldrig när Erik var inblandad. Han var min högra hand för att använda

197

ett slitet uttryck. Så det blir en stor förlust. Först och främst personlig förstås. En av mina få nära vänner. Men också professionellt. Erik går helt enkelt inte att ersätta.

– Om han stannat kvar över filmen så hade det aldrig hänt.

– Det är riktigt. Och det ger mig dåligt samvete. För jag bad honom att gå igenom en affär som vi skulle avsluta nu idag. Kolla att allting var vattentätt. Om jag inte gjort det så hade Erik levat nu.

– Har du talat med Caroline?

Anders nickade.

– Hon tog det väldigt bra. Var samlad. Men chocken kommer väl efteråt när hon riktigt förstår vad som hänt. Först blir man på nåt sätt förlamad, vill inte fatta. Sen kommer reaktionen. Hon har fått flytta till en svit i andra änden av hotellet. Hon kan ju inte bo kvar här.

Jag tänkte på Carolines negativa attityd mot Erik under middagen kvällen innan, på hennes avvisande kroppsspråk. På vad jag hört från flera håll om hennes relation till Erik.

Men skulle inte hennes problem vara lösta nu? Erik var död. Som vacker och rik änka kunde hon göra vad hon ville, fri från alla formella band till honom. Om det nu inte fanns äktenskapsförord förstås. Eller arvingar. Kanske Erik hade barn i ett tidigare äktenskap?

Men allt det där angick inte mig och jag fick inte vara cynisk. Jag visste ju inte någonting om Carolines och Eriks förhållanden, hade bara andrahandsuppgifter eller snarare skvaller. Det enda jag visste med säkerhet var att Erik var död, skjuten. En tragedi för alla inblandade.

När vi kom tillbaka till altanen med poolerna satte jag mig på en av de lediga solstolarna och beställde en flaska Perrier och en dubbel espresso. Två dödsfall på ett par dagar. En tragisk statistik för hotell President och kunde inte vara bra för affärerna om man nu bortsåg från alla personliga och emotionella konsekvenser. Nu motbevisades tesen om att blixten aldrig slår ner två gånger på samma ställe. Fast här hade den fått hjälp av för mycket vin på ena hållet och en panikslagen inbrottstjuv på det andra.

Då såg jag en rundlagd man i ljus kostym och vit panamahatt komma med en portfölj i handen från den höga porten till entrén. Sveriges honorärkonsul i Port Louis. Eller vice-konsul om man skulle vara noga. Jag vinkade till honom, han vinkade tillbaka och kom emot mig.

Douglas Dupont satte sig bredvid mig i skuggan från det stora parasollet, fläktade sig med den vita hatten. Små svett-pärlor fanns i pannan och över munnen.

– Jag är avundsjuk på era badbyxor. Man blir så förbannat bortskämd av luftkonditioneringen i bilen och tänker inte på att man måste gå ut. Tyvärr måste jag gå klädd såhär när jag är i tjänst. Ett leende kom och gick över hans ansikte.

– Som konsul menar ni?

– Exakt. Som businessman också. Men då håller man ju till inomhus normalt. I stora, svala kontorsrum med luftkondi-tionering. Ja, ni svenskar ställer verkligen till det för mig, sa han missmodigt. Två döda på bara ett par dagar.

– Jag satt just och tänkte på det. En obehaglig statistik.

– Vi får hoppas bara att det inte fortsätter. På UD i Stock-holm undrar dom väl vad jag håller på med. Här har inte hänt nånting på många år och sen ramlar allt det här ner på en gång. En olycka och ett mord. Men polisen är skicklig och kompetent så dom får säkert tag på den som sköt. Fast det hjälper ju inte Erik Fridlund tillbaka till livet. Nej, det här duger inte. Jag kom för att träffa mr Olivier, hotellmanagern. Det är ju en massa pappersexercis invecklad i såna här fall också. Stockholm ligger på och vill ha detaljer och några murvlar har redan ringt. Det är väl nyhetstorka i kvällsblas-korna kan jag förstå.

Douglas Dupont reste sig, torkade sig i pannan med den vita näsduken i bröstfickan. Log ett bekymrat leende och gick bort mot receptionen.

Jag såg efter honom och undrade om det var Eriks död som tyngde honom mest, eller allt besvär han fick med UD, polisen och alla formaliteter. All pappersexercis.

Då kom min Perrier i en ishink och mitt nattsvarta kaffe. En tunn bit gult citronskal simmade på ytan, som en näckros på en mörk skogstjärn. Kaffet var beskt och starkt och precis vad jag behövde för att klara tankarna. Och det kalla mineralvattnet hjälpte till att återställa vätskebalansen. Någonstans hade jag läst att man borde dricka minst tolv glas vatten om dagen för att hålla kroppen i form. I tropikerna måste det väl vara minst dubbelt så mycket. Och jag slog upp ett glas till.

– Godmorgon, hörde jag bakom mig. Det var Anna Palmer, i en tunn, japansk kimono i röd bomull, som kom med en stor bastväska i ena handen och ett blått häfte i den andra.

– Här kommer Hedda Gabler och jag. Hon höll upp det blå häftet. Jag ska ha en dag med solen, havet och Ibsen.

– Du har hört det här med Erik? frågade jag

– Nej? Vad skulle det vara?

– Han är död. Skjuten.

– Va? Det menar du inte.

Hon satte sig på solstolen bredvid mig. Såg på mig med oförstående ögon som om hon inte fattat.

– Inbrott. Han kom hem. Överraskade en tjuv som sköt.

– Så fruktansvärt. Men jag förstår inte. Hon tystnade.

– Förstår inte vadå?

– Jag mötte ju Caroline alldeles nyss. Hon gick bara förbi mig utan att säga nånting, men verkade inte särskilt uppriven. Hon var väl chockad, stackarn.

– Förmodligen. Eller lättad. Fast det där sista sa jag inte.

Kapitel XXII

–Jag vet faktiskt inte om jag har lust att stanna längre, sa Anna.

–Du menar för Erik?

–Ju mer jag tänker på det desto ruskigare blir det. Jag såg honom igår kväll. Vi pratade och hade trevligt. Och jag minns att han sa att han inte skulle se filmen. Han hann inte. Så skjuts han. Mördas. Och inte ens hundra meter från där vi satt och skrattade åt den där fåniga filmen. Vad händer nästa gång? Först Hans och sen Erik.

Hon fick tårar i ögonen och jag undrade varför. Hon verkade ju inte ha känt någon av dem särskilt väl. Men hon kanske var lättrörd. Det hörde väl till en skådespelares personlighet.

–Hans ramlade ju. Det var en olycka.

–Ja, men inte Erik. Vem vet om den där tjuven kommer tillbaka? Eller nån annan? Kan man gå hem ensam om kvällarna längre? Jag får ringa på personalen och låta dom titta under sängen och i skåpet innan jag går in i rummet. Sen ska jag låsa med dubbla slag överallt.

–Han aktar sig nog. Det var säkert inte meningen att han skulle skjuta. En panikreaktion förmodligen. Och nu vet han att han åker dit för mord om han tas. Så jag skulle gissa att han håller sig så långt borta från President som han kan. Har han pengar så har han säkert flugit nånstans, lämnat ön.

–Om han hade pengar behövde han väl inte begå inbrott? I alla fall var det hemskt och fruktansvärt och jag är faktiskt rädd. Jag kan inte hjälpa det.

– Kände du Erik?

– Inte närmare. Träffade honom ibland i Stockholm tillsammans med Caroline. Men henne känner jag jättebra. Eller kände ska jag väl säga. Vi gick i Östra Real samtidigt. Hon bodde på Karlaplan och jag på Narvavägen. Och vi var mycket tillsammans på den tiden. Sen gled vi ifrån varann. Jag hade ju teatern och min karriär och hon läste konsthistoria och började med antikviteter. Öppnade en affär nånstans nära Strandvägen. Jag tror att det var Erik som finansierade den. Men jag var på bröllopet. Oscarskyrkan, frack och lång klänning. Mycket folk och middag på Sällskapet.

– Nån sa nånting om att hon och Erik inte sågs så ofta på senare år.

– Jag vet. Hon hade visst en annan, men ville både ha kakan och äta den.

– Hurdå?

– Hon ville inte mista Erik eller snarare hans pengar. Och samtidigt ville hon ha den där andre. Och det ordnade hon ju praktiskt. Erik här och Caroline där. Lätt som en plätt. Jag tror att Erik visste, men han älskade henne och såg mellan fingrarna.

– Är det här du sitter? Anders Högman lät missnöjd där han kom fram till oss. Han såg på Anna.

– Ja, det är här jag sitter. Faktiskt. Hurså?

– Jag har letat efter dig. Vi skulle ju äta lunch idag.

– Jag vet. Om en kvart. Var inte orolig. Jag ska vara punktlig. Men jag ska bara doppa mig först så kommer jag.

Han såg på sin klocka. Rolex, registrerade jag. Guld. Vad annars? Jag tänkte på den gamla reklamkampanjen om män som styr världens öden. Fast där platsade väl inte Jack Nelson, trots sin klocka?

– Okej. Du får tjugo minuter.

– Hej då, Johan. Vi ses.

Och hon gick ner mot havet, gled rättare sagt. Jag såg efter henne. Lång och smal utan att vara benig, rörde sig sensuellt. Anna Palmer var en av de skådespelerskor som är vackra utanför scenen också. Jag hade tänkt på det häromdagen. Och någon hade pratat om det. Många är fotogeniska och blir vackra genom en kameras negativ eller på scenen med smink och rätt ljussättning. Annars är de ofta alldagliga utanför rampljuset. Men inte Anna. Lustigt förresten. Anders attityd alltså. Det verkade som om han hade någon sorts äganderätt till henne, som om de varit gifta länge och han kommenderade henne, dominerade henne.

– Hon är verkligen vacker, sa Anders. Hade han sett mina blickar efter henne.

– Huvudet på spiken. Stannar hon länge?

– Fjorton dar. Hon ska studera in en roll för hösten. Hedda Gabler. Så nu ska hon fylla hårdvaran med mjukvara som hon säger.

– Anna är rädd. Och det är väl flera som är det. Ett mord här på hotellet är ju inte särskilt trevligt. Inte för att jag kände Erik, men det är ju ändå tragiskt. Hade han barn också?

– Nej. Han hade varit gift tidigare, men skilde sig långt innan han träffade Caroline. Med Annika faktiskt. Jag kom att tänka på en sak förresten.

– Gäller det Erik.

– Ja. Och motivet. Ett tänkbart motiv.

– Du menar att det inte var ett vanligt inbrott?

– Jo, men av en speciell orsak. Tjuven hade fått upp kassaskåpet och det är väl naturligt i den branschen. Han hade brutit upp skrivbordslådorna också när han letade efter nyckeln till kassaskåpet. Men Erik kanske hade den på sig? Fast varken TV eller video saknas. Det är ju annars prylar som är lätta att göra sig av med.

– Hade Erik nånting särskilt i kassaskåpet förutom pengar?

– Frimärken. Ett One Pence och ett Two Penny. Andra också. Som du vet har vi ju världsberömda frimärken här som kostar stora pengar. Mycket sällsynta är dom också. Jag har själv en liten samling och jag rådde Erik att investera i såna här märken om han kom över några. Och det gjorde han. Köpte ett par fina exemplar av en änka i Port Louis. Hennes man var samlare och hon behövde pengarna.

– Visste folk om att han hade köpt dom?

– Det hela sköttes mycket diskret, inte minst på grund av

just inbrottsskäl. Men en sån här affär kan ju aldrig hållas vattentätt hemlig. Tantens barn kanske har berättat det för några goda vänner, killen på banken som skötte överföringarna också. Vad vet jag? Så jag skulle kunna tänka mig att det var frimärkena tjuven var ute efter. Och förmodligen var det ett beställningsjobb.

– Varför tror du det?

– En vanlig tjuv har inga möjligheter att göra pengar på den sortens objekt. Inte hans hälare heller. Marknaden är alldeles för liten och det skulle komma ut på en gång om nån bjöd ut såna märken här på ön. Nej, en internationell hälare behövs, nån som har kontakter och förbindelser och som kan prångla ut dom på världsmarknaden. Ligga lågt tills det blåst över och sen placera märkena hos nån samlare som inte frågar för mycket. Och frimärken är ju oftast ganska anonyma. Det är svårt att bevisa att man ägt ett visst märke sen det stulits.

– Det vore ju väl om du har rätt. Att det var Mauritiusmärkena tjuven var ute efter.

– Hurså?

– Då behöver varken Anna eller nån annan titta under sängen innan dom går och lägger sig. Om dom inte har fina frimärken undanstoppade på rummet förstås. I så fall är du väl den enda som ligger risigt till. Du har ju själv en samling sa du.

Anders log.

– Så du tror att jag är nästa man till rakning? Nej, jag är klokare än så. Min samling finns i ett bankfack i Schweiz. Som jag sa första gången vi sågs så lägger jag inte alla mina ägg i samma korg. Och att ta sig in i ett bankvalv i Zürich kräver större talanger än en hotelltjuv på Mauritius har.

– Om det nu var en hotelltjuv.

– Vad menar du?

– Det enda vi vet är att Erik Fridlund hittades död i sin bungalow. Skjuten. Och att nån hade varit där och stökat till det. Var det en inbrottstjuv eller någon som ville att det skulle se ut som ett inbrott? Någon som sköt Erik av helt andra skäl än att komma över två frimärken?

Han såg roat på mig.

– Du menar alltså att det var ett välplanerat och kallblodigt mord som skulle se ut som om en panikslagen inbrottstjuv tappat huvudet och skjutit? Då har säkert nån mördat Hans Bergsten också. Nån som smort trappan med såpa och lagt nånting i hans drink för att sen knuffa ner honom.

Nej, jag tycker nog du ska lämna det här till polisen. Visserligen är vi långt borta från Sverige, men folk är inte tappade bakom en vagn här nere. Tvärtom. Och på tal om poliser och utredningar så behöver du ju bara titta på Palmemordet. Så mycket schabbel och töntigheter som har förekommit i den utredningen är inte Mauritius poliskår kompetenta att leva upp till. Anders skrattade. Nej, nu måste jag gå och ordna med lunchen. Vi ses.

Han låter precis som Francine, tänkte jag och såg efter honom. Lägg dig inte i det du inte har med att göra. Låt polisen ta hand om det. De har kompetensen, det har inte du. Och så vidare och så vidare. Jag kände igen refrängen. Den brukade Calle Asplund också mala, min vän och chefen för Stockholmskriminalens våldsrotel, när jag råkat hamna i någon av hans mordutredningar. Men ofta hade han fått bita i det sura äpplet. Jag hade haft rätt och inte han. Och jag hade hittat mördaren på egen hand. Ofta hjälpt av Cléo förstås.

Men jag hade inga ambitioner att försöka reda ut mordet på Erik. Där hade Anders rätt. Polisen på Mauritius var rätt instans. De visste var de hade sitt klientel och vem som kunde misstänkas för vad. En panikslagen småtjuv som skjuter i blindo och råkar träffa rätt, alldeles för rätt, var säkert inte någon match för dem att klara upp. Men det kunde inte hjälpas. Min gamla jaktinstinkt hade väckts.

Jag tog fram tuben med solcrème ur min bag. Solskyddsfaktor femton borde räcka. Fick man tro texten på baksidan skulle man kunna vara femton gånger längre i solen än utan sololjan. Och det lät ju betryggande. Jag smorde in ansiktet, glömde inte öronen, händer och kroppen så långt jag nådde. Tårna också. Här stod ju solen rakt upp på himlen. När jag var klar såg jag svenske konsuln komma tillbaka över altanen. Den här gången var han inte ensam. Bredvid honom gick en lång man i polisuniform. Han hade en portfölj i handen.

Jag reste mig och gick fram till dem. Bäst att smida medan smeden var varm, tänkte jag och hälsade också på polisen som verkade litet förvånad.

– En "landsman" till mig, sa Douglas Dupont förklarande. Mr Homan kommer från Stockholm och var god vän till mr Fridlund. Och det här är mr Sandhurst, överintendent och chef för polisen i Port Louis.

– Jaså, ni var god vän till den döde? Intressant. Jag får naturligtvis först och främst beklaga sorgen. Det är verkligen trist för oss alla här på ön att våra gäster ska behöva råka ut för såna här tragedier. Inte för att det sker särskilt ofta, men det är illa nog om en enda människa mördas.

– Dom säger att det var ett inbrott, sa jag. Att mr Fridlund kom hem och överraskade tjuven som sköt i panik.

– Vem säger det? Forskande såg polismannen på mig.

– Alla, sa jag vagt. Mr Högman till exempel.

– Det är möjligt att det gick till på det sättet, men vi utesluter ingenting. Därför har jag bett mr Dupont att introducera mig till de svenskar på hotellet som kände mr Fridlund. För oss är han ju nästan anonym. Bodde här när han var på ön och gjorde inte något väsen av sig. Satt mer eller mindre inlåst enligt mr Högman och skötte deras affärer via fax och internet när han inte fanns i nåt flygplan.

– Själv träffade jag Erik Fridlund härnere, men aldrig i Stockholm. Hans fru är väl den som kände honom bäst.

– Hon står först på min lista. Men jag har velat vänta ett tag tills den värsta chocken lagt sig. Det måste ju vara fruktansvärt för henne. Att komma hit för att träffa honom när de inte har setts på länge och sen dör han, våldsamt och brutalt. Ibland undrar man varför man valt det här jobbet. Han såg trött på mig.

Nu låter han som Calle Asplund, tänkte jag. Precis som Calle i hans dystra stunder. Jag undrade om han också rökte pipa. Och i så fall använde samma fruktansvärda tobak som Calle. Stinkande, vargula moln steg ur hans nernötta piphuvuds krater. Calle visste vad jag tyckte om det. Därför rökte han aldrig när jag var med. Om jag inte skulle straffas, om jag hade gjort bort mig. Fast det skulle aldrig bli aktuellt här vare sig överintendenten rökte eller inte. För jag skulle hålla mig så långt borta från mordutredningen som jag kunde. Men tänka fick jag ju. Fundera. Det kunde ingen hindra mig från.

– När hände det? frågade jag.

– Mordet? Omkring klockan elva säger läkaren. Han kan inte slå fast ett exakt klockslag, men omkring elva.

– I så fall har alla svenskarna alibi.

– Hur vet ni det? Intresserat såg mr Sandhurst på mig.

– Vi satt nere i källarvåningen till hotellet och såg en film. Nånting om en amerikansk pappa som gifte bort sin dotter. Ganska fånigt, men roligt.

– Jag vet det. Men jag är rädd för att det inte är mycket till alibi.

– Inte?

– Det finns fyra dörrar till den där lokalen. Två på varje långsida. Och dom stod öppna för värmens skull. Att smyga sig ut från salongen, gå bort till mr Fridlunds hus, skjuta honom och sen komma tillbaka tar inte mer än tio minuter högst.

– Det skulle väl märkas om nån bara gick?

– Verkligen? Ni hade ätit en stor middag med drinkar före och mycket vin. Sen sitter ni och skrattar, tycker att filmen är rolig. Om nån har satt sig längst ut i en bänkrad långt bak tror jag ingen märker om han går eller kommer.

– Nu förstår jag ingenting, sa Douglas Dupont. Det var ju ett inbrott? Tjuven var väl inte med er på bion? Menar ni att nån av svenskarna skulle var inblandad?

Olyckligt såg han på mig och igen tänkte jag på att han såg ut som kommen ur en av Charles Dickens böcker. Han påminde om någon av karaktärerna i Pickwickklubben med sitt runda ansikte, de små glasögonen, den höga ansiktsfärgen och det vita håret i en krans kring den kala hjässan.

Jag förstod honom. Monsieur Douglas Duponts karriär som svensk honorärkonsul på Mauritius hade hittills varit en lugn och stillsam affär som efter ett antal år skulle rendera honom Nordstjärnan, förutom den prestige konsulstiteln gav i den lokala societeten. Och så helt plötsligt kastades han in i ett dramatiskt händelseförlopp med dödsfall och mord. Om det ovanpå alltihop skulle visa sig att en svensk var inblandad som misstänkt kunde det bli strået som knäckte kamelens rygg.

– Jag menar inte alls att nån av svenskarna skulle vara inblandad, sa överintendenten lugnande. Jag säger bara att vi kommer att utreda fallet och det är förmodligen som det verkar. Ett inbrott och en tjuv som får panik och skjuter.

– Mr Fridlund lär ha haft några dyrbara frimärken, sa jag. Mauritiusmärken. Det kanske kan var anledningen? Ja, till inbrottet.

– Intressant, mr Homan. Ni har varit mycket hjälpsam.

Forskande såg Sandhurst på mig. De grå ögonen iakttog mig stadigt och jag insåg att man inte fick underskatta den mauritiska poliskårens kompetens. Han skulle inte lämna någonting åt slumpen. Jag tyckte att jag spårat ett drag av ironi i hans röst när han tackade mig.

Kapitel XXIII

När konsul Dupont och överintendenten Sandhurst gått gick jag tillbaka till min solstol. Och jag tänkte på vad den långe polischefen hade sagt. Han tog tydligen ingenting för givet.

Efter några timmars dåsande på min solstol gick jag bort till baren vid kanten av den största poolen. Vid ett av de runda borden beställde jag en omelett och en flaska Perrier. Någonting tyngre vill jag inte ha i värmen och absolut inte vin. Det gjorde mig bara sömnig. Vid bordet bredvid hade någon glömt en svensk tidning daterad efter min avresa. Förstrött bläddrade jag. En glittrig politiker protesterade mot att "Carmen" spelats när riksdagen öppnades. Det var verkligen inte politiskt korrekt att applådera kvinnomord! Intressant synpunkt. Då kunde man stryka "opassande" kulturyttringar. Det hade man ju varit bra på både i Moskva och Berlin när det begav sig. I en annan notis berättades om en kommunaltjänsteman som förskingrat en miljon. Det hade så svårt chockat hans nitton kolleger att de måste åka på "terapiresa" till London för "gruppstärkande övningar". Kommunen ställde upp med resa och hotell. Så hade man fått EU-bidrag. Själva bidrog resenärerna generöst nog med sin "fritid".

Några bord längre bort satt Lennart Broman. Jag vinkade till honom och han kom över till mig.

– Slå dig ner, sa jag. Jag har just fixat omelett och mineralvatten. En sund själ i en sund kropp. Har du varit på gymmet idag?

– Inte än. Men bra idé med omeletten och vattnet. Jag borde ta det också. Och man känner ju inte direkt för stora luncher efter allt som hänt. Han såg dystert på mig.

– Det håller jag verkligen med om. Ja, det har varit dramatiska dagar här på hotellet. Ett olycksfall och ett mord.

– Mord? Det var väl en inbrottstjuv som sköt? Snarare rånmord.

– Ta det inte så bokstavligt. Det är väl polisränderna i dig som aldrig går ur. Mord förutsätter naturligtvis uppsåt och det hade väl inte tjuven. Dödsskjutning kanske är en bättre term. I vilket fall är Erik död vad du än kallar det.

– Jag träffade Anders nyss. Han menade att tjuven varit ute efter några dyrbara frimärken.

– Jag vet. Anders sa det till mig också. Och det är ju möjligt. Han hade i vilket fall ställt till ordentligt. Rivit ut saker på golvet, brutit upp skrivbordslådor och gett sig på kassaskåpet. Jag pratade just med polischefen i Port Louis. Han verkade vara seriös och uteslöt ingenting.

– Hurdå?

– Han till och med antydde att det kunde vara nån som sett filmen som gjort det.

Förvånad såg Lennart på mig.

– Det är väl inte möjligt? Nån av svenskarna?

– Det sa han aldrig direkt och vi var ju inte ensamma på filmen. Men eftersom Erik var svensk så fanns det väl i tankarnas förlängning.

Då kom servitören och höll fram menyn, men Lennart Broman vinkade avvärjande.

– The same as mr Homan, please.

– Kommer vi att förhöras nu tror du?

– Ingen aning, sa jag, men det skulle inte förvåna mig. Fast jag kanske överdriver. Jag kan inte tänka mig att nån av oss skulle ha motiv att skjuta Erik Fridlund. Dom flesta har väl träffat honom första gången härnere. Åtminstone jag.

– Jag är inte så säker på det. Du vet kanske att Erik har varit gift tidigare? Innan Caroline kom in i bilden.

– Jag hörde nånting om det.

– Eftersom jag kände Erik ganska väl, jag var ju hans motpart i förhandlingarna med banken, så vet jag en del om ho-

nom. Och hans första fru är också här. Annika Claesson.
Dom skilde sig för tio år sen.

– Du menar att Annika efter tio år kom hit för att hämnas
och skjuta ner honom i hans bungalow?

– Du frågade om nån av oss kände honom, sa han kort.
Och jag berättade vad jag visste. Sen hade Erik gjort affärer
med hennes sambo.

– Jack?

– Just det. Jack Nelson. Han investerade i ett hotellprojekt
på Bali som Erik höll i. Han hade visst fått ärva, ett företag i
bageribranschen som han sålt. Men affären gick i putten och
Jack blev blåst på pengarna. Fast det var inte Eriks fel. Han
förlorade också sin insats. Managern, hotellchefen som alla
litade på, hade förskingrat och kört hotellet i botten så det
blev konkurs. Fast det var visst Högman som låg bakom hela
projektet.

– Då har vi två kandidater. En försmådd hustru och en
hämndlysten investerare. Och jag tänkte på vad Veda berät-
tat. Om grälet mellan två svenskar där den ene haft guldring i
örat, precis som Jack. Var den andre Erik? Nej, det var säkert
nån lokal småtjuv som varit i farten. På tal om fruar, sa jag
och såg på honom. Caroline är ju här. Det måste ha varit ett
hårt slag för henne.

– Jag är inte så säker på det. Deras äktenskap gick på spar-
låga, minst sagt. Och det skulle inte förvåna mig om hon
snart gifter om sig.

– Verkligen? Och vem är den lycklige?

– Ingen aning.

– Inte? Jag hörde att han älskade Caroline och accepterade
situationen för att inte mista henne.

– Man hör så mycket. Anders antydde att det inte var så
helt med den där kärleken. Erik hade insett att det inte skulle
hålla i längden, det där med att inte bara ha delat sovrum, de-
lade kontinenter också. Så han hade nånting på gång här
nere. Nån lokal förmåga enligt Anders.

– Det var intressant. Sa han vem det var?

– Nej. Han kanske är en gentleman som inte avslöjar da-
mer. Lennart log. Eller också visste han inte. Och det var

211

Erik väl unt. Caroline hade ju sitt på annat håll och det var väl bara pengarna som gjorde att hon inte stack. Men det är en annan sak som bekymrar mig.

Han såg ut över havet. En liten flicka kastade en stor, röd badboll på oss. Den studsade plaskande mot mitt ben. Jag tog den och slängde den i en hög lyra till henne. Hon skrattade och fångade den med händerna.

– Erik ville ju att jag skulle komma hit. Men inte bara på semester. Han var bekymrad för nånting, nånting allvarligt.

– Vad var det?

– Vi hann aldrig tala närmare om det. Han sköt upp det som till idag faktiskt. Behövde mer konkreta bevis sa han. Men det hände så mycket för honom. Olika delegationer kom hit för att diskutera affärer med Anders, stora investeringar både i Japan och Brasilien. Men jag har mina aningar.

– Om vad det rörde?

Lennart nickade.

– Det är bara spekulationer. Kalla det intuition. Men jag vill inte säga nånting om det. Inte än.

Intressant, tänkte jag när jag satt i Jacques gamla jeep på väg hem efter en lång dag i solen. Sandhurst hade kanske rätt i alla fall. Att man inte fick avskriva Eriks död som en panikhandling från en skrämd småtjuv. "Vi utesluter ingenting", hade han sagt.

Det hade ju varit bekvämast både för honom och hotelledningen om man hade klassificerat det som ett inbrott, en dödsskjutning. Beklagligt, tragiskt, men sådant händer. Fast nästan aldrig på Mauritius och verkligen aldrig på President. Med ett undantag förstås, ytterst beklagligt. Fast titta bara på Manhattan, Miami och andra turistfällor. Där var den sortens statistik mycket, mycket värre. Nu stryker vi ett streck över, någon liten småhandlare åker in och vi går ut i solen igen. Punkt slut. Drinkar vid poolen on the house.

Jag kom lagom hem till teet. Jacques satt i en av de blommiga kretongfåtöljerna och läste en tidning. Han lade ner den på bordet och log mot mig.

– Hade du trevligt vid havet?

– Verkligen. Jag förstår dig om du håller dig i skuggan,

men jag måste suga på den här karamellen. Den ska räcka länge. När jag kommer hem ser jag inte solen på flera månader.

– Det är väl att ta i.

– Lite, men inte mycket. Jag menar på min gata. Den är trång och smal med höga hus runt så det dröjer länge innan solen hittar ner. Och då får jag sitta inne i min affär och tänka på dom här dagarna vid havet.

– Jag förstår dig. Nej, vi är nog en smula bortskämda här nere. Och det är inte mycket bättre i Paris heller. Från november till mars är det mest regn och rusk och låga moln. För att inte tala om bensinångorna. Hur gick det förresten, för att nu tala om andra obehagligheter.

– Med vad?

– Du måste väl ha träffat folk på hotellet? Jag tänker på Erik Fridlund.

– Jo, jag träffade både konsuln och polischefen i Port Louis. Sandhurst. Verkade skärpt. Och Douglas Dupont var bekymrad. Här hade han levat i alla år i lugn och ro med en och annan vilsegången turist som tappat pass och pengar. Och nu plötsligt två döda svenskar nästan på en gång. En till och med mördad. Jag fick en känsla av att det mera var pappersexercisen och formaliteterna som tyngde honom. Men han hade tydligen inte känt Erik särskilt väl.

– Och Sandhurst, vad sa han?

Jacques såg på mig, lutade sig fram i den djupa fåtöljen som om han var mycket intresserad av mitt svar.

– Han verkade seriös.

Jacques nickade.

– Jag vet. Han är med i min Rotaryklubb så jag känner honom ganska bra. Hade han några idéer om vad som hänt?

– Faktiskt. Och han verkade inte böjd att bara beteckna det som överraskad inbrottstjuv som skjuter i panik. Han antydde andra möjligheter.

– Som till exempel?

– Att nån som hade varit med på den där filmen vi såg kunde vara inblandad. Någon av svenskarna.

– Menar du det? Han lät tvivlande. Sa han det?

–Nja, inte direkt kanske. Inte rent ut, men det fanns underförstått. Så han kanske kommer att förhöra mig. Dig också. Jag skrattade, men Jacques såg inte det lustiga i situationen.

–Jag hade faktiskt alibi, sa han stelt. Jag satt på bion hela tiden. Precis som du.

–Jag vet. Men Sandhurst antydde att man kunde smyga ut genom någon av dörrarna, skjuta Erik och sen försiktigt ta sig tillbaka igen.

–Gissningar och spekulationer. Det kan han aldrig bevisa.

–Kanske inte. I vilket fall letar han väl motiv nu. Fast han kommer säkert att hamna i utgångsläget igen. Inbrott och överraskad tjuv.

–Vi får hoppas det.

–Men jag hörde nånting annat intressant. Om Erik Fridlund. Han var ju gift, men Caroline bor i Stockholm. Så därför skulle Erik ha nån dam på Mauritius. Vet du nånting om det?

Jacques svarade inte för Veda kom in i rummet. Hon log mot oss, satte sig ner i fåtöljen bredvid sin man.

–Ursäkta att jag är sen, men jag fick ett långt telefonsamtal. Från Sverige faktiskt. Från Björkesta. Allt väl och alla hälsar. Har ni inte börjat än?

–Vi ville vänta på dig, sa Jacques.

–Det var väl snällt. Då ska jag bara gå ut och be Denise ta in en kanna av det nya teet som jag köpte häromdan. Kommer från Mauritius förresten. Man ska gynna den lokala produktionen. Hon reste sig och gick.

Jacques såg efter henne. Så böjde han sig fram, tittade allvarligt på mig.

–Får jag be dig om en sak?

–Visst.

–Tala inte så mycket om det här med pianospelet och Chopin är du snäll. George nämnde ju det i morse. Att han hört musiken. Och du sa nånting om det också.

–Du menar att nån spelar som ett varsel om död?

–Just det. Men det är bara vidskepelse och överspändhet. Du hör vad du vill höra. Vinden i träden, motorbuller och

214

annat som du tolkar om i dina drömmar för att det ska passa in på vad du vill tro. Och Veda är lite känslig. Hon är medial om du förstår vad jag menar. Känner och upplever saker som nästan ingen annan gör. Hon pratade ju om det häromdan. Jag vet inte om det är ett arv från nån gammal indisk vishetslärare, han log ett snabbt leende, men jag vore tacksam om du inte pratar för mycket om det. Och det här med Erik Fridlund har gjort henne ganska uppriven. Inte för att hon kände honom särskilt väl, men både Hans Bergstens olycka och nu Eriks död har gjort henne väldigt nere, fast hon försöker dölja det. Och hon säger att hon har haft föraningar, känt på sig att nånting skulle hända. Så nu tycker hon att det är hennes fel.

– Visste hon att det skulle röra Hans och Erik? Dom här föraningarna alltså.

– Naturligtvis inte, men det var väl den här mediala, parapsykologiska kraften som spökade. Det är ju fullkomligt överspänt och ologiskt att ta det så, men ändå. Hon är mycket känslig.

– Okej, jag ska ligga lågt.

Då kom Veda tillbaka med en porslinskanna i handen, en blå, vackert rundad tekanna med rottinghandtag. Hon satte den på bordet bredvid de vita, höga kopparna. Igen slogs jag av hur vacker hon var. Och plötsligt kom jag att tänka på vad Lennart Broman sagt. Om att Erik haft en relation med en kvinna på ön.

Kapitel XXIV

Jag har redan bekänt en av mina laster, ett av mina behov och kanske det mest trängande. Det som skapade de största abstinensproblemen. Det har ingenting med droger att göra, fast Dry Martinin skulle i så fall ligga bra till. Den består av mina dagliga morgontidningar på den röda plastbrickan bredvid mig i sängen, svag musik från radion i bakgrunden och Cléo som ett litet nystan vid mina fötter. Att väckas av den lätta dunsen på den bruna kokosmattan under brevinkastet ute i hallen. Att tassa barfota ut i köket för att göra iordning frukosten och sedan plocka upp tidningarna på väg tillbaka till sängvärmen med kaffedoften i näsan är den bästa början på dagen jag kan föreställa mig. En rutin lika fast som i en munkordens klostertillvaro. Min intellektuella morgonvesper. Och de få morgnar som tidningarna uteblir är katastrofala, förstör hela dagen.

Av naturliga skäl fick jag varken Svenska Dagbladet eller Dagens Nyheter i Jacques och Vedas hus på Mauritius. Det hade jag klokt nog förutsett. Som på alla utlandsresor hade jag därför tagit med gamla tidningar, lagt dem längst ner i väskan. Men inga kvällstidningar. De är som hamburgare. Aptitliga utanpå men erbjuder inte något tuggmotstånd.

Tiden före min avresa hade jag läst Svenskan ordentligt, men mera flyktigt skummat DN. Den skulle bli min reserv, min buffert för att möta tidiga morgnar i främmande land. En del veckotidningar hade jag också tagit med mig, fått låna dem av Ellen. Ibland hade jag tur, som på President, när jag hittade en kvarglömd Svenskan. Men det var ingenting jag kunde räkna med.

Nu ville jag inte be om frukost på sängen, men gjorde en kompromiss. Innan jag gick ner till frukostbordet låg jag istället en stund och läste ett gammalt ex av DN och jag kände mig som engelsmännen i Somerset Maughams bortglömda romaner. De brittiska gentlemännen som hade gummiplantager i Malackas djungler eller ledde gruvor i någon annan tropik. Hur de satt i smoking, man bytte naturligtvis om till middag, "dressed for dinner" precis som hemma, med Times i fotogenlampans milda sken. Tropikernas alla ljud kom från andra sidan myggnäten i fönstren ut mot den mörka djungeln. Tidningarna lästes i kronologisk ordning, en per dag, med någon månads förskjutning, och jag kan föreställa mig att första sidornas världsnyheter var av mindre intresse än notiserna om dagligt liv i London. Teaterpremiärer, restauranger, bröllop och nekrologer.

Nu var jag inte någon vinddriven yngre son till en engelsk lord som tjänade för Rakel i imperiets utkanter. Istället en alldeles vanlig, nästan i alla fall, antikhandlare från Stockholm som söder om kräftans vändkrets fanns i andra änden på en utdragen navelsträng, närd av det fria ordets höghus i Marieberg.

Och som min fantasis engelsmän hoppade jag över de "stora" händelserna och fördjupade mig i det lilla livet. Både det som redovisades i DN och i Ellens veckotidningar.

Den där morgonen, dagen efter mitt möte med den långe polischefen och den rundnätte konsuln på President hade jag hittat en intressant artikel. Det var en redovisning av praxis när det gällde de olika beteckningar som åsattes tavlor i auktionskataloger. Alltså en klockren fullträff när det gällde mitt professionella liv. Och det var intressant för jag måste bekänna att allt som stod hade jag inte riktigt haft reda på.

En del var självklarheter. Stod det Bruno Liljefors vid en tavla så var det Bruno Liljefors. Var den "tillskriven" honom så var det "troligen" ett verk av konstnären. Beteckningen "hans ateljé" innebar att tavlan fullbordats under konstnärens "överinseende", vad som nu kunde menas med det. Cirklade han runt sina elever med penslarna i högsta hugg och lade till ett drag här och ett där?

Var det inte så Rubens hade gjort i sin målarateljé liksom Balzac vid sitt skrivbord? Den oerhört produktive franske författaren med anställda medförfattare som anonymt skrev efter mästarens intentioner. Det var väl så det gick till i TV-såpornas förtrollande värld. Ett team av författare satt inlåsta i slutna rum för att med jämna mellanrum skicka ut manuskript kilovis till producenterna. Genom en lucka nere vid golvet sköts brickor med mat och sprit in med jämna mellanrum och de släpptes inte ut förrän manuset var klart.

"Hans krets" var ett blygsammare påstående som innebar att tavlan var målad i konstnärens "manér" och under hans livstid, medan "hans art" var samma sak, fast senare, efter hans död alltså. Den svagaste kontakten med mästaren innebar beteckningen "efter", som helt enkelt indikerade en kopia. Och de här beteckningarna var inte oviktiga. Läste man inte det finstilta utan trodde sig ha köpt en "äkta" Bruno Liljefors gick det sedan inte att klaga om målningen befanns vara från hans "krets" eller hans "art". Då hade auktionshuset ryggen fri.

"Ser man inte upp med ögat, får man betala med pungen." Var det inte ett gammalt ordspråk eller någonting ur Bondepraktikan? Jag kom inte ihåg, men innebörden var glasklar. Kolla noga innan du köper, annars blir du lätt bränd. Det ställde onekligen stora krav på auktionshusen som ju måste ha tillgång till sakkunnig expertis av hög kvalitet. Fast där fick man också se upp. Det fanns många exempel på "expertintyg" med imponerande brevhuvuden från mer eller mindre kända auktoriteter ute i Europa, inte minst i Berlin före första världskriget, uppklistrade på tavlors baksidor. För stora pengar var i omlopp för att inte fresta svaga själar.

Bredvid antikartikeln fanns ett inlägg i kulturdebatten. Någon indignerades av att TV:s julkalender genom åren haft drygt femtio mansgestalter i förgrunden mot fjorton kvinnliga. Det gick väl att rätta till, tänkte jag, om man klonade Teskedsgumman och bytte Pelle Svanslös mot Maja Gräddnos.

På förmiddagen följde jag med Veda till några affärer vid textilfabriken söder om Port Louis. Hon skulle köpa presenter till en släkting i England som fyllde år och hade beställt märkeströjor i olika färger. Själv kompletterade jag min garderob med kortärmade sportskjortor. Priset var löjligt lågt och den sortens kläder gick alltid åt. När jag kom hem från affären på kvällarna brukade jag sätta på mig en lätt tröja och en mörkblå lammullspullover, jeans och svarta loafers. Sen kunde jag lägga mig i soffan framför TV:n med fötterna på armstödet och många kuddar under huvudet och följa Bart Simpsons öden och äventyr. Han påminde faktiskt om mina andra favoriter, bröderna Marx. De galna anarkisterna som bröt mot borgerskapets alla regler och konventioner. Groucho Marx memoarer var en skrift jag ofta återkom till.

När jag stod i affären och valde mellan olika färger såg jag plötsligt Anna Palmer med solglasögonen uppskjutna i pannan. Hon höll en mörkblå tröja framför sig i spegeln då hon fick syn på mig, vände sig om och log.

– Du är också ute och fyndar?

– Ja, sen dom har tagit bort taxfree får man väl passa på och göra sånt här istället.

– Det tycker jag var riktigt, sa hon. Ja, det där med taxfree. Det var ju fullkomligt idiotiskt att alla flygplan skulle kånka iväg med tonvis med sprit och man tjänade inte så mycket på dom där flaskorna som folk trodde.

– Nej, men det var trevligt. En sorts sysselsättningsterapi när man satt och hängde på olika flygplatser. Det var roligt att strosa omkring bland det där överflödet och välja och vraka.

– Du låter nästan sentimental.

– Inte alls. Och du har fortfarande chansen.

– Hur då menar du?

– Om du reser utanför EU. Och sen har dom gjort nånting ganska bisarrt. Byggt ut en hamnpir för många miljoner i Mariehamn. Färjorna kan lägga till mitt i natten i tio minuter för att formellt ha gjort det i en hamn som står utanför EU-reglerna av nån anledning. Åland har ju en särskild ställning. Man gör alltså miljoninvesteringar för att Svensson ska kunna köpa whisky hundra kronor billigare. Och nån linje till Helsingfors gör visst en avstickare till Estland av samma orsak. En lång omväg med massor av avgaser från maskinerna

219

för att du ska tjäna några tior på din parfym. Då är det bättre på Mauritius. Här får man ju köpa taxfree när man har landat.

– Jag använder inte parfym. Det är inte inne längre. Och whisky dricker jag inte heller. Så jag är inte part i målet. Anna skrattade.

– Underskatta inte problemet. Den där handeln var ju viktig för rederierna. Nu går priserna upp och folk avskedas. Jag fattar inte att EU måste lägga sig i sånt här. Raka bananer, midjemätta jordgubbar och snus eller inte snus. Riv gränserna och se till att det aldrig mera blir krig i Europa. Det är ju vad det skulle gå ut på. Inte att ta ifrån vanliga människor dom få glädjeämnen de har. Världen är tillräckligt sorglig för att vi inte ska få ha kvar guldkanterna. Tänk bara på stackars Erik.

Min koppling mellan taxfrees försvinnande och Eriks död var inte oavsiktlig. Jag kände igen symptomen. Mina jaktinstinkter hade vaknat. Hade jag för litet att tänka på och göra de här långa, lata dagarna vid havet? Så när jag såg min chans tog jag den. För jag hade en känsla av att Anna Palmer inte enbart hade kommit till Mauritius för att lära sig sin långa utantilläxa och sätta sig in i Hedda Gablers komplicerade psyke. Det kunde finnas andra anledningar också. Helt andra.

Allvarligt såg Anna på mig.

– Fruktansvärt. Jag har kollat om det går att åka hem tidigare, men det går inte om man inte bokar om biljetten och betalar mellanskillnad. Och det kostar så mycket att jag hellre stannar. Fast jag har tappat lusten. Sen är det ju inte bara Erik.

– Du tänker på Hans Bergsten?

Hon nickade.

– Det var ju så onödigt. Ja, inte så att mordet på Erik skulle vara nånting annat, men där var i alla fall en mördare inblandad. Hans hade bara sig själv att skylla. Fast… Hon tystnade.

Jag väntade, sa ingenting, ville inte forcera henne.

– Fast jag har hela tiden undrat. Jag hörde ju röster. Några som grälade. Och sen den där dunsen. Men när jag öppnade dörren och gick ut fanns ingen där. Hans låg nere i hallen utan att jag visste. Hade jag kunnat hjälpa honom? Den tanken lämnar mig ingen ro.

Hon fick tårar i ögonen.

Kapitel XXV

Ljuset brann med klar låga bredvid porträttet i silverram med ett svart sorgflor över ena hörnet. Solen föll genom det stora fönstrets glasmosaik. Väggarna var avskalat vita och rummets strama inredning gav en sakral prägel utan att indikera någon viss religion. Och det var också avsikten, för det lilla kapellet var konfessionslöst. Hit skulle alla kunna söka sig för avskildhet och meditation, ro och kontemplation oavsett religiös tro och uppfattning. Alla, från ateister till katoliker. Den som ville gå till ett visst samfund fick ta sig utanför Presidents väggar. Och det var förståeligt. Bland gästerna måste säkert nästan alla världens religioner förr eller senare vara representerade. Det hade Anders Högman förklarat för mig när vi samlats till minnesstunden utanför det lilla kapellet. Det låg i bortre änden av hotellkomplexet, nära restaurangen där vi ätit middag kvällen då Hans Bergsten förolyckades.

Liksom Jacques och Veda hade jag fått ett kort med inbjudan till minnesakten över Erik Fridlund. Begravningen skulle ske i Sverige, men alla hans vänner och kolleger på Mauritius inbjöds för att ta avsked. Det var undertecknat av Caroline och Anders Högman.

Från bordet under det mångfärgade mosaikfönstret såg Erik ut över salen från sitt foto. Det var nästan fullt. De flesta kände jag inte igen. Det måste vara affärsvänner och kontakter på ön, kolleger från Anders Högmans kontor eller privata vänner. Svenskarna jag träffat på hotellet var också där.

Jag hade hamnat bredvid en ung kvinna i vit dräkt, uppsatt

hår under en svart scarf och mörka solglasögon. Hon höll en liten vit näsduk hårt hopkramad i ena handen och verkade mycket tagen. Jag kände vagt igen henne.

Anders talade. Blek och sammanbiten stod han vid bordet med Eriks porträtt. Han berättade om Erik, om deras år tillsammans. Hur mycket Erik betytt för honom och hans affärsverksamhet. Plikttroheten, lojaliteten. Vänskapen.

Kvinnan bredvid mig snyftade tyst och förde näsduken till ögonen. Så följde dämpad orgelmusik, någonting av Bach innan en protestantisk präst från Port Louis talade om den döde och om det som väntade oss alla.

Det enda vissa, tänkte jag och såg på honom. En liten man i sjuttioårsåldern. Guldbågade glasögon satt längst ut på näsan. En vit rund krage syntes ovanför den svarta prästskjortan. Det gråa håret var mittbenat. En frisyr man sällan såg. Och han var där tydligen inte enbart som präst utan också som god vän och Rotarybroder.

Det enda vissa, det enda demokratiska. Döden förenade oss, vi skulle alla stå på tröskeln. Förr eller senare. Det var en vetskap vi förträngde, det hände andra men inte oss själva. Kunde slå till när som helst. Som i Eriks fall. Med huvudet fullt av planer och tankar inför framtiden hade han kommit in i sin bungalow den där kvällen för att gå igenom viktiga affärshandlingar och så plötsligt. Borta. Tomt och slut. En panikslagen småtjuv. Ett skott.

Fast vänta nu. Erik hade ju sagt att han inte skulle följa med på filmen utan måste arbeta. Då måste tjuven ha kommit tidigt, funnits i huset när Erik kom. Annars hade Erik suttit vid sitt skrivbord när inbrottet skedde. Och då kunde det inte ha varit fråga om ett skott i panik av en överraskad tjuv. För ljuset måste ha varit tänt och Erik synts genom fönstret ut mot trädgården. I så fall var det överlagt mord. Då kunde kroppens läge vara avgörande. Hade han fallit i dörren när han kom eller satt han vid sitt skrivbord?

Jag borde tala med Sandhurst om det. Jag såg på polischefen som satt snett framför mig. Gjorde han som i amerikanska deckarfilmer? Gick på begravningar för att se och observera, identifiera möjliga mördare? Men det kunde inte vara fallet här. Lokala inbrottstjuvar gick säkert inte på minnesstunder för sina offer. Sandhurst var väl också en gammal vän från Rotary eller andra lokala sammanhang. Erik hade ju varit länge på Mauritius och måste ha ett nätverk av vänner och bekanta.

Prästen framme vid bordet avslutade sitt anförande med en kort bön, följd av stilla orgelmusik, och vi reste oss, gick mot dörren.

Jag såg på kvinnan bredvid mig. Hon hade tagit av sig solglasögonen nu. Mörka, förgråtna ögon. Blek. Då kände jag igen henne. Hon hade varit med på middagen den kvällen Erik sköts. Baxter. Hette hon inte det? Anne Baxter?

– Kände ni mr Fridlund? frågade hon.

– Jag är här på besök, semester, och träffade honom bara ett par gånger.

– Jag förstår. Jag var hans sekreterare och därför var jag inte riktigt säker på om vi setts. Det kommer ju så många affärskontakter hit. Ursäkta att jag frågade.

– Sågs vi inte på middagen före filmen?

– Jovisst, nu minns jag. Förlåt mig, men det har varit så mycket nu.

– Det gör ingenting. Nej, det var en verklig tragedi.

Hon nickade, tårar kom i ögonen och igen tänkte jag på vad Anders Högman antytt. Om att det fanns en lokal kvinna med i bilden. Hade Erik haft en relation med sin sekreterare eller var det en ung kvinnas sorg inför sin chefs bortgång som låg bakom tårarna?

– Han hade varit så nere de sista dagarna, sa hon lågt när vi gick genom utgången. Deprimerad och rastlös. Det var nånting som tyngde honom. Jag frågade, men han ville inte svara. Sa att tids nog skulle jag få veta.

– Nånting med affärerna?

– Ingen aning. Eller om det var hans… hans privatliv. Men han sa att han kände sig hotad. Att han behövde min hjälp.

Hon nickade mot mig och gick ut genom dörren, försvann längs den smala stigen med marmorplattorna i det smaragdgröna gräset.

Ute i det starka solskenet hade människor samlats i små

grupper. Jag gick fram till Anders Högman där han stod tillsammans med Annika och Jack och snart anslöt sig Anna Palmer liksom Lasse och Pernilla. Caroline i svart kom sist ut från kapellet. Jacques och Veda fanns en bit längre bort tillsammans med Sandhurst och konsul Dupont och några andra som jag inte kunde identifiera.

– Det var ett fint tal, sa jag till Anders. Jag kände inte Erik så väl men jag förstod på vad du sa att det var en fin människa.

– Det var han verkligen, sa Caroline lågt. Det är så mycket man ångrar nu när allting är försent. Så mycket man skulle sagt och gjort. Tack Anders. Hon kysste honom på kinden.

Jag såg på henne. Spelade hon för gallerierna eller var det allvarligt menat? Men Caroline såg tagen ut, gripen av stundens allvar. Visserligen hade de i praktiken levt åtskilda, men många års äktenskap kunde väl inte raderas ut i en handvändning.

– Jag sa bara vad jag tyckte, sa Anders. Erik var en fantastisk människa. Han kanske verkade lite tyst och tillbakadragen, tog aldrig för sig, men hade stora kvaliteter. Jag saknar honom mycket. Både som vän och kollega. När blir begravningen?

– Jag vet inte riktigt, sa Caroline. Det blir först en utredning härnere och sen förs han till Stockholm. Jag måste tala med hans mamma också. Om det praktiska. Men det finns en familjegrav. Hon är alldeles nerbruten, stackarn. Så jag åker hem så snart det går.

– Hade han bara stannat och sett filmen så hade det aldrig hänt.

Pernilla såg på oss med klara, blå ögon. Och igen associerade jag till en barbiedocka. Inte på ett negativt sätt, jag visste ju att hon var skärpt. Men hon hade den där friska, omedelbara fräschören. Den där blonda, påtagliga, fysiska utstrålningen som man nästan bara ser i annonser för öppna sportbilar eller i andra sammanhang där skönhet och sex kopplas ihop till ett säljande budskap. Hur väl hade hon känt Erik?

Men jag slog bort tankarna. Jag kunde inte koppla ihop honom med varenda kvinna jag träffade på Mauritius. Fast det var så min fantasi fungerade. Rusade runt, vädrade efter alla spår som en jakthund som just släppts i skogen. Och liksom ordspråkets blinda höna fann jag ibland ett korn där man minst kunde ana det.

Min lösliga tankeflykt bröts av Sandhurst och konsul Dupont som kommit fram till oss.

– Madame, än en gång beklagar jag sorgen. Den långe polischefen bugade lätt mot Caroline och den rundnätte konsuln grymtade instämmande.

– Några spår? Anders Högman såg på Sandhurst.

– Tyvärr inte. Vi går just nu igenom våra register. Kontrollerar kända klienter som varit inblandade i rån och annat grovt våld för att checka deras alibin för mordkvällen. Det tar tid, men är effektivt. Parallellt arbetar vi med andra motiv.

– Som till exempel?

– Den gamla vanliga uppsättningen. Han log ett tunt leende. Hat, passion, svartsjuka. Pengar. Gamla oförrätter. Hela katalogen.

– Har ni anledning att tro nånting sånt? Lasse drog Pernilla närmare sig, beskyddande.

– Vi utelämnar ingenting. Men det är ju oerhört svårt. Vi vet så lite om mr Fridlund och hans bakgrund. Så vi ska göra en kartläggning och är tacksamma för era bidrag.

– Hurdå? Undrande såg Anna Palmer på honom.

– Jag kommer att kalla er till förhör.

Han höjde avvärjande en hand när han såg reaktionen.

– Det är absolut ingenting annat än ren rutin. Ingen av er är misstänkt, men vi måste för utredningens skull få era uppgifter om vad ni hade för er på mordkvällen, fortsatte han.

– Vi var på bio, sa Jacques. Såg en fånig film om nån som skulle gifta bort sin dotter.

– Jag vet, men vi har som sagt våra rutiner. Och det tar inte lång stund. Ni européer är väl inte alltid imponerade av vad vi har för oss i den här delen av världen, men jag kan försäkra er att när det gäller polisarbete så behöver ni inte vara oroliga. Själv är jag utbildad vid Scotland Yard och min närmaste man har praktiserat på Manhattan. Som polis alltså. Han log ett tunt leende.

–Om nån av er behöver hjälp så står jag till tjänst, sa Douglas Dupont. Jag är ju svensk konsul och ska bistå alla svenskar som har problem.

–Ni menar att om nån av oss har skjutit Erik Fridlund så behöver vi svenska UD och lokala advokater? Anders Högman lät ironisk.

–Inte alls. Jag menar inte så. Det är klart att ingen av er har nånting att göra med den här tragiska händelsen. Tvärtom. Jag menar bara att jag... ja, att jag är här, att jag finns. Han tystnade, såg osäkert på oss.

–Det var omtänksamt, sa Annika litet tröstande. Hon såg hur generad han blivit. Jag lovar höra av mig om polisen försöker tortera mig.

Hon log mot Dupont som såg lättad ut och log tillbaka. Men det gjorde inte Sandhurst. Det märktes tydligt att han inte uppskattade Annikas kommentar.

–Jag hör av mig, sa han kort och gick. Konsul Dupont följde bakom honom. Som en jolle efter en segelbåt.

–Var det ett löfte eller ett hot? Lennart Broman skrattade, men ingen av de andra instämde. Oroligt såg de på varandra. Det var knappast vad de tänkt sig. Att en solig semester på Mauritius skulle sluta med polisförhör om mord. Inte för att de hade någonting att oroa sig för, men kontakter med polisen är ju inte alltid särskilt behagliga. Inte så att man blir utsatt för övergrepp eller blir illa behandlad, men själva känslan att sitta inför en förhörsledare och bli utfrågad är inte särskilt lustig. Överheten bar inte sitt svärd förgäves, det hade vi lärt oss sedan Gustav Vasas dagar.

Jag tänkte på den ilning av obehag som går genom mig när jag får ett brunt kuvert från skatteverket och andra myndigheter eller ser en poliskontroll efter landsvägen ute på mina auktionsräder i landet. Blir jag invinkad? Har jag med mig körkortet? Körde jag för fort nu? Och hur var det med den där omkörningen nyss? Fanns det kameror i buskarna?

En minnesbild kom för mig. En gång på en bred väg i soligt sommarväder hade jag tagit ut en ordentlig sväng när jag körde om en stor långtradare. En polisbil vinkade in mig och talade om att min bil varit en tredjedel utanför mittremsan.

Mitt argument att det inte varit mötande trafik annat än på långt håll och att det inte var dubbelstreck viftades bort. Klokt nog höll jag tyst med att jag inte hade en aning om den föreskriften. Jag fick böta nästan en tusenlapp och fick gå med manande ord att om mer än hälften av bilen varit ute på andra sidan så hade jag mist körkortet.

Det var väl den sortens känslor som låg i botten när Sandhursts ord om polisförhör och kallelser begrundades. Åtminstone om man fick tro ansiktsuttryck och kroppsspråk i den lilla gruppen runt mig.

– Jag undrar om det inte är lika bra att åka hem, sa Jack Nelson och tände en cigarrett. Det här kan bli obehagligt och ta tid. Jag ska tala med den där snutkaptenen.

– Det tycker jag inte du ska göra, kom det skarpt från Annika. Du har absolut ingenting att vara rädd för, men om du vill åka hem meddetsamma så kanske han börjar undra. För väl i Stockholm kommer han inte åt dig.

– Vaddå kommer åt? Jag har väl för fan inte skjutit Erik eller försökt knycka hans grejer?

– Jag vet det. Men det vet inte Sandhurst.

Kapitel XXVI

Jag slog på den höga dörren i panik. Bultade frenetiskt med knytnävarna. Därinne ekade mina slag, men dörren förblev stängd. Bakom mig kom tåget rusande med bländande lyktor, närmare och närmare. Tågsättet bullrade över de blanka skenorna, högre och högre. Jag skrek, men inget ljud kom ur min mun.

Så vaknade jag. Det bländande skenet kom tillbaka i en sekundsnabb, vitblänkande urladdning. Åskan mullrade som fartygskanoner ovanför taket och ett rytmiskt, dunkande ljud kom från fönstret. En lucka måste ha kommit loss.

Jag lyfte upp fönsterhasparna, men kunde knappt öppna fönstret, så stark var vinden. Jag tog tag i den ena fönsterluckan som slog mot väggen och lyckades fästa den nedre haken.

Regnet stod som en vägg i nattmörkret, trummade mot taket till slavhuset nere på gården, smattrade mot taket ovanför mig. De stora träden riste och våndades i de kraftiga stormbyarna och palmerna på gårdsplanen böjde sig nästan helt ner mot marken för vinden. Som om de bugade djupt inför övermakten. Då och då hällde åskan ut sina stora stenar på nattens plåttak och väsande blixtar exploderade mot himlen.

Det måste vara en cyklon, Mauritius gissel. Det verkade som om vinden tilltog i styrka, huset skakade under anloppet och på avstånd hördes braket när ett träd vräktes omkull. Hade blixten slagit ner? Men Jacques hade säkert åskledare på huset.

Jag skulle just dra ner gardinen igen när jag skymtade nå-

229

got vitt utanför slavhuset. I skenet av nästa blixt såg jag bättre. En man gick därnere. En vitklädd gestalt, en svart man i en lång, vit skjorta. Han höll händerna framför sig, som för att avvärja ett hot. Men i nästa magnesiumvita blixt var han försvunnen. Hade det varit en reflex i slavhusets mörka fönsterrutor, ett vitt sken som i min fantasi tog gestalt? Så måste det vara. Ingen klok människa gav sig ut i det här vädret mitt i natten.

Jag gick och lade mig igen, men kunde inte somna. Det verkade som om cyklonen tilltog. Vinden hade växt till ett dånande, konstant ljud och smattret mot taket tilltog. Ett allt högljuddare bakgrundsmuller. Då kom jag att tänka på vad Veda berättat första kvällen. Om PomPom. Den avrättade slaven som visade sig om natten. Och den som såg honom skulle råka mycket illa ut. PomPom var ett omen, ett ont förebud. Det var hans hämnd från andra sidan graven. Var det min tur nu?

Men jag log för mig själv där jag låg i min trygga, varma säng. Skrock och vidskepelse. Vandringssagor. Avrättade slavar kom inte tillbaka. Det var bara min fantasi som hade övertolkat reflexerna i fönsterrutorna som flimrat förbi under blixtens bråkdelar av sekunder. Så somnade jag trots elementens raseri ute i den svarta natten.

Bultningarna kom tillbaka, dunkandet trängde genom sömnslöjorna och jag vaknade. Hade fönsterluckan lossnat igen? Jag såg på klockan. Nio! Så länge hade jag inte sovit på den dag jag mindes.

Solen sken bakom gardinen. Ute var det tyst och stilla. Regnet hade slutat, cyklonen passerat. Knackningen på dörren kom tillbaka.

– Kom in.

Veda stod i dörröppningen.

– Cyklonen har gått över, sa jag. Det var ett förskräckligt oväder i natt.

Hon log.

– Det var inte nån riktig cyklon. Bara en liten förövning. En aptitretare. You ain't seen nothing yet, som Reagan brukade säga. För drygt hundra år sen hade vi en katastrof här där cyklonen dödade över tusen människor och skadade dubbelt så många. En tredjedel av husen i Port Louis förstördes. Mer än hälften av alla kyrkor och kapell blev ruiner och begravde människor som sökt skydd där. Hela byar blåste bokstavligen talat bort och femtiotusen människor blev hemlösa. Flera hundra tusen träd vräktes omkull och sockerrörsskörden förstördes. Vi har sluppit cykloner dom senaste åren, men vindbyarna kan komma upp till tvåhundraåttio kilometer i timmen.

– Då kom vi lindrigt undan i natt. Men jag har försovit mig. Normalt vaknar jag senast sex.

– Du har semester. Då har man rätt att sova länge. Fast idag är jag rädd för att du måste masa dig upp nu för William Sandhurst vill träffa dig.

– Sandhurst?

– Polischefen. Han var ju med vid minnesstunden.

– Jag vet. Jag har träffat honom. Är han här?

Veda nickade.

– Han väntar därnere. Det gäller Eriks död. Men var inte orolig. Han har pratat med Jacques och mig också. Ren rutin sa han.

– Okej. Ge mig fem minuter.

– Ingen brådska. Han sitter med Jacques i salongen. Hon gick.

Jag gjorde en snabbrakning i badrummet, borstade tänderna och klädde på mig. Vad kunde Sandhurst vilja mig? Det måste vara rutin som Veda sagt. I hans rapport ville han väl ha in så många uppgifter som möjligt från alla som var med på middagen och som såg filmen. Normal polisprocedur.

Jag öppnade fönstret. Lugnt, tyst och stilla. Bara ett kullvräkt träd och stora vattenpölar på gårdsplanen framför det gamla slavhuset indikerade det tropiska ovädret som väckt mig. Om PomPom hade jag inte berättat för Veda, tänkte inte göra det heller. Just väckt ur mina mardrömmar hade jag sett blixtarna flamma upp i fönsterrutorna. Inga spöken fanns, gamle PomPom var längesedan död och begraven och det räckte med Chopin natten när Hans Bergsten dog. Kom jag dragande med fler spöken skulle de säkert tro att jag var knäpp. Fast helt kunde jag inte släppa tanken på vad Veda sagt om PomPom. Att han var ett dåligt omen.

– Godmorgon.

Överintendent Sandhurst reste sig när jag kom in i salongen. Han log sitt kyliga leende, nickade åt Jacques som drog sig tillbaka och jag satte mig mitt emot den långe polischefen.

Han satt tyst en stund och såg på mig. Det kändes obehagligt. Inte för att jag hade dåligt samvete, men de ljusgrå, kalla ögonen som forskande betraktade mig berörde mig obehagligt. Det var som om han visste någonting om mig, någonting ofördelaktigt som han snart skulle avslöja sedan jag vecklat in mig i lögner och undanflykter. Men det kanske var ett led i den polistaktik han lärt sig på Scotland Yard? Att man skulle sitta stilla och se på misstänkta figurer, ungefär som en orm ser på en hypnotiserad fågel, tills de bröt ihop och erkände. Skillnaden var bara att jag inte hade någonting att bekänna. På bordet framför honom fanns en liten bandspelare. Han böjde sig fram och knäppte på den.

– Well, mr Homan. Ett snabbt leende som inte nådde ögonen. Jag är ledsen om jag besvärar, men det ingår i våra rutiner när det gäller mordfall att göra en så noggrann utredning vi nånsin kan. Och det har ni väl ingenting emot?

– Inte alls. Tvärtom.

– Bra. Låt mig bara först säga att ni alltså inte är misstänkt för nånting. Ren rutin som jag sa. Jag har redan talat med många av dom som fanns runt Erik Fridlund kvällen han sköts. Mina assistenter fortsätter med serveringspersonal och andra anställda på hotellet. Sen finkammar vi naturligtvis våra register och plockar in grovt belastade klienter som är på fri fot. Och där har vi alla ett intresse. Inte enbart rättvisan och lagen. Också turistindustrin som är en av våra största inkomstkällor.

– Turistindustrin?

– Det är illa nog att vi får ett mord på halsen och att det är en utlänning. Det ger mycket publicitet, inte minst utomlands. Men sånt händer, det kan förklaras. Inget land är utan brottslighet. Fast ännu värre vore det om man skulle få för sig att polisen här ser genom fingrarna eller inte sätter in alla resurser på att hitta den skyldige. Det gäller alltså att återställa förtroendet, att folk inser att det var en engångsföreteelse och att den skyldige straffas. Och straffas hårt.

Jag nickade, jag förstod. Men i mitt stilla sinne undrade jag om det här med turismen inte kunde leda till att man till slut låste in någon stackars uteliggare som inte kunde försvara sig.

– Först vill jag veta varför ni kom till Mauritius.

– Semester. Min fästmö är släkt med Jacques och Veda. Det är därför vi bor här.

Han nickade, visste ju redan men det måste väl stå i rapporten. Ordet fästmö kändes litet avigt, särskilt på engelska, men jag ville inte använda den svenska terminologin med sambo, särbo och delsbo. Det hade han säkert inte riktigt förstått. Dessutom hade jag inte någon bra översättning. Det enda jag kom på var "mistress". Men det hade kanske varit i häftigaste laget.

– Hur väl kände ni mr Fridlund? kom nästa fråga.

– Jag träffade honom första gången på hotellet. Sen fiskade vi tillsammans och åt middag ett par gånger. Pratade rent allmänt. Men vi hade inte någon närmare kontakt.

– Jag förstår. Och mordkvällen?

– Då var jag tillsammans med dom andra. Vi tog några drinkar och sen åt vi middag på restaurangen. Jag följde med på filmen också.

– Skulle ni kunna berätta vad den handlade om. Jag har själv sett den. Igår. På hotellet alltså.

Förvånat såg jag på honom. Vad menade han?

– Vad den handlade om? Om ni har sett den så vet ni väl. En amerikansk komedi med Steve Martin. Snällt och oförargligt. Nånting om att han skulle gifta bort sin dotter.

– Ni kan inte vara mer precis?

– Det var den där sortens film som går in genom ena ögat och ut genom det andra. Jag log, men han besvarade inte mitt leende. Och ska jag vara riktigt ärlig så somnade jag mitt i.

– Ni somnade? Nu hade blicken blivit vaksam.

– Jag hade legat vid poolen hela dagen. Och sen ett par drinkar i baren, vin till middagen och ja, jag slumrade till helt enkelt. Har det aldrig hänt er?

– Jag brukar normalt inte titta på amerikanska komedier, sa Sandhurst avmätt, men jag förstår vad ni menar. Har ni nån uppfattning om hur länge ni sov?

– Ingen aning. Man somnar in och vaknar med ett ryck. Och med den där sortens filmer kan man komma in var som helst i handlingen utan att ha missat nånting väsentligt.

– Kunde det ha rört sig om tio minuter? En kvart?

– Det vet jag inte. Men det är möjligt. Hurså?

Han svarade inte, men jag förstod vad han tänkte. Det var väl ungefär den tid det tog att smyga ut ur biosalongen och bort till Eriks bungalow, skjuta honom och sedan obemärkt ta sig tillbaka.

– En ur serveringspersonalen såg er gå ut under filmen, ut i korridoren.

– Det glömde jag faktiskt. Tänkte inte på det. Men jag blev väldigt törstig. För mycket salta jordnötter. Och det fanns ett bord med mineralvatten och glas därute.

– Jag förstår. Och ni kände till att mr Fridlund hade värdefulla frimärken?

– Ja. Anders Högman hade berättat det.

– Jag vet. Han nämnde det för oss. På tal om pengar, hur är er ekonomi?

– Vad har det med mr Fridlund att göra?

– Jag inser att det kan vara en känslig fråga, om era personliga förhållanden. Men om ni föredrar att inte svara kan vi lätt få fram uppgifterna från våra svenska kolleger. Jag har förstått att ni har ett omfattande skattesystem med världens högsta skatter. Och att ni alla är mycket noga registrerade också när det gäller inkomster och förmögenhet.

Nu blev jag arg. Vad var det han insinuerade egentligen? Skulle jag med min knackiga ekonomi försöka stjäla Erik Fridlunds frimärken och sen skjuta honom när jag blev upptäckt?

– Jag förstår verkligen inte frågan. Men om det kan intres-

234

sera er så har jag en antikaffär i Stockholm och klarar mig bra. Har hittills inte legat nån till last.

– "Klarat sig bra." Hur definierar ni det?

– Att jag betalar min hyra och mina räkningar i tid. Skatterna också. Att jag har mat för dagen och kläder på kroppen. Och mat till Cléo.

Jag hade anslagit en skämtsam ton för att lätta på spänningen, men det hade motsatt effekt. Misstänksamt såg han på mig.

– Så ni håller näsan ovanför vattenytan?

– Det kanske man kan säga. Fast mer än nästippen. Större delen av kroppen faktiskt.

– Som antikhandlare känner ni naturligtvis till värdet av dom här frimärkena. Dom är faktiskt också antika.

– På ett ungefär.

– Och ni har ett kontaktnät i dom här kretsarna? I den internationella antikhandeln, bland auktionshusen?

– Ja. Det hör till mitt yrke.

– Jag förstår.

Och jag såg på hans kalla, beräknande ögon att han gjorde en analys av situationen och blev ganska nöjd med resultatet. En fattig antikhandlare med ett stort internationellt kontaktnät som påpassligt nog somnar under filmen så att han inte kan redogöra för innehållet, och som "glömmer" att han gått ut under föreställningen. Ungefär samtidigt som Erik sköts. Räknade han med Bingo? Skulle hans gamla lärare på Scotland Yard skicka telegram?

– En helt annan sak, fortsatte Sandhurst. Vi hade ju ett olycksfall också på hotellet. En annan svensk, mr Bergsten. Vad hade ni för relationer till honom?

– Jag träffade honom också härnere. Vi var på middag tillsammans den kvällen han ramlade i trappan.

– Kände ni honom innan?

Jag satt tyst, övervägde. Skulle jag berätta? Hur mycket visste han? Eftersom jag glömt bort mitt mineralvatten så kanske det var bäst att ta tjuren vid hornen.

– Jag hade faktiskt träffat honom en gång tidigare. I Stockholm.

235

– Verkligen? I vilket sammanhang?

– Jag köpte en silverskål av honom. Jag är ju antikhandlare.

– Så ni hade affärstransaktioner ihop?

Han fick det att låta som om vi var delägare i ett finanskonglomerat, gjorde snabba klipp på börsen, köpte och sålde.

– Det är väl att ta i. Han kom in i min affär och ville sälja sin skål och jag köpte den. Mer var det inte.

– Jag förstår. Så ni kände inte till hans relationer till mr Fridlund?

– Nej. Jag skakade på huvudet. Ingen aning.

Sandhurst böjde sig fram och stängde av sin bandspelare.

– När åker ni hem till Sverige igen?

– Om nån vecka. Men nu vet jag inte.

– Inte? Hurså?

– Det har hänt lite för mycket för att det ska vara trevligt. Mr Bergsten förolyckas och mr Fridlund skjuts.

– Så nu tycker ni att det skulle vara behagligare att försvinna?

– Försvinna vet jag inte. Men åka litet tidigare kanske. Vi får se.

– Jag vore tacksam om ni stannade, mr Homan. Och kanske längre än en vecka. Tack för samtalet. Han reste sig, tog sin bandspelare, nickade och gick.

Jag satt kvar och såg efter honom. Hörde en motor starta ute på gårdsplanen och såg polisbilen sakta rulla bort genom vattenpölarna.

Hade Veda haft rätt? Var PomPom ett dåligt omen? Levde "gris-gris" kvar från slavtidens svarta magi och voodookult? Jag kände att jag låg risigt till. Överintendent Sandhurst jagade säkert fjädrar i sin karriärhatt. Skulle jag bli ett lyckat tillskott till samlingen? En fattig antikhandlare utan alibi som sett sin chans. Som smugit ut från filmen och "glömt" att berätta det, skyllt på mineralvatten. Haft affärstransaktioner med Hans Bergsten som förolyckats, ingen visste riktigt hur. Och som kände till att Erik hade några av världens dyrbaraste frimärken inlåsta i sin bungalow.

Om gamle PomPom varit ute efter hämnd hade han börjat bra. Tyvärr visste han inte att min familj aldrig ägt några slavar på Mauritius. Han hade valt fel måltavla.

Kapitel XXVII

Jag borde väl ha ringt först tänkte jag när jag tryckte på ring-klockan till Anders Högmans holdingbolag. "Mercur Inc." stod det på mässingsskylten och under "Erik Fridlund, Pre-sident". Anders ville tydligen inte exponera sig själv. Han var väl styrelsens ordförande och hade låtit Erik sköta det löpan-de. Ett passande namn förresten, för Mercurius var ju den romerska skyddspatronen för handel och köpmän. Men jag hade inte numret och det jag ville diskutera lämpade sig inte för telefon. Istället körde jag ner till President på vinst och förlust.

Jag hade ändå ingenting för mig och Sandhursts besök hade gjort mig orolig. Inte för att jag trodde att jag var miss-tänkt för någonting, men hans tonfall och sätt att se på mig hade inte varit särskilt trevligt. Och det Eriks sekreterare sagt igår gjorde att jag måste tala med henne. För Erik hade tydligen varit deprimerad och rastlös. Hade känt sig hotad. Det skulle väl i så fall vara ett fetare köttben för Sandhurst att bita i än att tro att jag var inblandad.

Jag förstod att han måste vara grundlig, finkamma alla personer som varit med den där kvällen och leta motiv, men ändå var det obehagligt. Inte för att jag hade det särskilt fett eller levde i överflöd, men än så länge räckte det till Dry Martini för mig och strömming åt Cléo. Mord behövde jag inte begå för att få det att gå ihop.

Det hördes steg bakom den massiva teakdörren, den öpp-nades och där stod hon, kvinnan från kapellet. Långt svart hår som föll över skuldrorna. Vit tunn skjorta. Vita, långa shorts

och vita skor. Allt i bländvit kontrast mot det mörka håret
och den lätta solbrännan.

– Vi träffades igår, sa jag. I kapellet.

– Javisstja. Vi satt bredvid varandra. Hon log ett snabbt,
professionellt leende, som en flygvärdinna ungefär.

– Jag skulle gärna vilja tala med er om mr Fridlund.

Hon såg oförstående på mig.

– Vad skulle det vara? Är ni en affärskontakt? Då är det
bättre ni talar med mr Högman. Jag är bara sekreterare här på
kontoret.

– Det gällde Erik Fridlund personligen. Och det ni sa om
honom.

– Inte för att jag vet vad ni är ute efter, men stig på. Ogill-
landet i rösten var klart märkbart.

Jag gick in i rummet. Det var stort och gick helt i vitt.
Fönstret på kortsidan vette ut mot havet och genom en halv-
öppen dörr såg jag ett skrivbord och en stol. Eriks arbets-
rum?

– Varsågod och sitt.

Hon gjorde en gest mot en liten soffgrupp i blankt stål och
svart läder runt ett glasbord på spinkiga ben. Jag satte mig i
en av de låga fåtöljerna.

– Någonting att dricka? Kaffe? Mineralvatten?

Jag skakade på huvudet.

– Nej tack. Jag har just ätit frukost och jag ska inte vara
långrandig. Jag heter alltså Johan Homan och kommer från
Sverige. Turist. Men jag bor inte på hotellet utan hos några
vänner, de Selons.

– Jag förstår det. Jag såg er tillsammans och Erik nämnde
nånting om det. Vad var det ni ville veta?

– Det där ni sa igår. Om att Erik Fridlund kände sig hotad.
Var deprimerad.

Hon satt tyst, såg på mig.

– Får jag fråga varför ni vill prata om det?

– För att jag kände honom, sa jag med en vit lögn, men var
man misstänkt för mord av polisen på Mauritius fick ända-
målen helga medlen. Jag var inte övertygad om komforten i
fängelsesystemet. Och jag är inte säker på att det var en van-

239

lig inbrottstjuv som blev överraskad och sköt i panik.

– Varför inte? Det tror åtminstone polisen. Men ni kanske vet bättre?

– Inte alls, sa jag snabbt. Men jag tror att det kan finnas flera dimensioner av det här tragiska fallet.

– Erik Fridlund var inte något fall, sa hon skarpt. Han var en levande människa, en i högsta grad levande människa och nu är han död. Reducera honom inte till ett "fall" är ni snäll.

– Förlåt, jag menade inte så. Jag undrar bara om ni har berättat för polisen vad ni sa till mig? Om hotet?

– Ingen har talat med mig än. Dom har väl inte hunnit hit i sina listor. Och varför skulle dom göra det förresten? Jag såg också filmen, satt längre bak än dom som var med på middagen. Satt tillsammans med en del andra från kontoret. Om Erik skjuts av en inbrottstjuv så jag vet inte mer än nån annan.

– Jag förstår. Men å andra sidan känner ni säkert till mer om Erik som person än dom flesta.

– Hurså? Det kom en skarp klang i rösten. Trodde hon jag insinuerade någonting? Och jag tänkte på vad Anders Högman sagt om en "lokal" kvinna i Eriks bakgrund.

– Ni var ju hans sekreterare. Umgicks dagligen med honom mellan nio och fem eller vad ni har för kontorstider. Och ni hade ju märkt att han var deprimerad. Så om det inte var en vanlig tjuv som sköt så måste det ha varit någon annan. Det måste finnas ett motiv. Och om Erik kände sig hotad kan det leda till hans mördare.

– Får jag fråga om ni är polis? Anne Baxter lät ironisk.

– Inte alls.

– Varför sitter ni då och förhör mig? Jag har ingen som helst anledning att svara på era frågor.

– Okej. Och jag lade korten på bordet. Såhär är det. Jag har en känsla av att polisen tror att jag kan ha nånting med mordet att göra. Inte att jag är en mördare, utan det är väl mera rutin. Dom nystar på allt dom hittar och checkar med alla som var med den där kvällen. Men det är obehagligt. Så därför kom jag att tänka på vad ni sagt om hotet, om att Erik kände sig pressad. Att det alltså kunde vara mördaren han var rädd för.

–Jag förstår. Ni behöver hjälp och kommer till mig. Hon log, rösten var vänligare nu.

–Just det.

–Jag tror inte jag kan vara till mycket nytta i så fall. Det enda jag vet är vad jag sagt. Jag ska naturligtvis tala om det för polisen, vad det nu kan få för effekt. Men jag är säker på att om nån vecka så har dom hittat tjuven. Såna där brukar aldrig vara särskilt smarta. Han kommer säkert att försöka sälja nånting han fick med sig från Eriks bungalow och då åker han dit. Hans Rolex kanske. Eller så använder han nåt kreditkort. För det har skrivits mycket om det här i dom lokala tidningarna, tyvärr.

–Dåligt för affärerna?

Hon nickade.

–Litet cyniskt kanske, men så är det. Turismen är ju vår mjölkko. Fast människor glömmer snabbt tack och lov och det kommer nya turister inflygande hela tiden.

–En sak bara. Hur var Erik som människa?

Förvånat såg hon på mig.

–Hur menar ni?

–Ja, som person, som chef. Ni arbetade ju nära ihop.

–Han var underbar, sa Anne Baxter lågt. Omtänksam, vänlig. Snäll och humoristisk. Brusade aldrig upp eller blev irriterad. Jag kommer att sakna honom. Väldigt mycket.

Telefonen ringde. Anne gick till sitt skrivbord. Medan hon talade bläddrade jag i senaste numret av the Economist som låg på bordet. Och jag fördjupade mig i en artikel som var mycket intressant.

Då öppnades dörren och Anders Högman kom in med några papper i handen. Han hade en kortärmad, mörkblå tröja med Ralph Laurens polospelare i rött, vita shorts och Nikeskor. Såg mera ut som om han var på väg till tennisbanan än som högeffektiv chef för en finansiell världskoncern.

–Johan? Är du här? Han log och gick fram till mig, tog i hand med ett kraftigt handslag. Sportigt, machoaktigt, som om han just vunnit sin tennis och tackade förloraren för god match med ett leende som antydde att hans seger bara varit rena turen.

– Mr Homan vill veta allt om Erik Fridlund, sa Anne Baxter.

– Nu förstår jag inte riktigt. Och hans leende försvann. Vad är det du vill veta?

– Det har med mordet att göra.

– Inbrottet menar du. Polisen säger ju att det var en tjuv som sköt, nån som blev överraskad och skrämd.

Precis som Anne, tänkte jag. Han ville heller inte ta ordet mord i sin mun.

– Jag tror att det kan ligga nånting annat bakom. Att det kunde finnas andra motiv än frimärken och pengar.

Anders Högman såg på mig. Så vände han sig till Anne.

– Vill du vara snäll och registrera dom här papperna och sen komma över med hela akten. Och om du Johan kommer med in på mitt kontor så kan vi sitta ner i lugn och ro och prata igenom den här tragiska händelsen. Jag förstår att du har nånting på hjärtat. Han log vänligt, tog mig i armen.

Vi gick längs en lång korridor. Kom fram till en glasdörr längst bort, utan namnskyltar eller andra indikationer på vad som fanns bakom, och stod i ett stort rum som verkade mera salong än kontor. Orientaliska mattor, högklassig konst på väggarna, ett stort skrivbord i fransk, bullig ny-Louise-seize-stil med mycket guld och krusiduller. Det enda som antydde arbete var en stor dator med skrivare på ett lågt bord bredvid en faxapparat. På några TV-skärmar ploppade börskurser fram.

Vi satte oss i ett par fåtöljer vid fönstret. Rummet låg i bottenplanet och utanför blommade röda och gula tropiska blommor skamlöst yppigt hitom en bit grön gräsmatta som gick fram mot en låg stenmur. Bakom låg den vita stranden och det turkosfärgade havet. Längst ut mot havshorisonten krusade sig de vita bränningarnas eviga rand över korallrevet.

– Du intresserar dig tydligen för Eriks död, sa Anders utan några inledande fraser, gick direkt på sak. Hur väl kände du honom?

– Egentligen inte alls. Vi träffades bara här nere några gånger. Men den här Sandhurst, polischefen, ställer lite konstiga frågor till mig.

–Verkligen?

–Han säger ingenting rakt ut, men det verkar som om jag är intressant för hans utredning. Och jag förstår inte varför.

–Inte jag heller, men han är känd för att vara noggrann. Men eftersom du inte är inblandad har du naturligtvis ingenting att vara rädd för.

–Det är klart, men det är ju alltid lite obehagligt när man blir intressant för polisen. Det var därför jag träffade Anne Baxter.

–Hon har väl ingenting med polisen att göra?

–Nej, men hon var ju Eriks sekreterare. Och hon sa nånting till mig när vi sågs i kapellet igår. Nånting om att Erik kände sig hotad, var rädd.

–Gjorde hon verkligen det? Spänt såg Anders på mig, som om han ville vara säker på att han hört rätt.

–Ja, och att han var deprimerad. Jag bad henne berätta det för polisen. För om någon hotat honom så kunde det ju varit hans mördare.

–Jag förstår om du tycker det är olustigt att bli utfrågad av polisen, men jag tror nog att dom tycker att det är ett ganska klart fall. Inbrott och panikskjutning. Det är ju inte ovanligt. För om det var nån som hotat Erik och sen mördat honom så hade det väl skett på ett annat sätt.

–Varför det?

–I så fall hade väl han eller hon varit lite mer direkt. Skjutit Erik och sen försvunnit. Inte behövt riva ut skåp och lådor, stjäla plånboken och klocka och frimärken.

–Det håller jag inte med om. Tvärtom. För polisen letar ju efter en skrämd småtjuv som har överreagerat. Och det kanske är precis meningen. Ett falskt spår som polisen har svalt.

–Du menar att det rör sig om ett kallblodigt mord som kamouflerats till inbrott och vådaskott?

–Kanske. Jag har ingen aning om vad som hände i hans bungalow, men det är åtminstone en möjlighet. Du som kände Erik så väl och arbetade med honom måste väl veta om han hade nån anledning att känna sig hotad?

Anders Högman såg på mig, som om han tänkte över vad han skulle säga.

– Jag håller med Anne, sa han sedan. Erik var sig inte riktigt lik dom sista veckorna. Jag trodde först att det hade att göra med hans privatliv. Där fanns ju många lönndörrar och hemliga gångar. Men det fanns nånting annat också. På den mera professionella kanten.

– Affärer?

Anders nickade.

– Erik var en mycket skicklig marknadsanalytiker och strateg, dessutom beslutsför. Kunde genomföra stora och komplicerade affärer på ett lysande sätt. Men jag har en känsla av att han hade egen business vid sidan av. Det fick han ju gärna ha så länge det inte blev några problem för mig. Fast jag tror att han gett sig ut på hal is. Och att det var det som oroade honom.

– Vad skulle det vara?

– Har du hört talas om internetkasino? Om att spela på nätet?

– Nej, men han berättade mycket om era satsningar där. På internet alltså. Och dom enorma framtidsutsikterna och möjligheterna som fanns.

– Just det. The sky is the limit. Nu har man börjat spela där också. Och det omsätter oerhörda summor. Det började omkring 1995 då det första spelkasinot öppnades. Nu finns det över 250 och närmare tusen webbplatser och det kommer till nya varje dag. Dom flesta huvudkontoren finns i karibiska övärlden, särskilt på Antigua som ju är ett centrum för penningtvätt. Och analytikerna tror på en omsättning på över tio miljarder dollar om några år. Man köper licenser för omkring hundra tusen dollar och sen är vinsten skattefri. Ingen bransch har så höga marginaler. Och det är stort. Enbart i Amerika omsätter spelindustrin officiellt över sexhundra miljarder dollar om året. I Sverige finns omkring tvåhundra spelbolag och inget har gått i konkurs än. Där är ändå insatserna begränsade. Ett av dom största internetkasinona är förresten svenskt.

– Hur går det till?

– Man spelar som på ett vanligt kasino med Black Jack och annat. Sen finns det vadslagning till exempel. Man satsar på hästar eller sitt favoritlag. Den som spelar registrerar sig och sätter in pengar på ett konto och använder sen sitt kreditkort.

– Du menar att Erik var inblandad i den sortens aktiviteter?

– Jag är rädd för det. Ja, det var inte olagligt och kunde ge stora vinster som jag sa. Ett kasino förlorar ju aldrig pengar i slutänden, bara lånar ut ett tag. Anders log. Ett av dom största företagen ökade omsättningen med närmare tvåhundra procent senaste räkenskapsåret och fördubblade vinsten. Men jag tror att Erik satsade på fel häst. Gjorde business med folk som, ska vi säga, har en annan affärsetik än vi. Och det förstod han inte förrän det var för sent.

– Tänker du på maffian?

– Exakt. Dom dras ju till gambling och den sortens pengar. Titta bara på Las Vegas. Erik hade hittat ett guldägg på Antigua och det ville dom ha. Släppte han det inte frivilligt så fanns det andra möjligheter.

– Det skulle kunna ligga bakom mordet?

– Ingen aning och det kanske är lite långsökt. Och en ren gissning. Men om du nu frågar varför han kände sig hotad så är det mitt bästa svar. Fast det kunde ju funnits andra anledningar, helt andra.

Det öppnade en ny dimension när det gällde Eriks död, tänkte jag och såg ut över havet som glittrade i solen. Skulle han varit inblandad i någon stor, internationell kasinoverksamhet och ville någon dela kakan utan att göra rätt för sig? Hade Erik råkat ut för ett brottssyndikat som inte skydde några medel? Sedan fanns det andra aspekter med i bilden, det Anders sagt tidigare om Eriks privatliv.

Jag såg på honom där han satt. Vad betydde Eriks död för honom? Förmodligen mer än en rent personlig förlust. Erik hade varit en del av Anders framgångar, hans högra hand som hade hans fulla förtroende. Erik måste vara mycket svår att ersätta.

– Du sa nånting om Eriks privatliv. Om lönndörrar och hemliga gångar.

– Ingenting ont om de döda, sa dom gamla romarna. Och

Kapitel XXVIII

Det var mycket på en gång, tänkte jag där jag satt i baren vid min dubbla espresso efter mötet med Anders Högman och Anne Baxter. Valet hade inte varit självklart. Jag kunde också ha fått cortado, som var hälften espresso och hälften ångad mjölk. Eller vanilla latte, smakfull espresso. Macchiator – espresso krönt med en klick skummande mjölk – fanns också förutom gamla vanliga varianter som mistrello, café au lait och cappuccino. Men nu var det starkt och svart vanlig, hederlig espresso som gällde. Det svarta kaffet balanserade på gränsen till beskhet, men smaken var väl avvägd och fick en extra touch av den tunna strimlan citronskal.

Och jag behövde en uppstramare, starkt koffein som rusade runt bland hjärncellerna och återställde ordningen. För nu var det inte enbart skrämda inbrottstjuvar från Port Louis som gällde. Nya element hade förts in i den dystra bilden. Spelsyndikat, stora pengar, maffian och dessutom Anders halvkvädna visor om hemliga dimensioner av Erik Fridlunds privata liv. Och vad hade han menat med Hans Bergsten? Var han en joker i spelet kring Erik?

Det komplicerade bilden, minst sagt, men renodlade den samtidigt, delade upp den i fyra motivkretsar. Den första, och det jag hoppades på och utgick från, var småtjuven som överraskades, sköt och sprang. Sedan kom den personliga aspekten med tänkbara kopplingar till Caroline, hans fru som inte verkade sörja särskilt djupt över att bli kvitt honom. Så fanns Annika med, hon som varit Eriks första fru och där skilsmässan satt sina spår. Hennes man Jack hade heller inte någon anledning att älska Erik som blåst honom på hans ärvda pengar i ett hotellprojekt på Bali. Och jag tänkte på vad Veda berättat. Att hon sett Jack i våldsamt gräl med någon som kunnat vara Erik.

Så fanns ett fjärde motiv om man nu skulle mjölka ut alla hypoteser. Det där med en annan kvinna, någon från ön. Att Erik brutit med någon som inte kunde acceptera det, som hämnades. I så fall var Anne Baxter en möjlighet, åtminstone teoretiskt.

Och Veda fanns med i bilden. Vacker, sensuell och med stark utstrålning. Visserligen inte någon ungdom, men det var inte Erik heller.

Men svartsjuka äkta män eller älskare som sköt ner sina rivaler var ju gammaldags lösningar på äktenskapliga problem. Det platsade inte i det rationella tjugoförsta århundradet där skilsmässor nästan var mera regel än undantag. Hörde mera hemma i romantikens och duellernas tid.

Jag tänkte på Jacques och hans pistoler. På duellen i hans familj, den som rörde en mans heder och fick den unga kvinnan att spela piano om nätterna när någon skulle dö. Men det var alldeles för långsökt att se Jacques i rollen som Eriks mördare.

Då var en annan möjlighet mer lovande. Spel på internet och stora vinster i Karibien. Erik hade ju talat mycket om internet, sagt att möjligheterna var obegränsade, att vi stod inför en ny värld. Innefattade det också kasino och spel på hästar och annat som rörde sig? Det guldägg Erik hittat på Antigua hade kanske varit alldeles för frestande för att maffiabossarna skulle låta honom behålla det.

Då kom Lennart Broman förbi i träningsoverall och med en bag i handen.

– Jag såg dig inte på gymmet.

– Jag är för lat. Jag följer kinesiska vishetsregler. Man ska inte stå om man kan sitta. Och inte sitta om man kan ligga.

Han satte sig på stolen bredvid mig.

– Soffpotatis. Skyll på kineserna! Du fetmar och blir stel i lederna. Föryngra dig istället. Det kan du behöva. Han log.

– Tack för komplimangen. Jag kanske går ner i eftermiddag.

– Har du hört nåt nytt förresten?

– Om vaddå?

– Om Erik. Han såg allvarligt på mig. Du bor ju hos Jacques och kanske vet nånting. Han äger ju en tidning och har en massa kontakter.

– Polisen utgår från inbrott. Men dom måste ju titta på alla möjligheter.

– Som till exempel?

– Inte vet jag, men det kan ju teoretiskt sett ha varit mord också. Överlagt mord alltså.

– Då hade dom kanske rätt i alla fall, sa han lågt.

– Vilka dom?

– Banken. Amerikanarna. Jag berättade ju att min byrå representerar Manhattan and Bronx Bank i Sverige och att jag var deras kontaktman i Stockholm. En av dom största klienterna var Anders Högman. Dom har gått in och delfinansierat flera av hans stora projekt. Erik fanns också med i bilden.

– Han arbetade ju för Anders.

– Ja, men inte bara i den kapaciteten. Han hade egna affärer också.

– Fick han det för Anders? Måste han inte jobba hundra procent för honom?

– Jo, i praktiken gjorde han väl det. Han hade ett bolag som inte hade nån verksamhet annat än kapitalplacering, så det var inte särskilt arbetskrävande rent fysiskt. Ingen fabrikation, ingen export och import. Det var mera en skatteteknisk skylt. Och Anders Högman hade tydligen inte haft nånting emot det. Han följde Lyndon Johnsons policy. Kennedys efterträdare.

– Hurdå menar du?

– Det vet du väl. Lennart log. "Det är bättre att ha dom djävlarna inne i tältet så att dom pinkar ut än utanför och dom pissar in."

– Det låter lite drastiskt.

– Det är det också och han var ganska råbarkad, men en skicklig politiker, inrikespolitiskt mycket skickligare än Kennedy. Och tanken är riktig. Det är bättre att ha motståndarna med sig än mot sig. Pacificera dom, var hans recept.

– Nu förstår jag inte riktigt. Varken Anders eller Erik var politiker.

– Okej. Jag ska förenkla. Det finns ett gammal ordspråk som säger att när det regnar på prästen så droppar det på klockaren.

– Lyndon Johnson och kyrkoherdar är en udda kombination. Du är för begåvad för mig.

Lennart Broman skrattade.

– Det är väl att ta i. Jag menar bara att det låg i Anders intresse att låta Erik ha en officiell möjlighet att göra en del egna affärer. För när Anders gjorde business så kunde det droppa ordentligt på dom som fanns i närheten. Och då var det bättre för honom om Erik kunde agera öppet än att han skulle frestas att göra smygaffärer vid sidan om och dränera Anders vinster. Förstår du ?

– Ungefär. Fast du har ett lite komplicerat sätt att framställa det på.

– Jag vet. Men jag gillar bildspråk. Det blir inte så torrt då. Jag menar bara att Anders såg till att Erik inte lurade honom för att uttrycka mig brutalt.

– Hur kommer din bank in i den bilden?

Lennart blev allvarlig igen.

– Det var nånting som inte stämde enligt deras beräkningar. Det fanns oklarheter när det gällde en del investeringar, verkade som om pengar försvann helt enkelt. Men dom kunde inte sätta fingret på nånting bestämt. Därför bad dom mig diskret titta på verksamheten på plats. Resa hit helt enkelt för att se vad jag kunde hitta.

– Och då fanns Erik med i bilden?

– Just det. Banken hade fått veta att Erik hade gett sig in i nånting som verkade lite tveksamt.

– Vad skulle det vara? Jag visste svaret men jag ville låta honom själv berätta. Antigua.

– Vi vet inte än. Men det kanske kommer fram i polisutredningen.

– Det skulle kunna ligga bakom inbrottet?

– Inte osannolikt.

Antingen kände han inte till Eriks kasinoaffärer eller också ville han inte säga någonting om det. Och det vore väl naturligt. Lennart och jag kände inte varandra närmare och här var både storbanker och finansbolag involverade. Ordspråk hade Lennart talat om. Och då fanns det ett som borde passa bra i finanskretsar. Det där om att tala var silver men tiga guld.

– Fast en sak var nästan lite ironisk. Lennart såg på mig. Och det var att Erik också ville att jag skulle komma ner.

– Men han var ju misstänkt? Banken menar jag.

– Misstänkt och misstänkt. Det är väl att ta i. Och det hade han dessutom ingen aning om. Banken ville bara att jag skulle titta lite närmare på honom, men hade inte nånting konkret och definitivt. Fast det hade Erik.

– Hurdå?

– Vi sågs i Stockholm för ett par veckor sen. Erik bjöd på lunch, på Operabaren. Jag tog det som ett rutinmöte. Vi träffades ju då och då för att gå igenom olika saker. Men det var det inte den här gången. Rutin alltså. Tvärtom.

Då kom Annika och Jack förbi. De vinkade och log, satte sig vid ett bord en bit bort längs poolkanten. Vi vinkade tillbaka och jag var glad att de inte hade satt sig hos oss. För jag ville inte att Lennart skulle bli avbruten.

– Det var nånting rent personligt han ville tala om, fortsatte Lennart.

– Erik kände sig hotad?

Förvånat såg han på mig.

– Hur visste du det?

– Man snappar upp ett och annat. Var han mer konkret eller var det bara en allmän känsla?

– Erik ville inte precisera nånting än. Inte förrän han var alldeles säker. Och det skulle ta några veckor. Det var därför han bad mig komma.

– Hade det nånting med hans affärer att göra? Det där som gjorde banken misstänksam?

– Det är möjligt, jag vet inte säkert för han var ganska vag. Men nånting hade hänt som gjort honom orolig. Och det är därför jag ser en koppling.

– Inbrottet menar du? Och mordet?

Lennart nickade.

251

–Precis. För det kan ju inte vara en ren slump som gör att han skjuts alldeles innan han ska berätta för mig om nånting som har gjort honom djupt oroad. Och där han tydligen hade hotats.

–Har du talat med Sandhurst om det?

Frågande såg Lennart på mig.

–Sandhurst? Vem är det?

–Polischefen i Port Louis. Han håller i utredningen och kommer säkert att förhöra dig. Ren rutin alltså, men han går igenom alla som fanns med på middagen och filmen.

–Jag får avvakta och se hur mycket jag kan berätta i så fall. Det är ju inte så mycket att komma med. Erik kände sig hotad, men specificerade ingenting. Och banken hade bara en allmän misstanke. Jag vet inte hur mycket dom vill bli involverade i polisutredningar på Mauritius.

–Du som kände Erik så väl, hur hade han det privat? Jag sköt ett skott på måfå, men tänkte på vad Anders Högman antytt om Eriks privatliv.

–Han var gift med Caroline och det vet du ju. Det var inte nåt särskilt lyckligt äktenskap. Hon har visst nån annan och dom bodde på var sitt håll större delen av tiden. Men hon ville inte skiljas och han tyckte väl att det var bra som det var.

–Hade dom äktenskapsförord?

Förvånat såg Lennart på mig.

–Nej. Jag råkar veta det för vi diskuterade det för ett tag sen. Så hon ärver hans förmögenhet. Dom gifte sig när Erik hade nån underordnad befattning i en bank och inga pengar, så det var inte aktuellt. Men nu är det inte småslantar precis. Erik har säkert ett par hundra miljoner på olika håll. Om inte mera. Det hade regnat ordentligt på den klockaren.

–Då blir hon en rik, vacker och glad änka.

Lennart log.

–Det låter cyniskt, men jag håller med dig. Caroline blir en jätteglad änka.

–Den där hon "har" blir säkert lika glad. Du sa ju nånting om det nyss. Att Caroline hade nån annan. Vem är det?

–Ingen aning, sa han kort och avvisande. Och jag fick ett bestämt intryck att han inte gillade min fråga.

– Fast amerikanarna tog upp en annan sak som kanske var ännu allvarligare. Och det gällde vapenhandel.

– Skulle Erik vara inblandad i det?

– Dom hade inga namn, men hade fått tips från CIA att det kunde finnas en svensk "connection" när det gällde kärnvapenmissiler.

– Raketer menar du?

– Precis. Hur man gör atombomber är ingen hemlighet. Det kan du slå upp i en lärobok i fysik. Problemet ligger i hur man ska få sin bomb till målet. Det krävs ju precision på tusentals kilometers avstånd. Där fick amerikanarna hjälp av gamle Wernher von Braun som skickade Hitlers V-tvåor och allt vad dom hette till London. Han togs kvickt som ögat till USA efter kriget, avnazifierades och hjälpte amerikanarna att flyga till månen. Föddes upp på Coca-Cola och hamburgare istället för bier och sauerkraut. Dom hann före ryssarna. Men det är möjligt att han hade gillat vodka och kaviar också.

– Ganska ironiskt om man tänker efter. Många krigsförbrytare hängdes i Nürnberg, medan andra fick medaljer. Fast ryssarna fick ju upp sin sputnik före USA. Hade dom också fångat tyska vetenskapsmän?

– Det hade dom säkert. Moralen väger lätt i politiken. Och det finns många intressenter när det gäller den här teknologin. Trots att det kalla kriget har upphört så fortsätter upprustningen på kärnvapensidan. Titta bara på Indien och Pakistan. Nordkorea skickar också signaler om man får tro tidningarna.

– Jag läste för en tid sen att Indien skulle satsa 130 miljarder dollar på sina kärnvapen under en tioårsperiod. Det finns angelägnare behov på den kontinenten.

– Dagens understatement. Men bortsett från det kan det finnas hoppfulla diktatorsaspiranter som kan tänka sig att spränga Washington i luften om dom fick chansen. Så CIA och Pentagon är oroade.

– Jag förstår bara inte hur Sverige kommer in i den bilden? Vi har ju varken bomber eller raketer?

– Det finns företag som ligger långt fram när det gäller

högteknologi. Dessutom kan du ju göra affärer i den branschen över hela världen från Stockholm. Man är inte bunden geografiskt. Jag fick inga detaljer, men dom bad mig underhand att hålla ögonen öppna när det gällde våra affärsförbindelser och vad dom hade för sig. Om jag kunde snappa upp nånting av intresse när det gällde den här sortens teknik.

– Har du hittat nånting?

– Nej, inte direkt.

– Hurdå menar du?

– Jag gjorde en del diskreta sonderingar med mina kolleger, ja, före detta kolleger skulle jag väl säga. På Säpo. Jag var ju polis en gång i tiden. Och det kom upp ett namn som fick en liten klocka att ringa bara för några dar sen.

– Här på Mauritius?

– Precis. Det var en person, en forskare som hade skapat en egen nisch när det gällde målstyrning och precision för den här sortens ballistiska farkoster. Civilingenjör. Var konsult till FOA.

– Vad är det?

– Försvarets forskningsanstalt. Han gjorde inte kärnvapenmissiler naturligtvis, men dom metoder han kommit fram till och själva tekniken kunde användas när det gällde att träffa prick på andra sidan Atlanten för att uttrycka det förenklat. Och det gjorde honom intressant. Men några bevis för att han skulle dela med sig till "fel" personer och regeringar fanns inte, så jag släppte det spåret och tänkte att CIA väl var ute och seglade. Det skulle ju inte vara första gången.

– Du sa att du hade träffat honom på Mauritius?

– Ja. Hans Bergsten.

– Du menar att det kunde finnas ett samband? Att det inte bara var en slump att Hans Bergsten hamnade på samma hotell som Erik?

– Jag menar ingenting, konstaterar bara fakta. Att det enligt CIA kan finnas en svensk "connection", att Bergsten var en av dom ledande experterna i Sverige och att Erik gjorde business med Manhattan and Bronx Bank. Men det är alldeles för litet för att kunna dra några slutsatser. Om nån svensk överhuvudtaget är inblandad behöver han inte ha nån kunskap i sakfrågorna, om tekniken. Det räcker om han förmedlar kontakter och tar sin provision. Det kan vem som helst göra. Både du och jag.

–Jag är rätt person när det gäller Haupt och Hilleström, men vill du sälja vapenteknologi får du be nån annan. Över femman i multiplikationstabellen klarar jag knappt. Och det enda jag vet om fysik är att du får elektricitet om du gnider en glasstav med kattskinn.

Lennart Broman skrattade.

–Jag förstår. Det är likadant med mig. Jag menar bara att man varken behöver göra affärer med en amerikansk bank eller vara ballistisk expert för att tjäna pengar på den här sortens grejer. Kände du Hans Bergsten förresten? Vet du nånting om honom?

–Nej, det kan man inte säga. Han dog ju alldeles efter jag kommit hit.

Fast där var jag inte riktigt ärlig. Litet mer kände jag till. Han dog med en värdefull ring i sin kavajficka. En förlovningsring. Vem som skulle fått den visste jag inte. Men det kunde ju inte ha något intresse vare sig för Lennart Broman, Manhattan and Bronx Bank eller CIA.

Kapitel XXIX

Jag såg efter honom där han gick längs poolkanten bort mot hotellannexet. Lång, kraftig. Bagen i ena handen och en mörkblå frottéhandduk över de breda skuldrorna.

Det här blev mer och mer komplicerat. Från att ha varit en tragisk dödsolycka i en trappa och ett skott från en skrämd inbrottstjuv hade hela händelseförloppet fått en annan och skrämmande dimension. CIA, Pentagon och Manhattan and Bronx Bank. Kunde verkligen Erik ha varit inblandad? Och Hans? Hade han haft mer i fickan än förlovningsringar?

Men jag hade inte några ambitioner att involvera mig i polisutredningen. Den fick Sandhurst sköta själv. Jag skulle inte lägga mig i. Särskilt inte nu sedan jag fått veta att allt från en bank i New York till CIA fanns bland intressenterna förutom nuvarande eller blivande kärnvapenstater och diktatorer med sinistra ambitioner. Dessutom internetkasino och maffian som var efter Eriks guldägg eller snarare gåsen som värpte det.

Inte undra på att han känt sig hotad. Och jag tänkte inte sätta mig i samma båt. Nej, jag var här på semester och nu skulle jag vila, bada, sola och ta det lugnt. Tids nog var jag tillbaka i Stockholm, till min affär på Köpmangatan. Huttrande, med uppfälld rockkrage skulle jag gå där i snöslasket där det var mörkt vid tre på eftermiddagen och inte ljust förrän efter åtta. Cléo skulle jag ha på axeln eller innanför rocken. Det kloka djuret vägrade att sätta sina tassar på marken när allting flöt och det var svinkallt.

Några feta ryssar drack champagne vid poolkanten. Deras

bleka kroppar hade inte hunnit få någon solbränna än. Som glada marsipangrisar satt de med fötterna i vattnet. Hade de plundrat sina sparbössor på rubler i Novosibirsk eller hittat ännu bättre finansiering?

Jag såg bort mot Annika och Jack. De läste var sin bok där de låg utsträckta i sina solstolar med höga glas med små parasoller i på det låga bordet. Gin och tonic eller Perrier?

Annika såg upp, vinkade lojt till mig. Jag reste mig och gick bort mot dem.

– Slå dig ner, sa Jack. Ta en stol. Vill du ha nånting? En drink? Får jag föreslå en Pajala Sunrise? Han skrattade.

– Pajala Sunrise?

– Jag som trodde det var din favorit. Hemkört med en skiva falukorv på glaskanten istället för apelsin eller citron.

– Det låter trendigt, men jag tar hellre en kall öl.

Han vinkade på en av pojkarna som serverade. Jag satte mig bredvid dem. Annika hade en knallröd bikini med en guldlänk runt den solbruna, platta magen. De fasta brösten nästan trängde ut ur kuporna och jag försökte låta bli att snegla. Men det var inte lätt.

– Hur går det med inredningen? frågade jag. Köper han dina idéer?

– Nästan alltihop. Hon log. Möblerna är okej, men han tar hellre ner en av sina egna, sengustavianska byråer från Sverige. Den är inte så ömtålig, inte så mycket fanér och intarsia för det kan lätt spricka i det här fuktiga klimatet även om du har luftkonditionering. Sen hade han synpunkter på mattorna. Och det är ju väldigt personligt. Han ville ha en stor kines i salongen. Honungsgul och milt blekblått. Det skulle bli för oroligt med den Hamadan som jag föreslog. Och det kan han ha rätt i. Så jag får tala med Caroline. Hon är ju specialist på Kina och Tibet.

– Kunden har alltid rätt, eller hur? sa Jack spetsigt och såg på henne över kanten på sina läsglasögon under den rosa hatten. Om halsen hade han en guldkedja med en liten amulett av något slag. Han såg ut som en överårig strandraggare.

– Precis som Erik. Han hade väl också alltid rätt? fortsatte han misslynt, nästan aggressivt. Jag glömmer aldrig hur han körde upp mig. Beställde ett komplett inredningsförslag till det där djävla hotellet på Bali och sen backade ur. Och där stod jag med alla omkostnaderna och gjorde konkurs, kommer du ihåg det? Det var inte ett dugg bra för min business. Och Högman hade nog mer än ett finger med i den där byken.

– Glöm inte att det var du som erbjöd dig, sa Annika. Du skulle göra ett förslag och om han inte godkände det så skulle det vara okej för din del. Så det var du som tog risken. Sen fick du faktiskt tiotusen dollar, eller hur?

– Dom kunde han köra upp nånstans. Det täckte ju inte ens mina resor. Dessutom hade han lurat mig att investera pengar i hotellbolaget. Nej, han fick vad han förtjänade. Och själv gråter du väl inte vid graven fast du hade glädjen att vara gift med honom. Jack skrattade.

– Var inte så sarkastisk. Han är ju död. Och det som hände har jag strukit över. Man måste gå vidare i livet.

Annika såg ogillande på Jack och jag förstod henne. Man måste visa respekt inför döden. Snart skulle han själv ligga där med näsan i vädret.

– Så ädel du är. Jag blir riktigt rörd. Jack lät hånfull. Det var ju faktiskt pengarna efter din pappa han blåste dig på och öppnade eget. Det där investmentbolaget han startade med dina kulor har plockat ihop lass med guld sen dess. Du borde faktiskt ärva honom. Åtminstone få en bit av kakan.

Grälet avbröts av Lasse och Pernilla som kom fram till oss.

– Ska ni hänga med på en drink i baren? frågade Lasse i blommig utanpåskjorta och storrutiga shorts, en inte särskilt lyckad kombination. Då var Pernillas framtoning läckrare i mörkblått och vitt. Mörkblå urringad tröja och minimala vita shorts.

– Det är för tidigt, sa jag. Jag håller på principen att inte dricka före solnedgången.

– Som britterna i Indien? Då har du väl solglasögon på dig i Sverige? Åtminstone på sommaren. Men någonstans går solen alltid ner. Just nu också. Lasse skrattade. Jag håller på att beta av drinklistan i baren och har gett mig fan på att

258

innan vi åker så ska jag ha prövat allting.

– Lasse är verkligen flitig, sa Pernilla. Inte ett glas står torrt när han går hem.

– Just nu står "President Delight" på tur. Det är nånting med vit rom och lime. Nånting annat också. Och man måste pröva landets produkter. Rom gör dom ju här av sockret. Så det kan inte vara fel.

Saknar du inte grisfesten? tänkte jag. Storblommig utanpåskjorta, starka drinkar med små parasoller, helstekt gris och allsång verkade mera vara Lasses stil än den svalt sofistikerade, brittiska kolonialmiljön på President. Och igen undrade jag vad Francine sett hos honom.

Men som alltid drog jag väl fel slutsatser, åtminstone för snabba. Lasse var här på semester och ville ha trevligt. Jag fick inte sitta här som en gammal surögd tant och se ner på hans frodiga livsaptit. Istället borde jag kanske göra som Lasse. Arbeta mig igenom den långa drinklistan vid baren. Gå över från vitt vin och Dry Martini till mera spännande varianter.

– Nej, jag tror det är dags att dra, sa Annika och reste sig. Vi måste ha vår skönhetssömn före middagen.

Det märktes att hon inte var trakterad av Lasses och Pernillas sällskap. Dröjande reste sig Jack också. Det verkade som om han inte haft något emot att följa Lasses exempel.

– Då väcker jag er imorgon, sa Lasse.

– Imorgon? Frågande såg Annika på honom.

– Du skulle ju ha skönhetssömn? Då får ni sova länge som fan. Åtminstone Jack. Och Lasse skrattade. Men det gjorde inte Annika. Inte Jack heller.

– Mauritius är underbart. Lasse satte sig bredvid mig. Fast det var faktiskt frimärkena som fick mig hit.

– Samlar du?

– Ja. Det är verkligen en intressant hobby. Och en fin placering om man köper hög kvalitet.

– Har du nåt särskilt område? Fjärilar eller bilar?

Lasse skrattade.

– Nej, för fan. Inga motivmärken. Jag samlar Sverige i första hand och har en komplett samling av dom äldre. Det här nya krafset har jag mera för dokumentation. Ska en samling vara fullständig så ska den, så jag abonnerar på postens utskick. Men dom äldre roar mig mera. Skilling Banco och alla dom andra. Häromdan ropade jag faktiskt in en intressant grej. Ett skillingbankobrev med tre treskillingar. Femhundra laxar fick jag lägga upp.

– Han vågar inte ha dom hemma, sa Pernilla. Jag har sagt till honom att sälja dom och köpa konst. Då kan han ju titta på sina pengar istället för att gå ner i nåt bankfack och ta fram sina album. Lasse är som en gammal drake som har sitt guld i en källarhåla dit ljuset aldrig kommer.

– Var glad för det du, sa han godmodigt. Den dag jag kilar vidare så blir du rik som ett troll. Och finessen är att man inte betalar nån förmögenhetsskatt på den sortens pengar. Och vilken värdestegring på dom bästa! Titta bara på vår gula treskilling för tretton miljoner som första gången köptes för sju kronor. Lika mycket fick dom för encentaren från Brittiska Guyana som länge var världens dyraste och exklusivaste. Fanns bara i ett exemplar. Nu lär dom ha hittat ett till. Du har väl hört historien?

– Faktiskt inte.

– Jo, det är alltså ett litet fult märke med ett enkelt skepp på. Och när ägaren på tjugotalet fick erbjudande om att köpa ett till som dykt upp på marknaden så betalade han, tände sin cigarr och brände upp märket med samma tändsticka. Sen konstaterade han att nu fanns det fortfarande bara ett enda märke i världen. Snyggt va? Lasse skrattade.

– Ett tufft sätt att behålla marknadsvärdet. Men om du är samlare ska du väl köpa frimärken här? Fast dom kostar ju skjortan.

– Jag vet. Jag har faktiskt några enklare Mauritiusvarianter. Men dom säljs oftast på auktion. Hos David Feldman i Schweiz till exempel. Dom senaste noteringarna ligger på uppemot tio miljoner, lite beroende på dollarkursen.

– Jag vet. För några år sen såldes ett ostämplat Two Pence för drygt en miljon dollar och ett ostämplat One Penny för hundratusen dollar mindre. Det var några finansiärer på Mauritius som slog sig ihop för att rädda sin kulturskatt.

Dom finns på ett bankmuseum i Port Louis nu. Jag har själv sett dom.

–Det var som fan. Imponerad såg han på mig. Jag visste inte att du hade såna intressen. Tror du man kan få gå dit och titta?

–Fråga Jacques. Det var han som fixade det åt mig.

–Det måste jag verkligen göra. Bara det vore värt resan hit. Men allvarligt talat så är märkena från Mauritius juvelen i kronan för många stora samlare. Dom kan gå över lik för att komma över exemplar. Postmuseum i Stockholm har förresten ett par, fast stämplade. Du kan se dom i ett särskilt kassavalv.

–Hade dom råd att köpa så dyra saker?

–Det var en donation från en av Sveriges ledande samlare. Han hette Hans Lagerlöf.

–Du sa att du själv hade några?

Lasse log.

–Det finns enklare varianter, som inte är feltryck alltså. Du kan få äldre frimärken från femhundra schweizerfranc och upp. The sky is the limit.

–Du glömmer ju att vi såg några häromdan, sa Pernilla. Erik visade oss sina.

–Javisst ja. Det gjorde han ju, sa Lasse med ett ansträngt leende. Han hade hört att jag var samlare, jag hade frågat honom om Mauritiusmärken och vi fick komma på en drink. Han hade ett par ostämplade faktiskt och några helsaker. Kuvert med frimärken alltså.

–Fast det verkade inte så säkert, sa Pernilla.

–Inte?

–Nej, Erik hade ett sånt där litet kassafack bara. Sånt där man ser på film. En liten dörr till en box bakom en tavla. Den verkade hur lätt som helst att bryta upp. Han sa att han skulle flytta dom till ett bankfack i Port Louis. Han hade just köpt dom. Jag hoppas bara att han gjorde det före inbrottet.

Medan hon talade hade Lasse spänt ögonen i henne. Pernilla verkade inte ha märkt det, eller också brydde hon sig inte om det. Och jag undrade vad han ville kommunicera?

261

Var han arg för det hon berättat? Men det hade han väl ingen anledning att vara.

–Bortsett från frimärkena så tycker jag faktiskt det var trevligare på Antigua, fortsatte Pernilla. Hade hon trots allt märkt hans reaktion? Ville hon byta ämne?

–Åtminstone naturen, sa Lasse. Vi var där förra året. Det var mera omväxling. Här har du vackra stränder längs kusten och ett och annat berg, men sen är det mest sockerrörsfält.

–Jag har aldrig varit på Antigua, sa jag. Bara på Saint Barthélemy, den gamla svenska kolonin. Och det var trevligt, särskilt alla gamla svenskminnen. Åkte ni charter till Antigua? Och jag tänkte på Lasses grisfeststuk. Men jag tänkte på någonting annat också, något som Anders Högman sagt.

–Nej. Lasse var där i business. Han skulle öppna ett kasino. Pernilla skrattade. Det låter väl äventyrligt? "Faites vos jeux. Rien ne va plus." Är det inte så dom säger i Monte Carlo? Jag kan se Lasse för mig hur han sitter vid ett grönklätt bord och rakar hem jetongerna med sin långa kratta.

Lasse såg ogillande på henne. Igen märktes det att han inte tyckte om hennes frispråkighet. För en advokat var diskretion viktigt. Åtminstone för klienterna. Deras affärer fick inte diskuteras med utomstående.

–Det var inte fråga om den sortens kasinon, sa han avmätt och nu var advokatrollen tillbaka under det vita parasollet, trots rutiga shorts och blommig utanpåskjorta. Han verkade ha satt på sig en andlig kostym, randig, med skjorta och slips.

–Jag var där för en klients räkning och diskuterade en del frågor med myndigheterna. Och det hade ingenting med rouletthjul och spelmarker att göra.

Lasse vinkade till en av servitörerna, var tydligen inte intresserad av att fortsätta kasinodiskussionen. Och jag förstod honom. Det var ingenting jag hade med att göra. Men jag såg min chans och jag tog den.

–Jag hörde att Erik Fridlund hade intressen på Antigua.

–Verkligen? Det vet jag ingenting om. Ointresserat såg Lasse på mig.

–Det gällde visst också kasinon. Men inte den där gamla sorten, utan på internet. Internetkasino. Där ligger framtiden i spelbranschen säger dom som vet.

Det glimtade till i hans mörka ögon. Inte av förvåning eller nyfikenhet. Snarare rädsla.

– Dom är precis som i Sverige, sa han och tittade efter servitören som stod framme vid den låga muren mot havet och pratade med en kollega.

– Dom tittar alltid åt ett annat håll. Jag undrar vad "det är inte mitt bord" heter på engelska? Idén alltså. Det finns säkert ett uttryck för det på alla språk. "It's not my table " låter litet klumpigt. Då kanske det är bättre att titta bort. Det är lika bra att gå direkt till baren istället. Där kommer dom inte undan.

Lasse skrattade, reste sig och de gick bort mot den stora baren under taket på den öppna loggian bredvid restaurangen.

Var det brådskan efter en drink som fått fart på Lasse eller min nyfikenhet när det gällde Antigua? Och det där han sagt om de exklusiva frimärkena från Mauritius var också intressant. Att de var juvelen i storsamlarnas krona, att många kunde gå över lik för att komma över dem. Bokstavligen talat eller bara bildligt?

Kapitel XXX

–Väntar du nån eller får jag slå mig ner?

Jag såg upp. Anna Palmer stod vid bordet, log. Jag reste mig.

–Inte alls. Jag menar jag väntar inte på nån. Sätt dig.

–Jag har varit på förhör och behöver nånting starkt. En espresso skulle sitta fint.

–Förhör?

–Ja, samtal då. Men det kändes som förhör. Jag har träffat den där polisen som utreder Eriks död. Sandhurst heter han visst.

–Var han besvärlig?

–Nej, inte direkt. Men det är alltid lite obehagligt att sitta öga mot öga med en mordutredare.

–Vad ville han veta?

–Allt jag gjort den där kvällen. Och det var inte så svårt att berätta. Jag hade ätit middag med Erik och dig och dom andra. Sen kom ju filmen och efter den gick jag till mitt rum. Sen ville han förstås veta om jag kände Erik.

–Gjorde du det?

–Ja och nej. Jag berättade ju för dig att jag hade varit god vän med Caroline och genom henne känt Erik. Men sen träffades vi inte på många år. Inte förrän nu faktiskt.

Servitören kom och jag beställde två espresso. Jag visste att jag riskerade halsbränna, men gjorde det för att hålla henne sällskap. Och att äta eller dricka någonting tillsammans skapar ju alltid en viss intimitet. Det tänkte jag utnyttja.

–Han frågade om dig faktiskt. Ville veta allt jag visste.

– Verkligen? Det kunde inte vara så mycket.

– Det är riktigt, hon log. Fast det rörde mera om jag sett dig på kvällen. Om du gått från filmen och kommit tillbaka. Och i så fall när.

– Vad svarade du?

– Som det var. Jag följde med vad som hände och tänkte inte på vem som kom eller gick. Det var ingen jag såg i alla fall.

– Vad sa han om Eriks död? En tjuv som sköt eller har han andra teorier?

– Han sa ingenting direkt om det, men jag fick en känsla av att han trodde att det var mer komplicerat än så. Än att det var en vanlig tjuv alltså.

– Han tog inte upp Hans Bergstens död?

En skugga drog över hennes ansikte och jag undrade varför. Förvånat såg hon på mig.

– Varför skulle han det?

– Jag har en känsla av att det kan finnas ett samband.

– Verkligen? Det ena var ju en olyckshändelse och Erik blev skjuten. Det har väl ingenting med varandra att göra?

– Förmodligen inte. Det är väl min manliga intuition som är framme och spökar. Hur väl kände du Hans förresten?

– Inte alls, sa hon snabbt. Inte förrän här på hotellet, på Anders party.

Inte? Jag tänkte på hur hon reagerat den där kvällen när Hans gått fram till henne. Som om hon varit obehagligt berörd. Då hade jag trott att han var en framfusig beundrare, nån som kanske ville ha en autograf. Och sen örfilen ute på balkongen där jag varit en ofrivillig tjuvlyssnare. Kunde det ha varit Anna och Hans som stått där? Jag uppfattade inte rösterna tydligt i sorlet från partyt bakom mig och luftkonditioneringens dova brummande, men orden mindes jag.

Du skulle inte ha kommit, hade kvinnan sagt. Det gör det bara mycket svårare. Och han hade talat om poesi. Att hon hellre läste bankböcker än poesi. Vad han nu kunde ha menat med det.

Fast om det varit Hans Bergsten som stått ute på balkongen borde kvinnan ha varit Annika. Francine hade ju sett deras kyssar i skuggorna på stranden samma kväll han dog. Och Annika hade verkligen bankböcker att läsa i. Jacks ärvda pengar för att inte tala om Anders Högmans. Fanns det något mer mellan dem än relationen inredare och uppdragsgivare?

Och jag kom att tänka på vad Erik Fridlund berättat om honom när vi satt i bastun. Att Hans sagt att han kommit till Mauritius för att förlova sig med någon som hade dumpat honom. Att hon ljugit och varit ohederlig. Hur Hans hade deppat, druckit för mycket och blivit så patetisk att Erik sagt till honom att gå hem och lägga sig. Var det Annika?

Igen kom jag tillbaka till vad Lennart just berättat om Hans. Om hans eventuella affärer med obskyra kärnvapenintressenter. En man med den sortens relationer behövde i så fall inte sälja ärvda silverskålar för att klara ekonomin.

– Fast när jag tänker efter så kom jag på en sak. Anna avbröt mina spekulationer.

– Vaddå?

– En sak jag glömde faktiskt. När jag såg filmen satt jag bredvid Lasse och Pernilla. Och Lasse gick ut, var inte tillbaka på en lång stund. Han ursäktade sig när han kom tillbaka, för han måste tränga sig förbi mig. Viskade nånting om att han hade varit ute och rökt med Lennart. Fast han luktade inte tobak. Det var väl för att han stått utomhus.

– Berättade du det för Sandhurst?

– Skulle jag det? Jag tänkte faktiskt inte på det. Menar du att Lasse... Hon tystnade.

– Inte alls, sa jag snabbt. Jag bara undrade. Du kanske skulle göra det i alla fall. Berätta för Sandhurst alltså. För han håller på och lägger pussel nu. Försöker hitta ledtrådar.

Men jag ville inte berätta att mina motiv var helt egoistiska. Ju mer Sandhurst fick veta om att andra än jag lämnat biosalongens mörker ungefär när Erik sköts, desto bättre.

– Du talade om ledtrådar, sa Anna. Om att berätta för Sandhurst. Jag kom faktiskt att tänka på en annan sak. Hon tystnade, såg på mig.

– Jag undrar om Erik visste för mycket, sa hon sedan. Att han kände till någonting som var farligt för honom.

–Vad skulle det vara?

–Jag vet inte. Men det kan ha en koppling till Ryssland.

–Ryssland?

Hon nickade.

–Han reste till Moskva nyligen har jag hört. Det var Anders som sa det. Och det var inte hans normala operationsområde. Erik var ju specialist på Asien och USA enligt Anders. Han hade varit hemlighetsfull, tyst, när han kom tillbaka. Och verkat orolig. Affärsmetoderna därborta är ju lite okonventionella sägs det. Hon log ett svagt leende.

–Det här med Moskva behöver väl inte betyda nånting? Han var ju affärsman och hade business över hela världen.

–Det är riktigt, men om du nu letar motiv. Nej, nu måste jag gå. Vi ses.

När Anna gått tog jag fram min mobiltelefon ur väskan med badgrejorna. Jag hade Francines privatnummer till mobilen inprogrammerat. Att försöka nå henne den officiella vägen genom växeln var hopplöst. Det fungerade aldrig. Men nu gick det på bara några sekunder. Fantastiskt egentligen. Där satt jag söder om ekvatorn och tryckte in små knappar i en liten apparat, mindre än en ask bordständstickor, och i samma ögonblick surrade det i Francines blanka telefon.

Jag berättade vad som hänt och vad Lennart Broman sagt. Jag uttryckte mig försiktigt för vi talade ju över en öppen linje som var lätt att avlyssna. Jag hade läst någonstans att alla stora underrättelseorganisationer hade förprogrammerade ord och uttryck som omedelbart registrerades. Dit borde både CIA och Pentagon höra liksom kärnvapen och terrorism.

–Johan, Johan, och jag kunde nästan höra sucken på andra sidan jordklotet. Du lovade ju.

–Jag vet och jag har inte lagt mig i nån mordutredning. Men kan du inte kolla Lennart Broman? Jag vet inte om han är ute och seglar, men det vore intressant att höra litet mer om honom. Han har ju redan varit i kontakt med er om det här med vapen. Medvetet undvek jag att nämna Säpo vid namn. Det måste också vara en relevant bokstavskombination för satelliternas väktare av intressanta samtal. Du kan titta lite på Erik också. Anders Högman påstår att han skulle vara inblandad i nån spelverksamhet på Antigua och att maffian var inblandad. Och han lär ha haft nån sorts business med Moskva också som har lite frågetecken omkring sig.

Det blev tyst i telefonen, bara susningar och knaster på långt avstånd. Hade hon lagt på.

– Okej, men på ett villkor. Francine lät resignerad.

– Som till exempel?

– Som att du lägger av och reser hem. Jag har en känsla av att du kommer att snubbla på dig själv därnere annars och att du kan dras in i nånting som du inte har med att göra.

– Det har jag redan. Trasslat in mig.

– Hur menar du? Hennes röst lät skarp, ogillande.

– Sandhurst, den där polischefen alltså, verkar tro att jag skulle var inblandad på nåt sätt. Men det ska jag snart ta ur honom. När du ändå håller på kan du kolla Hans Bergsten också. Puss, puss.

Och jag tryckte in avstängningsknappen. Jag hade en känsla av att hennes reaktion inte skulle bli särskilt konstruktiv.

Hade Hans vetat för mycket och blivit farlig för Erik? Var det därför han kände sig hotad? Och hade Erik arrangerat Hans olycksfall för att bli av med honom? Men vem hade i så fall mördat Erik? Maffian? CIA? Eller fanns det någon intressent som ville förhindra försäljning av högteknologi till en motståndare? Skulle Erik stoppas för alltid?

Frågetecknen var många och ekvationen komplicerades av en annan komponent. Svartsjuka. Å andra sidan var de alla konstruktioner i min fantasi och behövde inte ha något med verkligheten att göra.

På kvällen bjöd jag Veda och Jacques på middag på "Spon", den exklusiva restaurangen på Saint Géran, nästan granne till President. Den drevs av en stjärnkrögare från Paris och var sparsmakat inredd efter de senaste restaurangmästarna. Art déco, terrakottafärgade väggar, polerad aluminium, glasbord och stolar av Philippe Starck. Det var ett tack för Vedas och Jacques gästfrihet och jag var mycket nöjd med mig själv ända tills notan kom. Men maten var utsökt.

Sent på kvällen när jag gått och lagt mig efter middagen med Veda och Jacques ringde den lilla trådlösa telefonen på mitt nattygsbord. En gäll, uppfordrande signal. Egentligen borde man ha den där sortens musik som en del har, tänkte jag sömnigt och tog telefonen. "Für Elise" eller någonting annat. Fast ofta blir det litet töntigt i systemköer och på bussen när Mozart eller någon annan av musikens mästare tutar fram i trängseln som en hälsning från andra sidan de stora kompositörernas gravar.

Det var som jag trodde. Francine.

– Var är du? frågade hon.

– I min säng. Var trodde du? Det är faktiskt tre timmars tidsskillnad.

– Med dig är det inte så gott att veta. Bara du är ensam, annars vet du.

– Det vet jag inte, men jag kan gissa.

– Och du gissar alldeles rätt. Nu har jag i alla fall checkat dina namn.

– Nå?

– Ingenting märkvärdigt eller sensationellt. Inte egentligen. Hans verkar helt ren och hans ekonomi är inte sån att det pekar på några större vinster på vapenhandel eller vad du nu påstod att han höll på med. Erik är mer komplicerad, han var ju invecklad i stora affärer så det tar litet tid. Men det verkar inte som om det ringer några större klockor hos oss.

– Lennart Broman då?

– Han slutade i polisen som du vet för tio år sen ungefär. Man misstänkte att han var insyltad i nån sorts kvalificerad ekonomisk brottslighet. Han var ju på ekoroteln och dom trodde att han bytt sida. Men man kunde inte hitta bindande bevisning, eller ville kanske inte. Det var bättre att han försvann diskret än att det blev nån mediaskandal. Polisen hade inte råd med det just då. Sen tog han en jur. kand. och jobbar på en respektabel byrå. Det enda som kan intressera dig är väl att dom representerar ett stort bolag i Karibien. På Antigua.

– Låt mig gissa. Spelkasinon.

– Hur kunde du veta det?

–En ren gissning, ljög jag. Anders Högman kan du väl också slå på när du i alla fall är igång.

–Misstänker du honom också för mord?

Jag skrattade.

–Jag jagar faktiskt inte mördare. Det får Sandhurst sköta om. Det skulle bara roa mig att veta lite mer om honom.

–Säpos register är inte till för att roa dig. Läs tidningarna.

–Jag vet, men det jag är intresserad av står inte i några tidningar.

–Jag ska se, men jag vet inte när jag får tid. Jag har faktiskt lite annat att göra också. När kommer du hem förresten.

–Snart, sa jag. Jag kommer snart.

Jag ville inte gå närmare in på det eftersom jag hade fått inofficiellt reseförbud av Sandhurst. Men jag kände att det inte var läge att berätta det för Francine. Att jag fanns på Sandhursts lista med misstänkta för mordet på Erik Fridlund.

Kapitel XXXI

Långsamt sjönk jag ner genom det ljumma, genomskinliga vattnet. Långt därnere lyste sandbottnen vit med snabba blänk från solen över mig. Min skugga gled fram över sanden som ett flygplan över ett landningsfält. Till vänster fanns en skrovlig klippformation och en bit längre bort höjde sig bottnen upp mot korallrevet.

Ett stim fiskar drev förbi som en svärm brokiga fjärilar och ju närmare jag kom revet, desto fler fiskar dök upp, pilade ut och in genom håligheter och öppningar. Tång och vattenväxter vajade fram och tillbaka för strömmarna, vinkade till mig med långa armar som för att fånga in och snärja. Här var jag en inkräktare. Här fanns en annan värld, ett nästan outforskat universum som täckte sju tiondelar av jordens yta.

Det var längesedan jag hade dykt med luftflaska i stabsele på ryggen och långa gummifenor på fötterna, inte sedan "Resande man" faktiskt.* Ovanför oss låg "Fortuna" för ankar, Anders stora båt med Archimedes som trygg väktare. Det sista jag såg av honom innan jag föll baklänges på rygg från lejdaren var hur han satt i fiskestolen där jag tagit min stora svärdfisk. Barfota, med fötterna på relingen, den mörkblå basebollkepsen nerdragen i pannan och en lång cigarr i munnen. Han hade vinkat till mig och gjort tummen upp när jag plaskade ner i vattnet.

Jag tänkte på "Resande man" när jag sjönk mot bottnen

*Mårtenson: Akilles häl

och rättade till mitt cyklopöga, bet stadigt ihop kring luftmunstyckets silikon. Hur 22-kanonersskeppet slagits i spillror utanför Landsort i novemberstormens vitskummiga raseri. I det grönsvarta djupet hade rikskanslerns skatt försvunnit, mutor i guld och annat till Polens kung som greve von Schlippenbach fört med sig för att vinna honom över på svensk sida mot ryske tsaren. Där hade vraket vilat i långt mer än trehundra år innan vi fann det. Fast det hade kunnat sluta illa. En mördare hade stängt in mig i ett gammalt lastfartygs mörka inre som vi sökte igenom, hittat av en slump när vi letade efter vraket. Den panik jag känt inne i mörkret när jag insåg att dörren var stängd utifrån och att ingen visste var jag fanns, ingen utom en mördare. De rostiga, algbevuxna järnsidorna som var hala och slemmiga under mina händer. Lampan där batterierna snart skulle ha brunnit ut, selen på ryggen med luftflaskan som inte skulle räcka länge till.

Men i det klara vattnet runt Mauritius väntade inte några vrak nere på bottnen, inte där vi dök. Fast det fanns. Det hade Anders berättat. Och här slapp jag sätta på mig någon våtdräkt. Dykarsjuka behövde jag heller inte riskera eftersom vi dök på förhållandevis grunt vatten.

Det var Anders Högman som bjudit oss på dykutflykt som han kallade det. Efteråt skulle det bli barbecue på den vita sandstranden. Personal från hotellet hade redan satt upp blåochvitrandiga tält med en stor grill och under vita solparasoller stod bord och stolar. Men dykningen skulle ske först, hade Anders beordrat när han gick igenom utrustningen och prövade ut den på oss tillsammans med några av hotellets instruktörer. Öl och dykning hörde inte ihop. Inte vin heller.

Alla svenskarna jag träffat på President var bjudna och Anders hade låtit träna dem först i poolen vid hotellet. Där hade de fått bekanta sig med utrustningen, lärt sig andningsteknik och hur allt fungerade. Jag hade fått dispens för jag kunde redan. Hade ju lärt mig den där sommaren ute vid Landsort. Jag tänkte på den lille pojken i första klass när man skulle ha sexualundervisning. Han som frågade om han fick gå hem eftersom han redan kunde.

Jacques var veteran och det märktes på honom där han simmade långt under mig. Några av de andra dök utan dykarutrustning. Snorklade istället uppe vid vattenytan vid korallreven. Klokt nog hade de T-shirts på sig. Låg man med bar rygg och kikade ner i vattnet fick man igen det natten efter. Veda dök inte, hon satt kvar på stranden och läste.

Det var egentligen bara Sandhurst bland mina kontakter som fattades. Men jag hade träffat honom tidigare på morgonen när jag kom med Jacques och Veda till President för att åka med i bussen till stranden några mil norr om hotellet.

Jag hade stått mitt i gruppen av svenskar ute vid entrén när han kom fram till oss.

– Kan jag få en minut med er, mr Homan.

Det knöt sig i magen på mig. Vad ville han? Nya förhör? Jag såg på Anders. Han nickade.

– Bara en minut i så fall, sa jag. Jag vill inte låta bussen vänta. Men det är kanske lika bra att vi ses för jag har en idé om vad som låg bakom mordet på Erik Fridlund. Jag tror inte att han sköts av en tjuv.

Förvånat såg de andra på mig, lika överraskade som Sandhurst. Och jag förstod dem, fattade inte själv vad som flög i mig. Helt stundens ingivelse. Egentligen hade jag inte tänkt säga någonting alls om mina teorier, velat vänta tills jag hade bättre på fötterna och fått mera information från Stockholm. Men jag hade sett min chans. Det var ju ett utmärkt tillfälle att inför alla ta upp frågan vem som mördat Erik, att skrämma dem.

Ingen visste vad jag skulle säga till Sandhurst, ingen visste vad jag kunde känna till. För jag var övertygad om att Erik mördats och att mördaren stod här mitt ibland oss. I gruppen av svenskar i shorts och T-shirt på väg till en härlig dag med dykning, grillning och kallt, vitt vin i skuggan under vita solparasoller. Långt borta från låga moln och isiga vindar i ett vintrigt Stockholm. På ytan en ren idyll, som hämtad ur en broschyr från någon elegant turistanläggning.

Men det fanns mörka skuggor. En mördare stod här, leende och solbränd. Mitt utspel skulle förhoppningsvis röra om, skapa skräck. Skrämma till handling. Alldeles säkert skulle någon ta upp mordet med mig under dagen, fiska efter vad jag visste, avslöja sig själv utan att förstå det. För även om jag hade en klar idé om motivet så visste jag inte än vem som hållit i pistolen. Och jag hade en bestämd känsla av att det fanns en länk till Hans Bergstens död.

Till min förvåning var Sandhurst vänlig när vi gick in i hotellets stora lobby och satte oss i en lång, vit soffa under en palm. Jag hade nästan väntat mig att han skulle anhålla mig, men det gjorde han inte. Tvärtom.

– Jag har varit i kontakt med Stockholm, sa han. Med chefen för mordavdelningen eller vad det kan heta hos er. Jag fick uppgifterna via Interpol. En mr Asplund. Ni känner ju varandra?

– Vi har faktiskt samarbetat en hel del.

– Jag förstod det på honom. Er fästmö lär dessutom vara chef för nån avdelning i er säkerhetspolis. Och mr Asplund deklarerade utan att sväva på målet att vi kunde misstänka er för nästan vad som helst, men inte mord. Sandhurst skrattade. Ja, direkt så sa han väl inte, men ungefär. Och han till och med rekommenderade mig att lyssna på er. Att använda er i utredningen.

– Jag är inte så bra på fingeravtryck och förstoringsglas.

– Det var väl inte riktigt det han menade, men han ansåg att eftersom ni var en i den här gruppen av svenskar så visste ni säkert mer om dom än vad vi kan få fram vid våra förhör. Om det nu skulle vara så att nån av dom är inblandad. Det vet vi ju faktiskt inte än och hittills pekar allt på nån lokal förmåga.

– Det är så vi brukar jobba ihop. Calle Asplund skickar in mig som nån sorts trojansk häst bakom fiendens murar. Sen tar han äran åt sig när jag avslöjar skurkarna. Nu skämtar jag förstås, men jag kan ju röra mig litet friare än en vanlig polis. Särskilt nu bland svenskarna.

– Precis. Förstå mig rätt bara. Jag ber er inte bli vare sig angivare eller spion, men jag är tacksam om ni håller ögon och öron öppna.

– Det har jag redan gjort. Och det finns en hel del intressant att berätta. Om spelkasinon i Karibien, om illegal teknologihandel och annat. Men det kanske kan vänta tills vi är tillbaka?

– Inga problem. Kontakta mig imorgon. Han räckte mig sitt kort med telefonnummer. Ha en bra dag, men var försiktig. Fast det kanske inte var så klokt att tala om att ni vet vad som låg bakom mr Fridlunds död. Är det nånting ni kan berätta för mig?

– Inte än. Det fattas några bitar. Men snart.

– En sak bara.

– Ja?

– Det var nånting mr Asplund sa som jag inte förstod riktigt. Han ville att jag skulle hälsa till er och säga att om ni ville kunde han skicka Cléo. Är det nån av hans medarbetare?

– Nej, men min. En vacker dam med blå svans. Siamesiska.

Och så gick jag. Allt skulle han inte få serverat på silverfat. Någonting kunde han fundera över tills vi sågs igen. Fantastiska Calle förresten. Underbara Calle! Det var första gången jag tänkte på honom i de termerna, men han förtjänade det. Hade han varit här skulle han till och med fått röka sin fruktansvärda pipa utan att jag hade opponerat mig. Den som avger ett vargult moln av stinkande rök när han tänder den.

Anders och Anna Palmer hade kört före tillsammans med Anne Baxter, Eriks sekreterare. Och jag satt bredvid Veda med Jacques på andra sidan gången i minibussen. Anne och Veda, ja. Lokala kvinnor hade Anders talat om. En kvinna på Mauritius som stått Erik nära. Svartsjuka och passion var klassiska motiv som inte kunde räknas bort. Hade han ratat någon och lämnat en kvinna som förblindad av hat skjutit ner honom? Eller fanns en man i bakgrunden, en sårad äkta man?

Bakom mig satt Annika och Jack medan Caroline, den rika och inte alltför sorgsna änkan, var ensam i sin stolsrad liksom Lennart Broman. Varken Jack eller Annika hade haft någon anledning att gråta vid Eriks grav. Och när det gällde Lennart undrade jag igen varför han berättat allt det där om Erik och om Hans Bergsten. Hade inte jurister någon sorts tystnadsplikt? Fick man avslöja så mycket om sina klienter som han gjort?

Lasse och Pernilla satt längst bak. Hon sov med huvudet mot hans axel. Lasse hade också affärer på Antigua, precis som Erik. Och samlade liksom han frimärken. Hade Lasse ekonomiska resurser att lägga sig till med ett Mauritiusmärke? Eller hade han hittat en genväg?

Det skulle bli intressant att se vem i vår lilla karavan den här soliga morgonen som skulle ta upp frågan, försöka få veta vad jag visste.

Sen fick jag inte glömma bilen framför oss, Anders Jaguar. Men jag hade svårt att se honom i rollen som mördare. Jag visste i och för sig ingenting om hans personliga relationer till Erik. Men så mycket hade jag förstått att Erik som hans högra hand betytt oerhört mycket på det professionella planet. Erik hade varit hjärnan bakom många av hans lyckade transaktioner och skulle bli oerhört svår att ersätta.

Anne Baxter visste jag ännu mindre om, men hennes sorg hade verkat äkta. Fast allt var möjligt. Hon kunde dölja mycket bakom den kyliga fasaden.

Anna Palmer visste jag heller inte riktigt var jag hade. Sval och på något vis oåtkomlig, påminde litet om Catherine Deneuve. Men det kanske var det skydd hon som skådespelerska satte upp mot omvärlden. Privat kanske hon visade helt andra sidor.

Sedan det där med Ryssland. Att det kunde finnas ryska intressen med i bilden. Erik hade ju nyligen varit i Moskva där mycket kapital var i omlopp. Fanns det någon substans i det eller i Anders Högmans påståenden om att maffian kunde haft ett finger med i spelet när det gällde Eriks intressen i spelbranschen? I så fall komplicerades bilden av både ryska och amerikanska maffian. Och det vore väl att ta till, också för min konstruktiva fantasi.

Nu kanske jag hade rört om i ett bålgetingsbo med mina ord om att jag visste, utan att veta vilka konsekvenser det skulle få. "O geting, var finns din udd." Jag log åt min travesti. "Död, var finns din udd", hette det väl. Förmodligen bibeln eller Shakespeare. Två säkra kort i citatbranschen. Om det inte var bondepraktikan. Fast där var väl språket inte så sofistikerat, det som formulerats i ett lika handfast som avlägset bondesamhälle där man drev svin i ollonskog och inte fick så ogräs i grannens åker.

–Intressant det där du sa nyss, sa Lasse utanför bussen som stannat vid en vit sandstrand där en blå lagun sköt in mellan palmerna. Det där om att du visste vem som sköt Erik. Berätta för oss.

Alla såg på mig där vi stod i den lilla gruppen. Några verkade nyfikna, andra avvaktande.

–Det kanske är att ta i, men jag har en teori.

–Berättade du det för Sandhurst? undrade Pernilla. Att nån av oss är en mördare. Hon skrattade, men det gjorde inte någon av de andra.

–Inte några detaljer och inga namn. Jag kanske är helt ute och seglar. Det är säkert en vanlig tjuv som var framme. En skrämd småtjuv som sköt i panik.

–Jag fattar inte vad du har med det att göra. Anders lät irriterad och jag förstod honom. Här hade han samlat sina vänner från hotellet för en trevlig utflykt i solen och jag kastade genast grus i maskineriet, störde hans partyritning. Köpmangatans elefant hade gått loss i porslinsbutiken igen. Klirr och kras.

–Johan har rätt. Lennart Broman nickade instämmande mot mig. Det där med småtjuv alltså. Vicekonsuln i Port Louis sa till mig att det var ett inbrott. Det är polisens linje.

–Jag tror det också, sa jag. Fast jag visste med mig att jag ljög. Men jag hade redan lagt tillräcklig sordin på stämningen. Jag behövde inte göra bålgetingarna ilsknare.

–Då så. Inga kandidater till elektriska stolen.

Anders skrattade och de andra verkade lättade. Solen sken, havet väntade. Iskall öl immade i kylboxarna och doften av brinnande träkol drev mot oss från det stora tältet mitt på stranden.

Jag lämnade tankarna på mord och mördare, följde ett stim av guldblänkande fiskar, hamnade mitt i det. De virvlade som stora, blanka snöflingor runt mitt ansikte, kom så nära mitt cyklopöga att jag såg rakt in i deras svarta, runda ögon. Stimmen var egentligen en sofistikerad överlevnadsmekanism.

Och ju större stim desto säkrare. För en rovfisk måste kunna attackera ett individuellt byte. En flimrande vägg av blänkande fiskar var nästan omöjlig att forcera.

Långsamt, tyngdlöst gled jag längs korallrevet. Stora, surrealistiska formationer i olika färger. Som i en drömvärld av Dali grenade korallansamlingarna ut sig, växlade form och skepnad.

Någonstans hade jag läst om korallernas fortplantning. Ett spektakulärt evenemang med poetiska dimensioner. En natt om året stiger samtidigt ägg och spermier upp mot havsytan där de beblandar sig, för att sedan långsamt, i ett stilla regn falla ner mot revet.

Några silvriga barracudor hade stannat upp på bara ett par meters håll. Respektfullt vek jag undan. Tänderna var rakbladsvassa och ett stim hade skalat mig på några minuter. Jag följde ett par zebrarandiga fiskar i svart och vitt. Kolliderade nästan med en stor havsabborre. Visligen höll jag avståndet till korallformationerna. I håligheterna kunde dödliga muränor lura.

Bottnen mörknade under mig, jag hade kommit ut på djupare vatten. Bäst att vända. Vi hade fått klara instruktioner av Anders att hålla oss i närheten av korallrevet, och jag hade en känsla av att jag gett mig litet för långt bort från båten och stranden.

Då såg jag den. En fantastisk fisk, kom så nära att jag hade kunnat ta på den. Vit nos, om det heter så på fiskar. Ett brunt band över ögonpartiet och ovanför ett tunnare i blått. Sedan följde en kraftigt gul rygg som gick över i parallella, klargula ränder med blått emellan. Som ett färgskimrande smycke simmade den lojt fram och jag följde fascinerad efter, kom ut på allt djupare vatten.

Plötsligt såg jag någonting mörkt som skymtade nedanför mig. Som en skugga först, blev sedan allt tydligare. En stor haj. Närmare och närmare, gled upp jämsides med mig. Jag såg de stora, uttryckslösa ögonen, den pansargrå kroppen. Den höga ryggfenan. Den vita buken blänkte i vattnet.

Jag frös till trots det varma vattnet, kände skräcken trycka runt i mina ådror. Och jag försökte intala mig att av flera hundra arter var det bara ett fåtal som anföll människor, den vita och några till. Tigerhaj. Fanns det inte någon som hette det? Enbart namnet skrämde.

Fast vad visste jag? Det här exemplaret som utan ansträngning gled runt mig i allt snävare cirklar kanske var ett undantag från regeln. Och jag hade inga illusioner. Attackerade han och sårade mig skulle blodlukten snabbt signalera till hajar i närheten. Jag skulle bli centrum i ett piskande, vitskummigt vattencrescendo som snart uppblandades med blod i hajarnas frenetiska kamp om bytet. Och jag tänkte på hajen Erik fått. De kalla, obarmhärtiga ögonen. De knivskarpa tänderna.

Jag vände och simmade tillbaka, paddlade med mina breda simfötter så snabbt jag kunde. Då skymtade en annan skugga ovanför mig. Någonting hade kommit mellan mig och solen. En annan haj? Den stora vita?

Jag vred på huvudet, skymtade otydligt en gestalt med blankt cyklopöga och stort, svart luftmunstycke som närmade sig. Ingen haj. Jag vinkade lättad, men kunde inte se vem det var. Då fick jag en hård knuff i ryggen, slangen till luftflaskan slets av och munstycket rycktes ur min mun. I ett regn av silvriga luftbubblor sjönk det mot botten. Någon slog armarna runt mig bakifrån, tyngde ner. Jag fick vatten i lungorna, greps av panik och kände hur jag sjönk ner i mörker och medvetslöshet.

Just innan jag slocknade såg jag i en sekundsnabb glimt PomPom för mig. Slaven som avrättats och gick igen om natten för att hämnas. Den vita gestalten i blixtarnas bländande sken. Och mindes vad Veda sagt. Såg man PomPom var det ett omen, ett ont förebud.

Kapitel XXXII

När jag vaknade kräktes jag vatten. Ett par kraftiga armar hade greppat mig under magen, skakade mig som när en hundvalp leker med en gammal sko. Archimedes höll mig om midjan, den blå mössan låg på durken och cigarren var borta men kändes i hans andedräkt och smaken i min mun. Hade han försökt mun mot mun-metoden?

Han var genomvåt. Avgaserna från dieselmotorerna luktade fränt. Försiktigt lade han ner mig på däck när han märkte att jag kvicknat till.

– Vad hände? Jag satte mig upp. Det sprängde i huvudet och värkte i bröstet. Var det vattnet jag fått i mig eller effekten av hans björnramar?

– Jag satt och vaktade med kikaren. Mr Högman hade gett mig instruktioner och det var ju en djävla tur. För jag såg hajfenor en bit bort längs revet och körde dit. Dom cirklade runt, runt som om dom hade fått korn på byte. Då syntes nånting mot botten och jag förstod att nåt hänt, satte ankare och dök ner. Och det var sista minuten. Blev ni attackerad av hajarna?

– Inte av några hajar.

Förvånat såg han på mig.

– Vad skulle det då ha varit?

– Nånting annat. Nånting farligare. Mer ville jag inte säga. Han skulle ändå inte förstå att Eriks mördare hade slagit till. Att jag skulle tystas.

– Säg ingenting till dom andra. Dom blir bara oroliga. Och tack för hjälpen. Du räddade faktiskt livet på mig.

Archimedes log brett.

– No problem. Ge mig en låda cigarrer så är vi kvitt.

– Det ska bli. Dom dyraste jag hittar.

Det var tydligen vad jag var värd. Mitt liv alltså. En låda cigarrer. Jag måste berätta det för Francine. Skulle hon hålla med Archimedes? Hade han sagt en kartong Bombay Sapphire åtminstone. Men jag skulle ge honom någonting mera substantiellt som tack. Dollarsedlar kunde inte vara fel.

Archimedes försvann ner under däck och kom tillbaka med ett glas.

– Här, och han räckte det till mig. Det är whisky. Skotsk. Bästa sorten från mr Högmans förråd. Det är vad ni behöver. Och nu kör jag tillbaka så ni kan gå iland. Jag tror inte ni har nån lust att fortsätta.

Han gick upp till styrpulpeten, ankarkättingen rasslade in i klyset och de kraftiga motorerna mullrade i ett potent dån. Så gled vi långsamt mot stranden genom det turkosblå vattnet.

Whiskyn brände som eld, men Archimedes hade haft rätt. Det var precis vad jag behövde. Och nu visste jag att mördaren fanns i kretsen som väntade vid grillen på stranden. Problemet var bara att jag inte sett vem det var nere i vattnet. Det stora cyklopögat med den svarta inramningen och luftmunstycket täckte effektivt ansiktet och dessutom hade han kommit bakifrån och över mig. Så jag fick vara på min vakt. Han skulle säkert slå till igen. Och den här gången effektivare. Han förresten? Att avlossa en pistol eller rycka bort en luftslang krävde inte någon fysisk styrka. Det kunde vem som helst göra, en kvinna lika lätt som en man.

Jag vadade iland. Vid det långa bordet under vita solparasoll satte jag mig. Sanden som bränt under fötterna ute i solen lyste nästan bländande vit, en svag bris kom in från havet och det rasslade torrt i palmernas kronor. Bara Veda fanns där och kökspersonalen.

– Är du redan tillbaka? Hon såg förvånat på mig. Vill du ha en kall öl?

– Tack gärna.

Hon hämtade en immig ölflaska och ett högt glas. Öppnade kapsylen med en blank ölöppnare. Det fräste till när locket släppte, vitt skum trängde upp och det porlade i glaset när hon hällde i.

– Var det inte roligt längre?

– Jag kom ner lite för djupt och fick ont i öronen. Men annars var det fantastiskt. Dyker du inte själv?

– Jag har också problem med mina öron, men jag snorklar ibland. Man behöver ju inte dyka med luftflaskor för att se fisk. Många finns alldeles under ytan. Och dom blir större under vattnet på nåt sätt. Jag vet inte om det är cyklopögat som förstorar.

– Det är inte omöjligt.

Här fanns åtminstone en som var oskyldig. Veda hade inte varit nere under vattnet. Hon kunde inte ha försökt döda mig därute nyss. Men varför skulle hon ha gjort det? Veda fanns inte seriöst på min lista annat än som hypotetisk "lokal" kvinna, någon som Erik kunde haft en relation till.

– Jag lovade Anders att hålla ett öga på kockarna. Och nu är det snart dags för lunch. Så om du ursäktar mig så går jag ut i köket. Hon log och gick tillbaka till grillen.

Jag drack av det kalla, friska ölet. Öl var faktiskt gott, uppfriskande. Ibland bättre än ljummet rödvin eller för kallt vitt vin. Åtminstone ute på stranden till Indiska oceanen när solen stod som högst på himlen. Dessutom blir jag bara sömnig av vin till lunch.

Här skulle jag sitta nu och iaktta dem när de kom. Försöka kontrollera vem som hade luftflaska och dykarutrustning och vem som bara kom med cyklopöga för snorkling på grunt vatten. Se noga på deras ansiktsuttryck, miner och ögon.

Skulle någon se förvånad ut över att jag satt här? Eller skuldmedveten? Skulle jag kunna höra på tonfallet vem som nyss hade försökt mörda mig? Eller skulle mördaren behålla samma kallblodighet som när Erik Fridlund sköts? Det krävdes i så fall mycket skådespelartalang.

Då ringde det i min gula bastkorg där jag hade ett par extra shorts och en torr T-shirt. Jag borde egentligen byta, tänkte jag när jag grävde fram den svarta mobiltelefonen. Det var inte bra att sitta i våta badbyxor.

Det måste vara Francine och jag tryckte in yes-knappen. Det var jag noggrann med, för ibland hände det att jag tryckte fel och samtalet retsamt försvann i tomma luften. Om det inte var Ellen och det hade hänt någonting i våningen eller affären. Eric Gustafson kanske. Någon ville köpa min gustavianska byrå i skyltfönstret.

Men som jag trott var det Francine. Och hon lät så nära som om hon ringt från President.

– Hej älskling. Är allt bra?

– Ja tack, sa jag och kände mig som mrs Lincoln i anekdoten efter mordet på hennes man presidenten på Ford's teater i Washington. "Bortsett från mordet mrs Lincoln, vad tyckte ni om pjäsen?"

– Jag har följt upp det här vi talade om förut. Som du förstår kan jag inte ge dig några detaljer på den här linjen, men det är ganska allvarligt.

– Hur menar du?

– Det gäller Erik. Vi har kollat med ekoroteln och finansinspektionen. Andra instanser också. Och en utländsk ambassad och en bokstavskombination. Du kan gissa vilken.

– Kanske, om du berättar mera.

– Låt mig säga att vi hittade ett spår som inte har med Karibien att göra utan nånting mycket större. Du har säkert sett det i massmedia den sista tiden.

– Spel?

– Det kan man säga, fast i helt annan skala. Och i en annan geografisk riktning än Antigua.

Så berättade hon. Jag lyssnade. Och en efter en började pusselbitarna falla på plats.

– Grattis, sa jag när hon slutat. Det blev bingo. Nånting mer om Hans Bergsten?

– Nej. Men vi fortsätter med alla namnen du nämnde. Jag kan hälsa från Cléo förresten.

– Mår hon bra?

– Utmärkt, men hon saknar dig.

– Det tror jag inte ett ögonblick på. Bara hon får sin strömming och en sardin ibland så struntar hon i mig. Hon är som alla kvinnor.

– Jag äter inte rå strömming.

– Du är undantaget, fast du gillar sardiner.

– Strömming eller sardin är väl egentligen ingen skillnad. Samma fisk nästan fast i andra kläder. Fast jag måste berätta en sak om Cléo...

Då bröts förbindelsen, men jag hade fått veta vad jag behövde. Och det jag hört styrkte mig i mina teorier. Nu gällde det bara att manövrera in mördaren i rätt bås så att fällan slog igen. Det skulle inte bli lätt.

Jag såg ut över havet. Den vita båten låg för ankar därute i lagunen. Archimedes halvlåg i en av fiskestolarna och såg ut över havet med kikaren för ögonen. Han var vår livvakt och hade redan gjort en insats. Att jag satt här med min kalla öl var hans förtjänst. Jag borde föreslå konsul Dupont i Port Louis att ge honom en medalj. "För berömliga gärningar." Men att rädda en enkel antikhandlare i Gamla stan från undervattensmördare kanske inte motiverade den sortens ärebetygelser.

Jag log för mig själv där jag satt i skuggan och drack mitt öl. Människan var egentligen en ganskas lustig uppfinning. Alldeles nyss hade jag inte bara hotats av en haj utan också nästan dränkts av en mördare. Och nu satt jag här och skrattade åt mig själv. Var det överlevnadsinstinkten eller kanske bara det kalla ölet? För på Mauritius fanns det ingen lättöl, inte mellan- eller folköl heller, alla dessa etiketter som byråkraterna uppfann hemma för att freda samvetet och visa prov på aktion och samhällsansvar. Det som hos oss kallas starköl är ju det normala ölet i de flesta civiliserade länder, det som man dricker till maten utan skuldkänslor eller tabun.

Då började de komma upp ur vattnet. Först Jacques. Lång, brunbränd och spänstig. Han log mot mig och vinkade. Bakom honom gick Anders. Satte sig på stranden och tog av sina långa simfenor och selen med luftflaskan.

En bit bort såg jag Lasse och Pernilla. Och där gick Lennart Broman med långa kliv i strandkanten. Caroline och Anna Palmer syntes inte till, men de var väl på väg. Vi hade alla fått runda klockor med stora visare för att hålla tiden och också för att veta hur länge luften skulle räcka i flaskorna på

284

ryggen. Det var livsviktig information. På långt håll såg jag Annika och Jack liksom Pernilla och Lasse. De hade tydligen kommit iland längre bort på stranden och hade redan tagit av utrustningen.

Då såg jag ett huvud dyka upp ett stycke ut i vattnet. Ett huvud med ett cyklopöga. Bakom dök ett till upp. Caroline och Anna. De kom närmare, reste sig ur vattnet och vadade iland. Båda hade luftflaskor i selarna på ryggen.

Anders samlade gruppen en bit bort där de lämnade sin utrustning och sedan kom de mot tältet och borden. Någon av dem var en mördare. Och någon av dem hade alldeles nyss försökt döda mig. Men jag kunde inte märka någonting ovanligt. Glada och skrattande satte de sig på stolarna längs bordet och ropade på kall öl. Som en skolklass på utflykt och där i det varma solskenet och med det glittriga, akvamarinblå havet som bakgrund kändes döden långt borta. Men jag visste bättre.

Kapitel XXXIII

Det var självservering som gällde. Den långe kocken med den vita, höga kockmössan log mot oss där han stod bakom grillen med en blank tång i handen. Där fanns stora, rosa räkor. Hjortfiléer och hela, små, grillade fiskar som påminde om sardiner. Kycklingbröst trängdes med stuvningar som jag inte kunde identifiera. I skålar bredvid fanns ris, pommes frites i långa, fingerstora bitar och såser av olika slag. Det doftade curry och andra kryddor som jag inte kände igen.

I en islåda på en pall bredvid trängdes ölflaskor med höghalsade vinbuteljer, allt utkört i hotellets skåpbil som stod i skuggan under palmerna en bit längre bort på stranden.

Jag valde kyckling med ris och curry, lade till några skedar räkstuvning med bananer och ingefära, allt med en svag överton av vitlök. Det var väl det jag föll för. Så greppade jag en ölflaska om halsen och drog mig tillbaka till bordet.

Jag satt mellan Anna och Annika. Mitt emot mig fanns Lennart Broman och Anders med Caroline i mitten. På ena kortänden satt Veda med Lasse och Pernilla och på den andra Jacques tillsammans med Anne Baxter. Annika och Jack hade trängt in sig på ytterkanterna. Det fanns ett bord till, men alla hade velat sitta tillsammans. Som alltid när Veda och Jacques var med talade vi engelska.

Var och en kunde vara en mördare. Jag såg mig om runt bordet. Och alla hade kunnat simma ut bakom mig, attackera mig bakifrån och slita loss luftslangen. Hade inte Archimedes kommit hade anfallet säkert fullföljts och jag hade hållits fast långt därnere under vattnet tills jag inte orkat längre, tills jag drunknat. En ny olycka hade drabbat hotell President. Men sådant hände, särskilt när det gällde oerfarna turister som simmade för långt ut och för djupt ner utan att ha tillräcklig erfarenhet av dykning. Skulle det också tystas ner i lokala massmedier? Skulle man slå vakt om turismen, den heliga kon? Eller skulle Anders Högman kritiseras för att han ordnat dykningar utan tillräcklig säkerhet och träning?

Alla hade kunnat göra det, alla utom Veda. Hon hade ju stannat kvar på stranden för att övervaka lunchen. Eller hade hon det? Hade hon verkligen funnits här hela tiden?

Det tog inte lång tid att simma ut till revet där jag dök. Men jag slog bort tanken. Den vackra, aristokratiska Veda dödade inte sina släktingar. Ja, så mycket släkt man kunde bli som delsbo och särbo. Fast vad visste jag om henne egentligen? Ingenting mer än att hon var trevlig, charmig och gift med Jacques. Om honom visste jag lika litet, inte mer än vad Francine berättat och det jag sett under dagarna på Mauritius.

En mördare måste inte nödvändigtvis se ut som Frankensteins monster eller Hannibal Lecter, filmens människoätare. Särskilt inte om det gällde passion, svartsjuka och oöverlagda handlingar i stundens hetta. Det kunde drabba vem som helst. En insikt, en plötslig kunskap som slår ut alla rationella system i hjärnan, blockerar och tar sig okontrollerade uttryck.

Fast Veda var inte ensam vid bordet när det gällde kvinnor med anknytning till ön. Bredvid Jacques satt Anne Baxter, Eriks unga sekreterare och den ende som egentligen visat någon sorg över hans död. Hade han dumpat henne, hittat någon annan eller fanns det en man i bakgrunden, en svartsjuk man?

Då kom Archimedes fram till bordet med en tallrik i ena handen och ett glas öl i den andra. Nere på stranden bakom honom låg jollen uppdragen.

– Slå dig ner, sa Anders och gjorde en inbjudande gest mot bordsänden. Det finns plats för dig också. Du har väl ankrat henne ordentligt bara?

Archimedes log under den blå basebollkepsen.

– Sure thing, mr Högman. Hon ligger säkert. Så såg han på mig.

– Roligt att se att ni mår bra, mr Homan.

– Skulle han inte det? Anders lät undrande.

– Jo, men han höll faktiskt på att drunkna för en liten stund sen. Det var min whisky som fick liv i honom. Och mun mot mun-metoden. Jag måste ha en djävligt stark andedräkt. Kan uppväcka döda. Archimedes skrattade och satte sig på en ledig stol.

– Höll du på att drunkna? Veda såg förvånat på mig. Det berättade du inte.

– Archimedes räddade faktiskt livet på mig. Inte hans whisky, fast den hjälpte till.

– Berätta!

– Drunkna är väl fel ord. Dränkas är bättre. Det var faktiskt nån som försökte dränka mig därute vid revet.

Det blev tyst runt bordet, alla såg på mig. En mås skrek högt ovanför våra huvuden, från skåpbilen uppe i palmernas skugga kom musik i vinden från en transistorradio.

– Nu förstår jag inte, sa Annika. Menar du att nån försökte döda dig?

– Precis. Kom bakifrån, tryckte ner mig och slet av luftslangen. Jag märkte inte först att någon kom simmande, jag var alldeles för upptagen av en haj som cirklade runt mig. Hade inte Archimedes kommit så hade jag legat på botten nu. Eller dragits ut med strömmarna och aldrig hittats.

Det var egentligen först då, när jag verbaliserade mina upplevelser, som jag insåg vad jag varit utsatt för, att jag just hållit på att dö. På något sätt hade jag förträngt det, varit för upptagen med att försöka lista ut vem som attackerat, men nu kom chocken. Jag kände mig yr och drack mer av det kalla ölet. Fast Archimedes whisky hade varit bättre.

– Det är ingenting du inbillar dig? sa Lennart. Slangen kan ha lossnat och du fick en chock. Eller den där hajen du talade om kanske kom för nära, och anföll dig i ryggen? Skrämdes bort när Archimedes kom med båten?

Det var värst vad du fick ihop det snabbt, tänkte jag och

såg på honom. Var det någonting han tänkt ut på förhand? Det stämde litet för bra. Hajen anfaller, skräms bort. Jag får en chock och inbillar mig att en mördare varit efter mig.

– Det verkar förnuftigt, sa Lasse. Det kan ju inte ha gått till på nåt annat sätt.

– Jag såg hajfenorna, sa Archimedes bekräftande. Det var därför jag körde dit och såg mr Homan på botten.

– Självklart, höll Jack med. Det var det som hände. För du kan ju inte mena att nån här runt bordet försökte döda dig?

Nu blev det tyst igen, alldeles tyst. Inte ens bilradion hördes.

– Jag är inte säker på det.

– På vad? Frågande såg Anna Palmer på mig.

– På att inte någon försökte mörda mig.

– Jag förstår om du fick en chock, sa Anders lugnande. Men nu får vi inte överdriva det här. Du fick en smäll av den där hajen. Luftflaskan kanske gled fram och slog dig i huvudet när han kom för nära ryggen. Han var säkert bara nyfiken. Det finns inga människoätande hajar här vid revet. Och sen inbillar du dig en massa, är uppskärrad efter vad som hände Erik och Hans. Skål på dig. Välkommen tillbaka till livet.

Alla skrattade, såg lättade ut. Anders hade desarmerat den flytande minan som hotat explodera. Men så lätt skulle de inte komma undan.

– Fast hajar kommer underifrån, sa Archimedes. Underifrån och upp. När dom ser en surfingbräda uppe på ytan så sticker dom dit och tror att det är en delfin eller nåt annat byte. Då klipper dom till underifrån.

– Den här hade kanske udda böjelser, sköt Jack in. Gillade att komma bakifrån.

– Tala för dig själv du, sa Annika torrt och skrattet var tillbaka igen.

Då kom kocken med ett stort silverfat med smakprov från grillen. Med sin stora tång portionerade han ut vad vi ville ha. Den här gången prövade jag de stora räkorna i den starka såsen med röd peppar, tomater, ananas och senap. Till det hämtade jag ännu en öl från frysboxen där isen höll på att smälta.

När jag kom tillbaka till bordet ringde en mobiltelefon. En hög, enerverande signal. Alla såg sig om. Gång på gång ringde det.

– Det är inte min, sa Caroline.

– Inte min heller. Den spelar Mozart. Pernilla skrattade. Det låter lite mer civiliserat.

Men jag kände igen signalen. Den kom från min bastkorg som stod på det andra bordet. Jag gick dit. Igen var det Francine.

Jag lyssnade, nickade för mig själv. Det var exakt det här jag behövde.

– Ursäkta mig, men det var Stockholm. Och jag satte mig vid mina jätteräkor.

– Var det Francine? undrade Veda. Ingenting obehagligt hoppas jag? När det ringer, särskilt sent på kvällen, så blir jag alltid orolig. Tänker alltid på olyckor och hemskheter. Det kan ju hända så mycket i trafiken eller när folk flyger och far.

– Det var ingenting farligt. Jag log mot henne. Inte för mig åtminstone. Det gällde IMF. Internationella valutafonden.

– Ringer dom till dig? Undrande såg Lennart Broman på mig, men jag märkte ett spår av oro i rösten, i ögonen. Och jag förstod varför.

– Det var Francine faktiskt. Jag hade frågat henne om en sak. För det var nånting jag hade sett på Eriks kontor, hos Anne när jag var där häromdan.

– Hos mig? Nu förstår jag inte? sa Anne Baxter.

– Ute i väntrummet låg the Economist. Och där fanns en intressant artikel som rörde IMF. Internationella valutafonden och Ryssland.

– Vad har du med det att göra, sa Lennart kort, nästan litet ovänligt.

– Ingenting i och för sig. Men det rörde Eriks död.

– Nu är jag faktiskt lost. Anders lät förvånad.

– Som ni vet så har industriländerna bland annat via IMF pumpat in jättebelopp i Ryssland för att hindra ekonomiskt och politiskt kaos. För att hålla den där kolossen på lerfötter under armarna och hindra anarki som kan slå mot resten av världen också.

–Det är väl lovvärt och bra, sa Jacques.

–Visst. Problemet är bara att mycket av pengarna verkar hamna i fel fickor. Det finns kriminella element som har kontakter i dom högsta kretsarna och för ut pengar, tvättar dom utomlands och bygger upp enorma konton i Schweiz och på andra håll. Och samtidigt åker den ryska ekonomin ner i utförsbacke. En cancersvulst i den ryska ekonomin. Och det är ju lite bisarrt att kommunistpartiet är det enda parti som tjänat pengar på sin egen undergång. Det är mer komplicerat än så förstås, men för att göra en sammanfattning.

–Det är riktigt, sa Annika. Miljarder dollar försvinner. För ett tag sen stod det i New York Times att FBI utredde misstankar om att femton miljarder dollar tvättats genom en bank i New York. Dom skulle ha kommit från ryska maffian och IMF. Inte direkt alltså, men från kapital som IMF satt in i Ryssland. Det har tagits upp på högsta diplomatiska nivå och utrikesministrarna skäller på varandra i Washington och Moskva.

–Enligt Economist och andra källor så är flera banker inblandade i skandalen. Och företag i Schweiz. Tvättar pengar alltså. En maffiabankir tog ut över två miljarder till en "kemtvätt" på Antigua. Jag såg på Lennart Broman. Han ryckte på axlarna. Var likgiltigheten spelad eller äkta?

–Korruption är väl en del av systemet, sa han likgiltigt, som om det inte angick honom. Det fanns ju redan på tsarernas tid och blev väl inte bättre under kommunismen och i det nuvarande systemet. Korruption som affärsidé är gammal tradition där borta.

–Det lär vara det. Men du kanske vet mera om det?

–Varför skulle jag det?

–Din byrå hade ju affärer med Manhattan and Bronx Bank.

–Ja, men det gäller Sverige. Inte Ryssland. Dessutom är alltihop under utredning. Det finns inga bevis för dina anklagelser.

–Det är inte mina. Det är tidningarnas. Men jag undrar om inte Erik var inblandad i den här härvan. Och att det var därför han måste dö.

Kapitel XXXIV

– Jag förstår inte riktigt vad du menar, sa Anders. Erik överraskade en inbrottstjuv som sköt ner honom. Och du påstår att ryska maffian skulle vara inblandad. Det är faktiskt ganska långt mellan Moskva och Port Louis.

– Erik var nyligen i Moskva. I New York också. Det var i och för sig ingenting konstigt. Han gör ju affärer över hela världen för din räkning. För sin egen också.

– Skulle han ha varit inblandad i den här penningtvätten?

– Det verkar så. Han kanske hade en egen liten tvättmaskin på sidan av? Det tyckte inte dom stora tvättinrättningarna om.

– Lämna det där bildspråket, sa Lasse bryskt. Tala klartext. Du påstår alltså att Erik mördades för att han gått i vägen för nån sorts maffia? När jag talade med den där polisen, Sandhurst heter han visst, så menade han att det var ett ganska enkelt fall. Åtminstone fick jag det intrycket. Att en tjuv som fått panik sköt och sprang med klocka och plånbok.

– Det verkade så. Och det var väl meningen också. Men jag började dra öronen åt mig när Lennart berättade alldeles för mycket om Erik. Verkade lägga upp en story som jag skulle köpa. Dessutom var det nån som sa att Lennart försvunnit mitt i filmen. Kom inte tillbaka förrän efter en stund.

Förvånat såg Lennart Broman på mig, som om han inte riktigt förstått vad jag sagt.

– Det finns nånting som heter the call of nature, sa han och log, som när en förstående vuxen talar med ett envist barn som fått något om bakfoten. Man dricker en massa mineralvatten i hettan. Och att försöka få dig att köpa en story som du säger hade jag väl ingen anledning att göra? Du är ju inte polis såvitt jag vet.

–Nej, men du visste att jag var god vän med Jacques som hade nära kontakt med Sandhurst och dessutom en tidning. Hade inflytande. Och att min… ja, att Francine också var polis.

–Det låter lite i tunnaste laget, sa Jack ironiskt. Du läser nånting i Economist. Lennart pratar om Erik och hokus pokus blir han en mördare. Det tror jag aldrig Sandhurst köper.

–Har jag aldrig sagt. Fast du pratade inte om penningtvätt. Jag såg på Lennart. Erik kände sig hotad, sa du. Och att din bank hade bett dig kolla honom på plats. Du antydde att han var inblandad i nånting "tveksamt". Dessutom drog du in Hans Bergsten i bilden. Där fanns också internationella förvecklingar med. Vapenexport. Förbjuden högteknologi med kärnvapenkrig i slutänden. Och jag har en känsla av att det låg bakom hans död. Det som skulle se ut som en olyckshändelse i trappan.

Lennart satt tyst, rörde inte en min och jag undrade vad han tänkte. Jag hade ju ärligt talat inte mycket på fötterna, hade släppt min bomb för att provocera och få en reaktion. Men den uteblev.

Istället log han mot mig igen, lugnt och avspänt, hällde upp mer öl ur den halvtomma flaskan bredvid sig.

–Om H C Andersen levat idag så hade han haft en värdig konkurrent i dig. Jag förstår inte var du får allt ifrån. Men om jag fattar dig rätt så skulle jag ha skjutit Erik av nåt obekant skäl och skyllt på nån kasinomaffia i Karibien. Och då var det förstås jag som försökte dränka dig ute vid revet nyss för att du inte skulle kunna avslöja mig. Är det så dina förvirrade tankar går?

–Nu tar du i. Man kan också säga att du haft fingrarna i Eriks syltburk hos New York-banken och att han skulle avslöja dig. Jag har just talat med Francine som har kollat en del saker med ekobrottsmyndigheten i Stockholm. Med andra instanser också.

–Jag fattar ingenting, sa Annika. Syltburkar och kärnvapen, kasinon på Antigua. Skärp dig, Johan. Sen det här att nån försökt dränka dig. Har du suttit för länge i solen?

–Det kan ju förstås finnas andra motiv också, helt andra. Jag såg på henne. Svartsjuka. Hämnd. Du kanske vet nånting om det? Eller Jack? Hur var det med det där hotellprojektet på Bali förresten? Där blev du blåst på så mycket pengar att du gjorde konkurs. Alla kakpengar försvann. Och du hade ett våldsamt gräl med Erik häromkvällen.

–Vad fan säger du, skrek Jack och reste sig från sin stol. För ett ögonblick blev jag rädd att han skulle flyga på mig. Så satte han sig igen, lugnare nu.

–För tio år sen körde Erik upp mig på pengar, det är riktigt. Men att jag skulle komma tillbaka efter alla dom här åren och skjuta ner honom på Mauritius är väl att ta i. Jag håller med Annika. Du har suttit för länge i solen.

–På tal om svartsjuka så finns det andra ledtrådar också. Jag såg mig runt bland dem. Erik hade en affär med en kvinna på ön. Hade han sågat henne, klarade hon inte av det? Eller fanns det en svartsjuk man med i bilden? Medvetet såg jag inte på Jacques utan lät mitt påstående sjunka ner.

Anders bröt tystnaden.

–Eriks död måste ha tagit dig hårt, fast jag förstår inte riktigt varför. Du kände ju honom inte. Eller gjorde du? Hade ni setts förut? Men varför låter du inte Sandhurst ta hand om det här? Det är möjligt att det kan finnas nån annan bakom hans död än en lokal tjuv, men det kommer fram i utredningen i så fall. Du kan ju inte bara sitta här och anklaga alla runt bordet för mord. Och sen mordförsök på dig själv. Ärligt talat verkar det lite överspänt och jag undrar om du inte skulle åka hem. Jacques och Veda tar säkert hand om dig.

Så lätt ska det inte gå, tänkte jag och såg på hans vänliga, bekymrade ansikte. Så lätt ska mördaren inte slippa undan. För han sitter här, mitt ibland oss. Eller hon.

–Det är möjligt att en och annan känner sig obehagligt berörd, men det gäller faktiskt överlagt mord. Två mord kanske. Och jag vet att en av er ligger bakom.

–Nu tycker jag det har gått för långt. Carolines röst var spänd, nästan hysterisk. Sluta upp med det här. Jag finner mig inte i att förolämpas, jag accepterar inte att du sitter här och anklagar oss för mord.

– Hade ni äktenskapsförord? sköt jag tillbaka, avlossade en bredsida. Och i häpenheten tappade hon fattningen, såg bara på mig, med stora, runda ögon. Ilskan nyss var som bortblåst.

– Nej, sa hon sedan. Lågt, så lågt att jag knappt hörde. Det hade vi inte.

– I så fall var du den som tjänade mest på hans död om man ska vara cynisk. Egentligen ville du inte vara gift med honom, ni bodde inte ens tillsammans, men pengarna stod i vägen för en skilsmässa, eller hur?

Caroline satt tyst, bara såg stumt på mig. Så började hon sakta gråta. Veda lade beskyddande sin arm runt henne.

– Varför följer du inte med oss hem, sa Jacques lågt. Anders har rätt. Solen är inte bra för dig. Och du fick en chock därute vid revet när hajen anföll. Ingen människa har försökt döda dig och ingen här har mördat Erik. Inte Hans Bergsten heller.

På något sätt verkade alla lättade, nickade förstående mot Jacques, såg deltagande på mig. Stackars Johan hade fått en blackout, han var inte riktigt tillräknelig, men det skulle väl gå över.

Jag såg på de vänliga, deltagande ansiktena. Snälla människor, hyggliga människor som fått sin semester förstörd av ett tragiskt dödsfall och ett brutalt mord. Det hade inte ingått i deras planer att förhöras av polischefen i Port Louis eller bli utsatta för mina rundpallar vid lunchbordet på den vita stranden. Och jag var glad att Francine inte var med. Då hade hon effektivt stoppat mig. Men en av dem var en mördare, en brutal och kallblodig mördare som måste avslöjas.

– Det var faktiskt inte någon haj. Det var en människa som attackerade mig.

– Okej, sa Lasse lugnande. Vi tror dig. Men om det nu var nån av oss så såg du väl vem det var? Du kan ju inte bara sitta här och kasta ur dig svepande anklagelser. Det innebär ju i så fall att du misstänker varenda en av oss.

– Jag hade ingen anledning att tro att jag skulle bli anfallen så jag såg inte efter så noga. Dessutom täckte det där stora cyklopögat ansiktet och han kom bakifrån och från ytan.

– Du såg väl om han hade baddräkt eller badbyxor i alla fall?

– Nej, han hade en T-shirt på sig mot solen. Sen fick jag en sån chock när luftslangen slets av och jag fick vatten i lungorna att jag slocknade helt enkelt. Men du kanske har nån idé? Var höll du själv till när du dök? Ute vid samma rev som jag?

– Vad menar du med det? Och nu var det vänliga deltagandet i rösten borta. Jag simmade med Pernilla eftersom hon är nybörjare och kom inte i närheten av dig. Och vad skulle jag ha för anledning att slita slangen av dig eller mörda Erik? För att inte tala om Hans Bergsten. Jag förstår inte varför du blandar in honom förresten? Han var ju full den där kvällen, han ramlade och trappan är svår nog när man är nykter, smal och brant som den är.

– Det är väl delade meningar om det, sa jag. Det finns dom som säger att han bara hade druckit vin, att han skulle ha ett viktigt möte senare på kvällen efter vår middag. Du också faktiskt. Och jag tror att det var därför han hade en förlovningsring i fickan.

– Gud så komplicerat, sa Pernilla och log.

Hennes replik lättade på spänningen, alla skrattade faktiskt. "Comic relief" kallas det i amerikanska såpor när man lägger in någonting skämtsamt avlappnande i en dramatisk scen.

– Ryssar och maffia och en förlovning mitt i alltihop. Säg bara inte att det var Erik han skulle förlova sig med. Nu för tiden går ju allting.

Men där hade hon passerat gränsen, allvaret var tillbaka runt bordet igen och Caroline såg ogillande på henne.

– Tala för dig själv, sa hon vasst. Erik var inte sån. Jag var faktiskt gift med honom. Och det finns flera här som vet att jag har rätt. Jag vet faktiskt mer än en del av er tror.

Hoppsan, tänkte jag. Det skulle vara intressant att veta vem hon menade. Annika förstås som hade skilt sig från Erik för tio år sen. Vem annars? Anna, Pernilla eller Veda? Anne Baxter kanske, den unga sekreteraren som varit så nerbruten vid minnesstunden i kapellet?

– Tala om det för mig. Nu lät Lasse aggressiv. Du svarade inte förut? Vad skulle jag haft för anledning att döda Erik och dig?

– Jag har aldrig sagt att du mördade Erik. Jag bara frågade var du dök nånstans när jag blev attackerad.

– Men du insinuerade, annars hade du aldrig frågat.

– Rent hypotetiskt så finns det en del som pekar åt ditt håll. Du hade exempelvis en klient med kasinointressen på Antigua. Och du skulle gå över lik för ett av dom bästa Mauritiusmärkena. Såna som Erik hade i sitt kassaskåp och visade dig.

– Nej, nu har du fan ta mig gått för långt. Lasse reste sig, lutade sig fram över bordet mot mig. Ölflaskan vid hans tallrik for omkull, besticken klirrade och föll ner i sanden, ölet rann ut över duken. Pernilla tog hans arm för att lugna honom.

– Jag skulle alltså mördat Erik? Skjuta ner honom för att stjäla hans djävla frimärken. Är du inte riktigt klok? Och är du så djävla dum att du tror att jag skulle tala om det för dig i så fall? Det där om att gå över lik?

– Jag har aldrig påstått det, sa jag avvärjande. Du frågade varför du var med i bilden och jag svarade. Jag håller med om att kopplingarna är hypotetiska och långsökta, men dom finns där.

– Om vi nu skulle ta och lugna ner oss allihop, sa Anders med ett tillkämpat leende. Vi har alla haft en traumatisk upplevelse med Eriks död och Hans olycka. Och Johan har blivit attackerad av en haj. Men vi kan med fullt förtroende lämna över alltihop till Sandhurst och hans folk. Dom är effektiva och duktiga. Och jag har förstått på honom att dom vet vem det var som sköt. Nån halvfigur i Port Louis som försökte sälja en Rolex häromdan. En Rolex i guld. Dom är numrerade så dom kollar med fabrikanten nu för att se om det går att få fram en ägare. Men det är förmodligen Eriks. Det finns inte så gott om den sortens klockor här på ön. Åtminstone inte i dom kvarteren i Port Louis. Han log. Nu tycker jag vi ska njuta av maten och solen. Och jag har en överraskning åt er. Jag har med litet reservproviant.

Det sa Sandhurst ingenting om, tänkte jag. Men han kanske ville låta mig löpa linan ut? Se om jag kom fram till någonting intressantare.

Anders vinkade till den långe kocken, gav honom en snabb instruktion innan denne försvann upp mot den parkerade hotellbilen. Efter en stund kom han tillbaka med en stor, blå isbox som han satte på bordet framför Anders.

Han öppnade locket och tog upp tre champagneflaskor. Det klirrade bland isbitarna, vattnet rann nerför de blänkande sidorna och jag såg på etiketten. Veuve Cliquot, Gula änkan. Lasse började applådera, de andra följde efter. Den dystra stämningen var bruten.

Som på en charterresa, tänkte jag. När man landar applåderar alla innan man åker till grisfesten. Här var det ingen landning annat än av kall champagne och en exklusiv strandlunch fick ersätta grisfest och sangria.

Ett lustigt sammanträffande förresten. Ja, lustigt och lustigt. Men han bjöd på Veuve Cliquot. Här fanns ju en änka, Caroline, även om hon inte verkade särskilt sorgsen. Och en före detta änka om man så ville. Annika. Sen kanske det fanns andra som mera inofficiellt kände sig som änkor. Hans hade ju också dött. Han hade ju till och med haft en förlovningsring i fickan.

Men det var spekulationer och teorier som försvann i min hjärnas utmarker lika snabbt som de kom. Någon måtta fick det vara på mina utsvävningar.

Och Anders hade nått sitt syfte, att bryta den dåliga stämningen. Hade han förutsett vad som kunde hända vid lunchen på stranden, eller hade han alltid med sig "reservproviant"? Jag skulle komma ihåg det. Alltid ha en flaska champagne på lut i kylen, för man visste ju aldrig vad livet kunde ha i beredskap. Vilka totalt oväntade överraskningar som plötsligt kunde drabba.

Och sällan hade jag blivit så sannspådd som den där dagen vid Indiska oceanen, det där om att drabbas av oväntade överraskningar. För Anna Palmer reste sig plötsligt, såg ut över bordet. Efter en stund tystnade samtalet, alla såg på henne. Och just som Anders öppnade den första flaskan med en smäll från korken som flög ut över sanden så började hon tala. Såg stadigt på oss.

– Det var jag som dödade honom. Alltihop var mitt fel.

Kapitel XXXV

Vi satt på Restaurangen. Ja, den heter faktiskt så. Restaurangen på Oxtorgsgatan uppe på det som är kvar av Brunkebergsåsen. Restaurangen. Enkelt och lättfattligt. Det är menyn också. Lättfattlig. För man har ett intressant koncept när det gäller maten. Och det var det Francine fallit för när hon tyckt att vi skulle äta middag där, samma dag jag kom tillbaka från Mauritius.

På tillbakavägen kom jag med Air Mauritius via Paris och SAS, var ganska mosig efter en natt i halvdvala. Tyvärr hade ju taxfreeglädjen, långrandiga flygresors ljuspunkt, försvunnit efter känslolösa Brysselbyråkraters ingripande. Istället för champagne och Bombay Sapphire i plastpåse från Charles de Gaulle hade jag med mig lagligt inköpt rom från Mauritius. "Old Mill Rum." På etiketten körde en oxdragen vagn lastad med höga sockerrör fram till en sockerrörskvarn som drevs av ett stort vattenhjul. Där slog jag två flugor i en smäll. Både ett stöd till den lokala sockerindustrin och en souvenir från Mauritius historia.

En låda cigarrer hade jag också fått med mig, fast inte från Mauritius. Från Havanna kom de. Enligt locket från tobakssorter utvalda av markisen Rafael Gonzales, Grand av Spanien. Fidel Castro tolererade tydligen den gamla, förrevolutionära aristokratin eller också hade han inte observerat noteringen på cigarrlådan. Fidel kanske rökte bättre sorter, som Cohiba? Fast han hade visst slutat nu hade jag läst.

Den gode markisen skulle snart hedra min enkla boning vid Köpmantorget med sin närvaro i form av ett gråblått, väl-

300

doftande moln tillsammans med den klara, söta rommen. Men den skulle jag inte dricka ren utan blanda upp med någonting. Recept hade jag med mig från baren på President. "Creole Cooler" kanske. Eller "Blue Shark" på rom, blå Curaçao, litchijuice och lemonjuice. Eller varför inte en vanlig, hederlig Daiquiri.

– Du måste berätta allt, sa Francine där hon satt mitt emot mig på den trendiga Restaurangen. Vi hade just träffats på gatan utanför. Francine kom direkt från Bromma efter en Malmöresa med statsministern och jag hade legat hemma och sovit större delen av dagen. Nattflygningar är inte någon höjdare.

– Var inte så nöjeslysten. Vi beställer först så vi har det gjort. Förklara matsedeln för mig bara. Jag som är från landet fattar ingenting.

– Jag vet att du inte har så lätt för dig, men det här är en alldeles ny idé. Du kan välja två sorters middagar. Båda har standardpris för att förenkla. En med tre rätter och en med fem. Sen ser du här till vänster en lista med 15 maträtter med siffror framför. Du cirklar tre eller fem nummer med pennan. Och på höger sida finns lika många viner. Alla kostar lika mycket. Då markerar du vilket du vill ha.

Jag såg på matsedeln. Den började med TOMAT, gul gazpacho och friterad torsk och slutade med CHILI, vårrulle, mynta, isberg.

– Det som står först indikerar smaken, förklarade Francine. Här finns exempelvis lammburgare. Före står VITLÖK. Före nästa, anklevern, står det PEPPAR. Du väljer alltså mellan olika kryddningar och smaksensationer och komponerar en egen smakupplevelse med tre eller fem rätter. Dom är ganska små, men jätteläckra.

– Jag förstår. Men det var enklare förr. Smör, ost och sill. Två vita och en brun. Pannbiff, La Paloma och notan. Servitriserna var stora och moderliga i vita sidenblusar och långa, svarta kjolar. Inte unga och fräscha som här.

Francine skrattade.

– Du är faktiskt född på den här sidan unionsupplösningen och första världskriget.

301

– Du har märkt det? Men det verkar ju festligt med den här menyn. Jag tror jag börjar med kantarelltartelett och sen den där quesadillan med getost och så lammburgarna med vitlök. Jag älskar vitlök.

– Då är det bäst jag tar vitlök också så att vi får sova inatt.

– Hade du tänkt sova? Det förstår jag inte.

– Är det ett löfte eller ett hot, älskling? Men du bara lovar. Hon log. Jag känner dig. Efter en sån här resa somnar du som en sten.

– Var inte för säker. Du kan bli överraskad.

Den unga servitrisen kom, vi lämnade över våra markerade matsedlar och tog le Bistro, ett hyggligt franskt bordsvin.

– Nu, sa Francine uppfordrande. Berätta! Jag dör annars.

Jag såg på henne. De stora, vakna ögonen så fulla av liv och värme. Munnen. Sensuell, vita tänder, diskret läppstift. Det långa håret som föll ner över ena kinden. I tjänsten brukade hon ha det uppsatt, men blev vackrare såhär, kvinnligare. Det var som om jag satt med Julia Roberts, och männen vid bordet runt såg diskret på henne. Kvinnorna också, men med ett annat uttryck i ögonen.

– Jag vet ungefär vad som hänt, fortsatte hon, men inga detaljer. Du försvann i telefonen.

– Mitt mobilbatteri sjunger på sista versen. Jag glömde faktiskt bort att byta innan vi reste.

– Du sa att hon erkände.

– Precis. Och det blev en fruktansvärd chock där vi satt på stranden.

Och jag berättade, utelämnade inte någonting i dramat under solen.

– Det var jag som dödade honom, sa Anna Palmer. Alltihop var mitt fel.

Allas ansikten var vända mot henne, alla satt tysta, som trodde de inte sina öron. Det enda som bröt tystnaden var en snabb motorbåt utanför korallrevet. Den nästan studsade fram och i en skumkaskad följde en vattenskidåkare. Ett vitt streck drog båten upp på den solglittrande lagunens yta innan den försvann bakom en udde. Diesellukt drev in med vinden. "Fortuna" gungade i svallvågorna.

– Han älskade mig, sa hon lågt. Och jag älskade honom. Men allting blev så fel.

Hon började sakta gråta, samlade sig sedan, rätade på ryggen. Såg på oss utan att se. Fortsatte sedan, som om hon talade för sig själv, inte var medveten om vår närvaro.

– Jag kan inte tiga längre. Det har varit en fruktansvärd tid. Vi hade alltså ett, ja… ett förhållande. Vi skulle gifta oss. Det var väl inte alldeles utsagt och klart, men allting växte åt det hållet. Jag älskade honom, trodde jag. Men jag insåg inte vad det var jag egentligen drogs till. Hans ställning. Makten, pengarna, men kanske framför allt tryggheten.

Så träffade jag honom, den andre. Man nästan hörde de ironiska citationstecknen kring ordet. Vi blev förälskade. Det var ju inte första gången i världshistorien det händer. Hon log ett snabbt, flyktigt leende. Och det är svårt att förklara, men han bara stormade in i mitt liv. Jag kunde inte värja mig.

Men jag insåg efter ett tag att det aldrig skulle fungera. Jag trodde att det bara var nånting emotionellt, som när en ung flicka blir förälskad, och jag bröt med honom. Han ville inte tro mig. Sa att jag hade fel, att jag misstog mig, inte förstod. Och han hade rätt. Fast jag insåg det för sent.

Anna Palmer tystnade. Jag såg på henne. Det klassiskt vackra ansiktet. De rena dragen. Det kändes mer som en dröm än verklighet. Som om jag såg en av Dramatens ledande stjärnor i en tragisk rolltolkning. Snart skulle hon sluta sin föreställning, snart skulle vi applådera och dricka Anders champagne. Men så var det ju inte.

Varför hade hon skjutit Erik? Var han mannen hon älskade eller den hon lämnade? Var han den som skulle gett henne trygghet eller den hon förälskat sig i, brutit med men för sent insett att hon gjort fel?

Anders reste sig, gick fram till henne.

– Sätt dig, sa han mjukt, tog henne om axlarna. Det här kanske inte är så lyckat. Vi åker hem nu.

Hon skakade av sig honom, nästan ovänligt.

– Det var därför han dog, fortsatte hon. Och jag kan inte leva med det längre. Jag måste berätta. Så tystnade hon, satte sig ner, drack frånvarande ur sitt champagneglas. Fortfarande som om hon inte riktigt var närvarande.

Mord och champagne, tänkte jag. Låter som en bättre deckare. Eller sämre, hur man nu ville se det. En riktigt hederlig, gammaldags pusseldeckare åt Agatha Christie-hållet. Men det var perfekta ingredienser i den sortens historier. Den vackra primadonnan, kärlek, champagne. Och så döden.

Passade Erik Fridlund in i den triangeln? Men det mesta pekade åt det trygga hållet, den trygghet och makt Anna sökt. Så där fick jag för mina teorier och gissningar. Det var varken spelkasinon på Antigua eller ryska maffians penningtvätt i New York som låg bakom. Inte frimärken från Mauritius heller. Det var en mycket farligare kraft om det gick fel. Kärlek och passion. En av grundvalarna i vår existens, vår genetiska uppgift som art i livet. Det som drev oss i blind instinkt.

Igen hade jag gjort bort mig. Med dunder och brak den här gången. Köpmangatans berömda elefant hade löpt amok i porslinsaffären på hotell President. Och jag tänkte på Lennart Broman, att jag mer eller mindre anklagat honom för mordet på Erik.

Jack hade fått sig en släng av samma slev när jag drog fram hans och Eriks affärer på Bali och Caroline hade heller inte sluppit undan mina grundlösa rallarsvingar. Samma sak med Lasse. Och så var alltihop så fel det kunde bli. Lennart Broman hade haft rätt när han jämförde mig med H C Andersen. Fast jämförelsen hade inte varit avsedd att smickra.

Jag skämdes och tänkte på att det i alla fall var tur i oturen att Francine hade rest till Stockholm och inte bevittnat mitt nederlag.

Veda gick deltagande fram till Anna, satte sig bredvid och höll om henne och strök henne lugnande över håret.

– Varför sköt du Erik? sa hon lågt. Det behövdes väl ändå inte. Det var så dumt, så dumt.

Förvånat såg Anna på henne, som om hon inte riktigt fattat.

– Erik? sa hon sedan. Nu förstår jag inte? Jag har inte skjutit Erik.

Kapitel XXXVI

Tystnaden varade bara några sekunder. Sedan talade alla på en gång. Anna hade börjat gråta, otröstligt. Veda vyssjade henne som ett barn, höll henne i famnen.

– Nu förstår jag inte ett djävla dugg, sa Lasse. Först hintar Johan att jag skulle ha mördat Erik, sen säger Anna att det var hon. Och nu har hon inte alls skjutit honom.

– Anna sa inga namn, protesterade Caroline.

– Men det måste ju vara Erik, sköt Lennart in. Det var ju han som blev skjuten.

– Det var en till som dog. Pernilla såg på mig. Glöm inte Hans Bergsten.

– Jo, men han blev ju inte mördad, sa Lennart. Han ramlade i trappan.

– Om han nu gjorde det, svarade hon. Han kanske fick hjälp.

Anna hade slutat gråta nu. Torkade tårarna med en av de stora hotellservetterna.

– Det var inte Erik jag menade, sa hon lågt. Det var Hans. Förstod ni inte det?

– Knuffade du ner honom? Lasse såg spänt på henne.

– Nej, men det var mitt fel. Om jag inte brutit med honom hade han aldrig kommit och då hade det aldrig hänt.

Förlovningsringen, tänkte jag. Nu vet vi vem som skulle haft den.

– Allting blev så fel, fortsatte hon. Men jag hade varit så nere, deprimerad. Tyckte att jag var slut som skådespelare, blev inte yngre. Och det finns nästan inga roller för äldre kvinnor. Man är ju äldre vid tjugofem. Om du inte blir en såpatant. Hon log blekt, blev snabbt allvarlig igen. Det var innan jag fick rollen som Hedda Gabler alltså.

Sen kritiken, intrigerna. Man skrivs upp ena dan, ner månaden därpå. Ska göra allting ena året och sen ingenting nästa. Antingen inne eller ute. Jag ville inte utsätta mig för det längre. Orkade inte. Kände att jag behövde en fast punkt, att nån bara tog hand om mig. Och det gjorde att jag valde fel. Precis som Hedda Gabler. Hon tog den som gav henne trygghet, men bara i yttre mening. Han som "ville få lov att försörja mig. Jag vet inte varför jag inte skulle ta emot det", citerade hon. Och jag hade också "dansat mig trött". Som Hedda. Fast jag insåg att Hans haft rätt hela tiden. Att det var honom jag älskade.

Jag tänkte på hennes reaktion på Anders party när Hans kommit fram till henne. Jag som trott att det var en påflugen beundrare som ville ha en autograf. Och på vad jag hört när jag ofrivilligt lyssnat vid balkongdörren. En man och en kvinna hade stått därute. Det måste ha varit Anna och Hans.

Men det var någonting som inte stämde. Hur kunde Hans ha kysst Annika samma kväll han omkom? Varför hade de stått i skuggan bakom palmerna på stranden efter middagen på den lilla restaurangen? Francine hade ju sett dem. Kunde han vara så oerhört förälskad i Anna att han reste efter henne till Mauritius på vinst och förlust med en förlovningsring i fickan för att sedan kasta sig i armarna på Annika? Det stämde inte. Eller var det för att trösta sig? För att på något sätt hämnas?

– Du sa att du hade hört några som grälat utanför din dörr den där kvällen Hans ramlade, sa jag. Var det han som bråkade med nån? Eller tvärtom?

Anna nickade.

– Jag vet vem det var. Jag tror det i alla fall. Men jag vill ingenting säga eftersom jag inte är säker.

– Var det Erik?

Anna svarade inte, såg ner i bordet.

– Jag tror inte vi ska fortsätta med det här längre, sa Anders. Anna har alldeles tydligt fått en chock av allt som har

306

hänt och det är nog lugnast att vi överlåter åt Sandhurst att ta hand om det. Mord är alldeles för allvarligt för att amatörer ska lägga sig i utredningen.

Han såg på mig och jag förstod vad han menade. Och det var ju inte särskilt svårt. Jag hade redan anklagat flera runt bordet och nu hade jag börjat fråga ut Anna också.

Då var vi tillbaka till "gå", tänkte jag. Och det jag kastat ur mig nyss gällde faktiskt än. Anna hade inte dödat Erik. Flera av de andra vid bordet kunde haft motiv att vilja se Erik död, åtminstone hypotetiskt och teoretiskt. Fast det var ingenting som höll inför åklagare och i en domstol. Där krävdes hårda fakta och solida bevis, inga lösa spekulationer av glada amatörer.

Men situationen var förändrad, ett nytt element hade kommit in i bilden som inte hade med pengar och internationella intriger och spekulationer att göra. Långt bort både från maffian och CIA. Kärlek. Anna som stått mellan två män. En som hon valt för sin framtids skull, som skulle ge henne trygghet och stabilitet i livet. Och så en annan som hon egentligen älskade, men inte insett detta förrän det var för sent.

Hade Erik varit den ekonomiska klippan i hennes tillvaro medan Hans var den hon älskade? Då hade det varit logiskt om Hans mördat Erik för att få undan honom. Men nu var det tvärtom. Hans hade dött innan Erik sköts. Var det Erik som grälat med Hans och knuffat honom så illa att han fallit och slagit ihjäl sig?

Jag såg för mig scenen ute i trapphuset. Sen kväll. Erik har varit hos Anna i hennes rum. När han går möter han Hans i trappan. Förstod varför han kommit. Ingen av dem är särskilt nykter. Hans hatar Erik, det ena ordet ger det andra. Erik knuffar honom i stridens hetta, kanske utan avsikt att skada. Anna gissar vad som hänt, men vill inte säga någonting. Hon vet ju inte i detalj vad som skedde ute i trapphallen. Och hon drivs kanske av någon sorts lojalitet mot Erik och hans minne. De skulle ju ha gift sig innan Hans komplicerade bilden.

Men det besvarade inte frågan om vem som skjutit Erik. Jag hade kört fast och ingen Cléo fanns som kunde puffa in mig på rätt spår. Jag undrade hur hon hade det förresten? Var hon hos Ellen fortfarande eller hade Francine tagit hand om henne?

Nej, Cléo var säkert kvar i elvan, Köpmangatan elva hos Ellen och Adam och Adam, hennes två gula, feta kanariefåglar som Cléo lystet bevakade. Hon brukade sitta blickstilla under den stora buren, bara svanstippen rörde sig, gå fram och tillbaka och se på de båda fåglarna som oroligt tittade tillbaka med sina pepparkornsögon. Men de var trygga, visste att odjuret därnere på mattan inte kunde komma åt dem.

Men Cléo var alltid hoppfull. Någon gång kanske Ellen skulle öppna dörren till buren. Någon gång kanske fåglarna skulle komma ut i rummet. Fast vad hon skulle göra med dem om hon fick fatt på någon av dem hade hon säkert inte någon aning om, bortklemad som hon var sedan generationers budoarvistelser. Så hon fick hålla sig till strömming i fortsättningen också. Det var åtminstone inte så mycket fjäder och dun på den sortens byte.

Strömming, ja. Plötsligt kom jag att tänka på någonting. En liten klocka ringde långt inne i hjärnbarken. Någonting om strömming och sardin. Som jag talat med Francine om. Som rörde Cléo. Att det var samma fisk fast i olika kläder. Det måste vara fel. Hon måste ha menat sill och strömming. Sardin var någonting annat. Men sillen bytte ju namn när den kom upp en bit i Östersjön, blev till strömming norr om Kalmar. Samma art och slag fast i skilda kläder. Bara olika namn.

Jag började tänka efter. På allt som hänt sedan jag kom till Mauritius. På vilka jag träffat och vem som sagt vad och gjort vad. Långsamt började ett mönster växa fram, en helhetsbild som visade en mördare, en dubbelmördare.

Jag såg på Francine mitt emot mig vid bordet. Hon lyssnade uppmärksamt, hade inte avbrutit mig en enda gång.

– Jag håller fortfarande på Lennart Broman, sa hon och avslutade sin ankleverpaté.

– Varför det?

– Han byggde ju upp ett case mot Erik. Varför skulle han annars berätta allt det där för dig. Och om Hans Bergsten som han påstod skulle vara inblandad i nån sorts illegal överföring av kärnvapenteknologi.

– Vad skulle han vinna med det?

– Han planterade allt det där för att rädda sitt eget skinn. Lennart var ju den där bankens kontaktman i Sverige när det gällde en del viktiga affärer. Annars gick dom väl genom nån vanlig bank. Och anta att han hade haft nånting för sig som amerikanarna kommit på utan att veta vem det gällde. Att han fått i uppdrag att vaska fram sanningen. Då målar han upp Erik till en nattsvart syndabock.

– Och sen?

– Enkelt. Han skjuter Erik och maskerar det till ett inbrott av en vanlig småtjuv som fått panik. Och han har planterat hela storyn hos dig eftersom han vet att vi är tillsammans. Sen serverar han sina uppdragsgivare en vattentät historia om att han kartlagt fallet och hittat den skyldige. Att det var Erik Fridlund som tyvärr just rånmördats, men att man inte borde gräva i det mera. Det skulle bli skandal eftersom Erik hade en sån ställning internationellt. Och det skulle drabba banken också. Inte vara bra för deras image. Det är ju amerikaner känsliga för.

– Och kärleken då?

– Du menar Anna.

– Ja.

– Det ena utesluter väl inte det andra. Erik hade hon tänkt gifta sig med utan att vara kär i honom för att fixa pensionen, för att nu förenkla. Francine log. Underskatta inte oss kvinnor.

– Det är väl därför du gillar mig. Jag kommer att försörja dig när du blir gammal och orkeslös.

– Precis, fast jag utnyttjar dig mera för att komma in i ditt internationella jetsetnätverk. Dela din livsstil med privat plan, hus på Bali och våning i New York. Men om du skärper dig nu så menar jag bara att Anna tydligen haft såna tankar när det gällde Erik och sen ångrat sig för Hans skull. Det behöver ju inte ha nånting med Eriks död att göra. Hon kan i vilket fall inte ha skjutit honom. Vad skulle hon vinna med det? Då hade hennes båda optioner försvunnit på en gång.

Hans som hon älskade var död. Och Erik som var hennes ekonomiska trygghet var också borta. Då skulle hon fått åka tomhänt hem och dessutom riskera livstid för mord.

– Bravo. Det får du en femma för. Fast det var helt fel.

– Men snyggt. Vad tar du till dessert?

– Chokladglass med passionsfrukt, sa jag.

– Det låter intressant. Det tar jag också. Då får man inte hjärtinfarkt.

– Inte?

– Nej. Choklad är jättenyttigt. Det är läkekonstens senaste uppfinning. Jag läste häromdan att det finns fyra gånger mera antioxidanter i choklad än i te. Mycket annat också som gör att du säkert blir hundra år om du lever på choklad.

– Och rödvin. Får jag sen en burk Viagra med på hemmet så blir det snurr på rollatorn. Jag kommer att ta hörnen på ett hjul.

– Skärpning, Johan. Berätta istället vad som hände sen.

– Jo, jag kom att tänka på det här med sill och sardin som vi ju pratade om. Men du menade strömming. Om Erik var strömming så visste jag vem sillen var. Den som mördade honom.

– Johan! Du är faktiskt inte sann. Menar du att Erik Fridlund mördades av en sill? Francine skrattade. Du är ta mig katten inte klok. Inte nånstans.

– Mycket klokare än du tror. För dom är utbytbara, sillen och strömmingen. Erik och mördaren. Och nu ska jag berätta varför.

Kapitel XXXVII

–Jag har gått igenom allt som hänt. Jag såg på Anders. Och jag har insett att jag hade alldeles fel, totalt fel.

–Så bra. Han smålog. Då kanske du kan be alla dina "mördare" här om ursäkt och sen låta Sandhurst ta över. Jag föreslår att vi drar ett streck över alla dom här pinsamheterna och dricker ur våra champagneglas. Det finns mer i isboxen. Både Anna och Johan behöver nog vila sig ett tag efter alla påfrestningar. Skål. Han höjde sitt glas. Men jag besvarade inte skålen.

–Det var du som sköt Erik.

–Jag? Vad menar du?

–Det jag säger. Du mördade Erik Fridlund

–Jag vet att det här har varit mycket för dig. Inte för att jag förstår varför du har involverat dig i alla dom här ledsamheterna, men det ursäktar faktiskt inte såna här påhopp. Är jag nummer tre eller fyra i ordningen som du just har anklagat? Varför skulle jag mörda Erik? Han var min högra hand och en av mina närmaste vänner. Vad skulle jag haft för glädje av det?

–Glädje vet jag inte, men det skulle rädda dig från att åka in.

–Hur då åka in?

–Fängelse. Och du hade förlorat hela ditt affärsimperium. Jag vet inte vilket som skulle varit värst för dig.

–Johan, kom det skarpt från Jacques. Vi har haft nog av ditt nonsens. Nu åker vi hem.

–Inte än. Jag är inte färdig.

–Inte för att jag kan mer om mord och mördare än jag läst i deckare, men jag vet åtminstone att det måste finnas ett motiv. Vad hade Erik gjort för att jag skulle vilja mörda honom? Anders lät hånfull. Hade han förskingrat, stulit mina pengar och suddat i bokföringen?

–Det intressanta är inte vad Erik gjort utan vad du haft för dig. Och vad Erik visste. Det var alldeles tydligt att han kände till för mycket för att det skulle vara behagligt för dig. Och han förstod att du misstänkte honom. Han kände sig hotad, var rädd.

–Dumheter. Vad skulle han vara rädd för?

–För dig. Erik hade upptäckt att du var inblandad i dom här valutatransfereringarna från Moskva till New York. Maffian förde över en del av pengarna från internationella valutafonden och dom måste ha kanaler som utåt sett var vattentäta. Du gjorde affärer över hela världen, i Ryssland också, så det kunde inte vara några problem. Det gick säkert att ordna genom några av dina bolag och kunde maskeras som normala transaktioner. Erik kom på det och ville inte bli indragen.

–Hur skulle han kunna bli det?

–Om du upptäcktes skulle han automatiskt bli meddragen i ditt fall. Han stod alldeles för nära för att inte bli misstänkt. Och dessutom hade han ju en egen verksamhet. Den hade effektivt stoppats. Det var där Lennart Broman och hans advokatbyrå i Stockholm kom in i bilden.

–Hurdå?

–Manhattan and Bronx Bank hade förstått att nånting var på gång och dom bad Lennart titta närmare på det.

–Det är riktigt, sa Lennart. Dom hade hört en del rykten och var oroliga för att bli indragna. För det rörde bolag med anknytning till Mauritius, till Ryssland också och Anders och banken hade ju affärsförbindelser med dom också via Stockholm. Och dom var livrädda när CIA började rota i det. Ville för liv och pina inte hamna i blåsväder. Men det var faktiskt inte jag som tog kontakt med Erik. Han kom till oss.

–Och vad sa Erik då? Spänt såg Anders på honom.

–Han var ganska vag. Sa att han hade kommit på nånting i

312

verksamheten som gjorde honom mycket orolig. Han kunde inte säga mer än att han snart skulle lägga fram bevis, men att det inte var klart än. Det fattades en del faktaunderlag och innan dess kunde han inte gå ut. Men han ville att jag skulle komma ner till Mauritius och hjälpa honom. Gå igenom underlag, bokföring och datorer. Och vi skulle ha börjat på morgonen efter filmen. Men då var han ju död.

– Det låter intressant. Anders lät sarkastisk, men också självsäker. Erik kontaktar dig med allmänna fraser om att han "kommit på" nånting utan att specificera. Och att han skulle ta fram bevisning. Då skjuts Erik av en inbrottstjuv. Det var ju otur för dig. Att inte tjuven kunnat vänta menar jag. För nu har du absolut ingenting att komma med.

Anders har rätt, tänkte jag. Vi kunde ingenting bevisa. Sandhurst och hans team skulle säkert inte komma fram till någon annan slutsats än det där med skjutglad tjuv. Och även om jag hade all respekt för polisens integritet, så trodde jag inte att man skulle lämna hypotesen om en panikslagen tjuv för att istället sätta dit en av öns mäktigaste finansmän. Dessutom hade säkert Anders trollat bort alla spår efter sina ryska valutaaffärer när han förstått att det började brännas.

Så han satt säker bakom sin skyddsmur av välbetalda jurister och effektiva direktörer. Det var för höga murar att bestiga för en antikhandlare i Gamla stan som bara kunde mönstra en katt till stöd. Och så Julia Roberts förstås, med svart bälte i karate. Problemet var bara att både hon och Cléo fanns långt på andra sidan jorden.

Men jag gav inte upp. Försökte mig på skott i mörkret, ett gammal trick, men som ibland betalade sig. Det där att kasta ur sig påståenden på måfå, som ibland gav utslag i måltavlan.

– Det var en sak jag tänkte på häromdan, fortsatte jag. Och det var att du antydde ganska öppet att Erik hade problem. Han skulle vara inblandad med maffian när det gällde internetkasinon. Och han hade problem på det personliga planet. Hemligheter och lönngångar. Du serverade faktiskt motiv för mordet på honom, liksom det där du sa om att det kunde finnas nån "lokal" kvinna. Skulle det vara för att ha fler kort i rockärmen om polisen inte skulle köpa inbrottsvarianten? Att du skulle kunna dra in nån obestämd amerikansk maffiagrupp med intressen i kasinon i Karibien?

Anders satt tyst, avvaktande.

– Jag vet inte om jag borde säga det här, sa han sedan. Inget ont om dom döda och tajmingen verkar kanske lite udda eftersom Johan direkt anklagar mig för att ha mördat Erik. Men det var faktiskt tvärtom.

– Hurdå tvärtom? Annika såg på honom.

– Att Erik var orolig och deprimerad den här tiden innan han dog berodde på att han hade gett sig ut på hal is ekonomiskt. Han hade tagit för stora risker i Japan, överexponerat sig och gått på saftiga smällar. Och jag hörde rykten om det här med ryssarna och valutafondens pengar. Så vad Erik tydligen hade gjort var att mota Olle i grind, stämt i bäcken istället för i ån.

– Du låter som bondepraktikan, sa jag. Vad menar du?

– Det fattar du väl. Erik var illa ute, visste att snaran drogs åt särskilt sen han förstått att banken bett Lennart titta närmare på verksamheten. Då drar han den där valsen som i och för sig är sann, men där han bytt ut huvudpersonerna, dom som dansade. Han beskyllde alltså mig för att ha gjort det han själv stod för.

– Hur skulle han klara det om han blev upptäckt? frågade Lennart.

– Enkelt. Erik hade full tillgång till alla koder, filer och nyckeltal i hela min verksamhet. Han kunde gått in och manipulerat dom data han behövde för att få det att peka på mig. Jag har inte kontrollerat systemet, men det skulle inte förvåna mig om man kan hitta både det ena och det andra som han lagt in. Jag kommer att finnas där som världens skurk. Anders log.

Han är skicklig, tänkte jag. Och kallblodig. Nu lägger han skulden på Erik och om det blir revision och genomgång av hans business så kan han skylla på att Erik varit framme. Så Anders hade rätt. Jag hade inte mycket att komma med, förutom sillen och strömmingen.

– Hans då? Var det du som knuffade honom? Var du svartsjuk? Hade Anna berättat för dig att det var Hans hon älska-

314

de och inte dina pengar?

Anders skakade på huvudet.

–Jag hade följt Anna hem efter middagen. Och när jag gick kom Hans uppför trappan. Han undrade var jag hade varit och blev oförskämd. Påstod att jag hade en relation med Anna. Jag bad honom dra åt helvete och gick. Men jag rörde honom inte. Dessutom var han full.

–Jag har hört en annan version. Att Hans bara drack vin den där kvällen. Och att han sa till nån att han var försiktig med glasen för han skulle ha nåt viktigt möte. Och han hade en förlovningsring i fickan. Visade han den för dig?

–Nej. Anders skakade på huvudet.

–Ljug inte, sa Anna trött och såg på honom. Jag stod i dörren när du gick. Såg hur Hans kom i trappan, hörde hur ni grälade. Du måste ha slagit till honom så att han ramlade.

–Såg du verkligen det?

–Nej, men du måste ha gjort det.

–Varför det om jag törs fråga?

–Därför att jag hade bett dig komma till mitt rum den där kvällen för att tala om för dig att det var slut mellan oss. Att det egentligen aldrig varit nånting känslomässigt från min sida. Inte seriöst i alla fall. Att jag insett det nu och att jag förstått att det var Hans jag älskade. Om han bara fått veta det. Hennes röst bröts.

Anders såg plågad ut och jag förstod honom. Att höra den kvinna han älskade berätta för alla vid bordet att hon brutit med honom, aldrig hade älskat honom. Älskade en annan. Och jag förstod hans reaktion ute i trapphallen. Annas svek och hatet mot Hans som förstört Anders relation till henne, allt byggdes upp till en våldsam reaktion hos en man som var van att få allt han pekade på.

–Anna sa ju själv att hon inte såg nånting. Så du har faktiskt inga bevis. Berätta gärna för Sandhurst allt du tror att du vet så får du se vad han säger. Bevis, kommer han att fråga efter. Vad såg ni, vad vet ni mer än teorier och lösa gissningar? Anna vill åt mig för att jag lämnade henne. Det var jag som gjorde det, inte hon. Jag hade tröttnat på henne.

Nu verkade Anders lugnare. Självsäkerheten var tillbaka.

Han insåg att han hade övertaget. Och hade Anna talat sanning? Eller hämnades hon på Anders? Var det som han sagt, att han lämnat henne istället för tvärtom?

Med sina resurser kunde han väl få vilken kvinna som helst och jag hade förstått från olika håll att ombytlighet var ett av hans kännetecken. Det var inte många kvinnor som hade hållit någon längre tid innan de fått mönstra av hans lyxkryssare. Varaktiga, känslomässiga relationer var inte något som låg för Anders Högman. Men jag släppte inte greppet.

– Och jag tänkte på en annan sak, fortsatte jag. När det gällde Hans Bergsten. Du var väldigt noga med att tala om att han druckit alldeles för mycket. Andra håller inte med. Sen ville du att Jacques skulle lägga locket på när det gällde tidningarna. Men inte bara dom. Polisen också.

Anders sa ingenting. Såg bara på mig. Så vände jag mig till Annika.

– Det är en sak jag inte förstår, sa jag. Varför kysste du Hans den där kvällen på restaurangen? Kvällen han dog.

Hon verkade förvånad.

– Vad menar du? Jag kysste väl aldrig honom? Varför skulle jag göra det?

– Jag vet inte, men Francine såg er. Ni stod i skuggan bakom några palmer, men hon kände igen din jacka. Svart och vit i zebrarandning. Det gick inte att ta fel.

– Det var jag, sa Anna. Det drog från havet och jag kände mig frusen. Så jag lånade den.

Annika nickade bekräftande.

– Nu minns jag. Anna fick låna den av mig.

Då ringde min mobiltelefon. Och signalen bröt den förtätade stämningen vid bordet där jag just anklagat en ledande finansmagnat för dubbelmord utan att ha särskilt mycket på fötterna mer än min intuition. För jag visste att jag hade rätt, kände det intensivt. Men hur långt skulle det räcka? Ett batteri av advokater skulle skära halsen av mig och stämma mig för ärekränkning på allt vad jag ägde och hade. Jag skulle få gå från gård och grund och vandra bort i solnedgången från Köpmangatan med en resväska i ena handen och Cléo på axeln.

Jag tog upp telefonen. Lyssnade, sköt då och då in några ord. Lade sedan ner den på bordet.

–Det var från Stockholm, sa jag och såg på Anders. Ekobrottsroteln. Dom har hittat bevisen mot dig. Amerikanarna är meddelade och förmodligen är dom redan på väg till Mauritius. Jag vet inte om CIA eller Pentagon kommer först, men om jag var som du skulle jag gå hem och packa.

Anders satt länge tyst, ingen sade någonting. Så ryckte han resignerat på axlarna, reste sig. Gick fram till Anna och kysste henne på pannan. Gick sedan långsamt ner mot stranden, ner till jollen som Archimedes dragit upp på den vita sanden. Ingen försökte hindra honom, alla satt kvar och såg efter honom.

Med långa, kraftfulla årtag rodde han ut till den vita båten därute, gick ombord och några minuter senare hördes ett mäktigt muller. Avgaser kom från aktern. Propellrarna piskade vattnet till vitt skum och i en vid båge stävade Anders Högman ut mot havet, ut på den oändliga Indiska oceanen. Och det var det sista vi skulle se av honom.

Jag tänkte på vad Jacques sagt om sjörövarhövdingen Robert Surcouf. Hur han liknat Anders vid honom. Djärv, hänsynslös, framgångsrik. Hade Anders tyckt sig stå över lagar och förordningar? Härskat över sitt eget liv utan hänsyn till andra. Tagit vad han velat. Och ingen hade fått stå i vägen. Var det en övermänniska med snedvriden självuppfattning som försvann till havs?

Kapitel XXXVIII

Pistolskottet brann av. Ridån gick långsamt ned. Publiken satt tyst, gripen. Så kom några spridda applåder, andra följde och snart dånade en applådåska mot den mörkröda tygfonden. Man reste sig, enstaka busvisslingar som väl inte var riktigt salongsfähiga under Dramatens förgyllda innertak stämde in, men här blev de en naturlig del av ovationerna som stegrades.

Så drogs ridån åt sidan i mitten och hon kom ut. Blek, med en stor bukett mörkröda rosor mot den vita, långa klänningen.

Jag såg på Anna Palmer. Hennes ansikte bar fortfarande spår av inlevelsen i rollen, som om hon ännu inte hunnit lämna den. Hur mycket av henne själv fanns i den? Fanns Anders Högmans och Hans Bergstens skuggor bakom hennes utspel där de förekom i pjäsen under andra namn? Mannen hon valt för tryggheten och mannen hon indirekt drivit i döden. Så log hon, gjorde en omfamnande gest ut mot salongen med buketten i ena handen och nu nådde jublet ännu högre decibelnivåer.

– Fantastiskt, nästan ropade Francine i mitt öra. Vilken fantastisk rollprestation.

Och jag höll med. Visserligen visste jag att Anna Palmer tillhörde "de stora" på svensk scen, men det var länge sedan jag sett henne annat än på film. Och det blir ju en helt annan sak när man upplever den fysiska närvaron på en teaterscen.

Vi gick hem till Köpmantorget efter pjäsen. I kylen väntade en lätt rätt som låter konstigare än den är. "Matjessilltårta." På något sätt verkar inte ordet hålla ihop. En tårta är vispgrädde och en stor röd marsipanros på mitten, inte salt sill. Men det är faktiskt gott och lättlagat. Och i frysen bidade en flaska Absolut vodka sin tid. En liten teatersupé som skulle bli precis lagom. Och sillen hade ju faktiskt bidragit till att avslöja en mördare. (För recept se s. 333.)

Långsamt gick vi över bron med Grand Hôtels upplysta fasad till vänster och riksdagshusets tunga kub borta till höger över det mörka vattnet. Träden runt solsångaren spretade svarta mot himlen och själv verkade han huka under kylan.

Strömmen var för stark för att någon is hade kunnat lägga sig. Råa steg vita fuktångor upp ur mörkret och bruset kom mäktigt, hördes trots trafiken när vattenmassorna från Mälaren vällde mot Östersjön i vikingaflottornas åldriga utfartsled.

Därframme höjde sig slottet, Tessins kungaborg, en syntes av den svenska stormaktstiden i tung barock. Av strategiska skäl låg slottet högt, omgivet av både stad och natur. Staden i söder, Strömmen och Saltsjön med vatten, holmar och skär i norr och öster. Som en magnifik manifestation av envåldskungarnas makt och härlighet av Guds nåde reste det sig på höjden där Birger Jarls stenkastal Tre Kronor en gång stod. Låset till Mälardalens rika inland där det som skulle bli Sverige växte fram.

– Det lyser i fönstren, sa Francine. Tror du kungen har middag?

– Det är inte omöjligt. Statsbesök kanske. En härlig föreställning förresten, tycker du inte det?

– Jo. Och det blev extra spännande eftersom vi träffade Anna på Mauritius. Det var ju verkligen en tragisk kärlekshistoria hon upplevde. Litet av Romeo och Julia.

– Jag håller med dig, sa jag. Hans talade ju om att det blev fel ibland. Om man var rätt vid fel tidpunkt. Och han dog innan hon hunnit berätta, innan han visste att Anna förstått att det var honom hon älskade, inte Anders. Att hon förväxlade ekonomisk trygghet med kärlek.

– Vad blev det av Anders Högman förresten?

– Ingen aning. Han bara tog båten och försvann. Och ing-

319

en av oss kom sig för med att stoppa honom. Kanske tog han sig ner till flygplatsen litet längre söderut längs kusten. Förmodligen dyker han upp förr eller senare. Och det lär inte gå någon nöd på honom. Han har ju bolag och tillgångar över hela världen.

– Och smarta advokater. Egentligen har vi ingenting på honom. Det går inte att bevisa att han knuffade Hans Bergsten så att han föll i trappan och omkom. Ingen såg det. Och så länge det inte finns ett vapen med fingeravtryck eller något vittne som sett honom i Eriks bungalow den där kvällen så blir det svårt att få en fällande dom.

– Det är nog riktigt, höll jag med. Fast han erkände ju indirekt genom att bara fara sin väg. Han sa ingenting, bara gick ner till jollen och rodde ut. Så startade han båten och försvann.

– Det är inte mycket att komma med inför rätta. Han behövde bara säga att han blev chockad när kvinnan han älskade inför alla förklarade att hon inte älskade honom, aldrig hade gjort det. Och han har ju ingen närvaroplikt på sitt kontor. Fast det finns ett kort till i leken. Archimedes.

– Tar du inte i nu. Vad har grekiska filosofer med Anders Högman att göra?

– Han anställer dom. Endast det bästa är gott nog. Nej allvarligt så är det killen som sköter Anders båt. Du kommer väl ihåg honom, han som hjälpte mig med svärdfisken?

– Javisstja. Han med cigarren.

– Precis. Och när jag talade med honom efteråt, frågade honom rakt ut så sa han att han sett hur Anders följt efter mig i vattnet men inte tänkt på det. Han försökte ju följa alla med sin kikare.

– Hur kunde han känna igen Anders? Alla hade väl cykloper?

– Ja, men Anders var den ende som hade röd T-shirt. En sån där som det stod "the President" på.

– Intressant, men i samma kategori som dina andra "bevis". Vem som helst hade kunnat haft en sån där dussintröja och sen slängt den. Och nekat.

– Men det här med dollartvätten från Ryssland till New

320

York? sa jag. IMF-pengarna. Kan han inte sättas dit för det?

–Jag har diskuterat det med kollegerna på ekoroteln och dom har nära kontakt med amerikanarna. Med ryssarna också. Och det hela var mycket smart upplagt. Ett lån från IMF på närmare fyra miljarder dollar kom aldrig ens till Ryssland utan gick till ett tjugotal banker via konton utomlands.

–Hade Anders intressen där?

–Förmodligen. Och några av dom bolag han kontrollerar är inblandade i olika transaktioner på den här kanten, men det är så skickligt gjort att det är omöjligt att bevisa nånting. Och han kan alltid skylla på att han inte var involverad. Huvudägaren i slutänden av såna där bolagskonglomerat kan ju inte förutsättas veta i detalj vad direktörerna och deras staber har för sig. För Anders satt ju på ett nät som spände över hela jorden. Men det var det Erik kommit på och kunde bevisa. Därför var han farlig och måste bort. Därför måste han dö. Och jag tror att Anders sköt honom alldeles innan filmen började. Att han smög till Eriks bungalow efter middagen.

Vi hade hunnit över bron nu, sneddade över Slottsbackens nedre del, upp mot Tessinska palatset där det lyste i fönstren. Hade Ulf Adelsohn och Lena också gäster?

–Lennart Broman då? Hade han ingenting med det där att göra? frågade Francine när vi vek in på Bollhusgränd. Gick över de rundade kullerstenarna i den trånga gränden som sett så mycket av Stockholms historia.

–Det verkar inte så. Jag talade med Sandhurst som varit i kontakt med den amerikanska banken och dom hade gett Lennart det där uppdraget han talade om. Att kolla om det fanns nåt misstänkt. Och det var faktiskt Erik som hade satt honom på spåret. Han var ju livrädd att själv bli indragen i nånting.

–Det var smart av Anders att skylla på honom, sa Francine. Erik var ju död och kunde inte försvara sig och med lite fifflande i datorer och bokföring kunde han säkert bevisa att Erik både förskingrat och gjort annat.

–Jag trodde faktiskt ett tag att Erik var inblandad. Lasse kanske också, din gamle föredetting. Det där med Antigua och spelkasinon till exempel. Och han hade sett Eriks frimärken. Fast det var ju fel. Också det där med Annika och Jack. Att jag trodde att det var Annika som Anders var förälskad i och inte Anna. Alla mina teorier blåste omkull som korthus. Så det var faktiskt Cléo och du som löste problemet.

– Man tackar. Särskilt för att du nämnde Cléo först.

– Men det är ju klart. Sillen blev strömming. Dom var utbytbara. Bara namnen skiljer. Och likadant med Anders och Erik. Också utbytbara när man tänkte efter. Anders var visserligen "större". Och rikare. Men dom kunde mycket väl ha spelat ombytta roller.

– Men du tog världens rövare, håll med om det. Francine skrattade.

– När du ringde och berättade att du hade hämtat Cléo hos Ellen? Jo, det kan man säga. För jag sa ju att det var från ekoroteln. Och att dom hade kommit på honom. Det blev spiken i hans likkista. Cléo ska få dubbel ranson. Både strömming och sill.

Nu hade vi kommit ner på Köpmantorget, Sankt Göran och draken avtecknade sig mot de upplysta husfasaderna bakom.

Helgonet höjde sitt svärd mot den bronsgröna draken. Prinsessan såg på sin räddare med klara ögon. Godheten segrade över ondskan. Som Köpmangatans Sankt Göran kände jag mig. Med det var inte ett bart huggande svärd som varit det vapen som fått min drake på knä. Det var en sill jag hållit i handen. Eller en strömming. Inte för att det spelade mig någon roll. Inte Cléo heller. Det var resultatet som räknades.

– Kom nu, sa Francine otåligt. Jag fryser.

Jag låste upp porten, vi gick in i värmen.

– Så nu vet du allt som hände på President.

– Spöket då? Den där slaven du såg om natten. Han som hängdes. Och kvinnan som spelade Chopin när någon skulle dö. Fick du nån klarhet i det?

– Jag har tänkt mycket på det, men jag kom fram till att det bara var inbillning. I drömmen hörde jag min pappa spela och PomPom var bara blixtarnas reflexer i mörka fönsterglas. Så det var ingenting att bry sig om. Nu går vi upp och äter kall matjessilltårta.

Men jag ljög medvetet. Jag hade hört musiken som kvinnan spelat när hennes älskade sköts i en duell, sköts med Jacques pistoler i etuiet. Och det var PomPom jag sett.

Jag hade talat med Veda innan jag åkte hem. Hon hade själv flera gånger upplevt det, men inte velat säga någonting. Hon hade talat om "gris-gris" igen, trolldomen, magin och häxkonsterna som kommit med de afrikanska slavarna och levde kvar i skymundan. Och jag mindes att Jacques sagt att hon var medial, såg och hörde utomsinnliga ting. Men det hade jag ju inte kunnat berätta för en kvinna med svart bälte i karate, en pistol i handväskan och ansvar för både kung och statsminister. I den världen existerade inte spöken eller övernaturliga fenomen. Där var hoten mycket mer reella.

–Du ska inte äta stark mat på kvällen om du vill slippa se spöken. Inte dricka Dry Martini heller efter sex. Men nu vet jag i alla fall allt om Anders och hur det gick med honom.

–Fast det finns ju en möjlighet till, sa jag och såg på henne i dunklet.

–Vad menar du?

–Jag tänker på Anders och det där du sa att han säkert kommer tillbaka.

–Ja?

–Han kan ju också ha gjort ett annat val. Efter alla år av trassliga relationer och ensamhet hade han till slut funnit en kvinna han kunde älska. Så sviker hon honom. Och han har uppnått allt i livet han kunnat stå efter. Makt, rikedom, inflytande. Egentligen fanns väl ingenting kvar att sträva efter. Och sen det yttersta sveket, förnedringen inför oss andra.

–Du menar…

–Han kanske ställde in autopiloten, satte sig i styrpulpeten med ett glas whisky i handen och seglade ut i solnedgången.

–För att aldrig komma tillbaka?

–För att aldrig komma tillbaka. Hela den här historien på Mauritius får mig att tänka på gamle Bellman. Och Oscar Wilde.

– Det var en udda kombination? Varför gör du det?

– För att jag tänker på döden. "Jorden är en sorglig ö, bäst man lever skall man dö."

– Det var Carl Michael.

– Just det.

– Wilde då?

– Conan Doyle, Sherlock Holmes pappa, var troende spiritist. Och han hade haft kontakt med Oscar Wilde efter hans död. Påstod han.

– Vad hade Oscar sagt?

– "Att vara död är det tristaste man kan tänka sig." Och det har han säkert rätt i.

Epilog

Några månader senare. London. Jag satt i den lilla restaurangen på Sotheby's, auktionshuset på New Bond Street. Lunchade på Sotheby's Café. Det ligger i anslutning till ingången, i det långa galleriet som leder in till visningslokalerna. Träpaneler under spegelfält med art déco-porträtt i silvriga ramar.

På den väggfasta, läderklädda soffan som gick längs väggen satt jag. Det kunde lika gärna vara en chick, fransk bistrô. Och man serverade bara franskt öl, förutom vin och det äldre paret vid bordet bredvid tog ett glas champagne.

Där ligger vi efter, tänkte jag och såg på dem. Hos oss är champagne flärd och synd, särskilt mitt på blanka dan. Det skall åtminstone vara 50-årskalas. Här är det bara ett vin bland alla andra.

Mitt i min hummersandwich surrade mobilen. Jag hade glömt att stänga av. Skuldmedvetet svarade jag. Hans Jensen, en kollega. Han hade bevakat ett par kinesiska krukor, Qianlong, från 1700-talet hos Nordéns. Fast de hade skenat iväg utom räckhåll för checkkredit. 70 000 var i häftigaste laget. Men så är det i min bransch. Ömsom vin och ömsom vatten.

Jag var i London för en klients räkning, en mycket förmögen industriman som samlar kartor. Det är en specialitet med egna referensramar och standard. Man kan samla efter länder eller på enskilda kartografer. En speciell period är ett annat kriterium eller efter vissa teman. Höjdpunkter är kartor med anknytning till Columbus och andra upptäcktsresanden, historiska och geografiska dokument av högsta dignitet. Och priserna därefter. En annan sida av myntet är naturligtvis också investeringen. Äldre kartor blir inte fler och konkurrensen ökar.

Men det är inte ett lätt samlarområde. Det gäller inte bara att hitta intressanta objekt. Man måste också vara säker på att de inte är kopior eller senare tryck och avdrag. Och konditionen är också viktig. Inga fläckar, revor eller andra defekter. Inte blekta eller fuktskadade. Ett av de vanligaste felen är skador på mitten av bladet. Stora kartor har ju ofta publicerats på två sidor i en kartbok. Då är det lätt att skador uppstår när man drar ut dem.

Själv kan jag inte mycket om det här området, men för mig är det ändå intressant eftersom en av mina avlägsna förfäder var en berömd kartograf i 1700-talets Nürnberg, Johan Sebastian Homann. Och jag har faktiskt en liten samling av hans kartor med anknytning till Sverige.

Nu hade Sotheby's en stor auktion av exklusiva kartor från 1400-talet och framåt. Det som särskilt intresserade mina uppdragsgivare var "The finest atlas produced in the history of maps" enligt katalogen. Den berömde kartografen Johannes Blaeus "Atlas maior", ett magnifikt verk i elva pergamentsinbundna band, tryckta 1662. Det var handkolorerade kartor, bilder och planscher från hela världen, bland annat från Tycho Brahes observatorium. Praktfullt. Och utropspriset var därefter. 120 000–140 000 pund, närmare tjugo miljoner kronor. Men pengar var inte min klients problem i livet och han hade inte velat lämna skriftligt bud eller ropa per telefon. Det kunde gå snett och eftersom han var förhindrad att komma själv hade han bett mig åka.

Kvällen innan hade jag inlett med en traditionell ritual, som alltid vid mina Londonbesök. Startat med en "Rose Petal" i den ombonade biblioteksbaren på Lansbury vid Hyde Park Corner. Det är alltså en vodka martini som smakar sommar. Hemligheten består i att lägga 10–15 rosenblad i en flaska vodka och låta den stå en vecka. Spetsa med litet torr vermouth, extra dry, och servera iskall med ett rosenblad på ytan som en näckros. Där drar faktiskt min "Bombay Sapphire" det kortaste strået.

Men jag använde inte tiden enbart till auktionen och drinkar. Kulturen hann få sitt också. Jag hade några timmar på mig innan auktionen skulle börja och tog en taxi efter lunchen till the Royal Academy och den stora van Dyck-utställningen. Jag kunde inte åka hem utan att ha sett den.

Det vimlade av människor på mästarens 400-åriga födelsedagshyllning. Man visade en magnifik samling i de stora salarna. Kontrasten kunde inte varit större mot den utställning jag sett där senast, "Sensation", den skandalomsusade ur Saatchis samling. Den med itusågade, inplastade kor, lemlästade människor och flugor som kryllade över köttslamsor och blodiga kohuvuden i jättestora plastakvarier.*

Här fanns istället furstar och kardinaler. Kungafamiljer. Väldiga porträtt av epokens världsliga och andliga härskare. Till häst och i majestätiska poser blickade de ut över menigheten. Det mästerliga stoffmåleriet fick siden, sammet och brokad att skimra och lysa.

Ansikten levde, ögon mötte oss över århundradens avstånd. Men mest tyckte jag om hans levande, mänskliga barnporträtt, ofta med en hund som gav ännu mera liv åt bilderna. En finstämd liten duk med två flickhuvuden, prinsessorna Elizabeth och Anne, kunde ha målats idag liksom hans självporträtt i tjugoårsåldern. Där poserade behagfullt en ung dandy, självmedveten, lätt arrogant. Hade en intelligent, lätt ironisk glimt i ögonen.

Fast många av de stora porträtten var en påminnelse om alltings förgänglighet. De pampiga gestalterna från ett tidigt 1600-tal var ofta anonyma, glömda där de tronade i all sin prakt och gick till eftervärlden med beteckningar som "Man i rustning" eller "Ädling". Berövade namn och ställning. Men de litet svulstiga, religiösa motiven tilltalade mig mindre.

Han hade en speciell rutin för sitt måleri. Modellen satt först någon timme när motivet och ansiktet skissades. Under tiden underhöll musikanter, sångare och clowner. Sedan målades kläderna separat, ibland av någon elev.

van Dyck hade gjort en märklig karriär under sitt bara

*Mårtenson: Det svarta guldet

40-åriga liv innan han dog på höjden av sin bana, känd och hyllad över hela Europa. Som elev till Rubens hade han börjat i Antwerpen, den rika handelsmetropolen, och slutade, rik och berömd som Sir Anthonis van Dyck i London. Karl I:s hovmålare.

Långsamt gick jag runt på utställningen, tog in de stora bilderna, stannade upp här och där. Fast som så ofta började en känsla av övermättnad att komma krypande. Det blev nästan för mycket van Dyck. Egentligen borde jag komma tillbaka, när jag smält alla intryck.

Jag stod bredvid två bastanta tyska damer med fasta grepp om sina handväskor när jag plötsligt kände mig iakttagen, att någon observerade mig. Jag såg mig om, men märkte inte någon bland besökarna som var intresserad av mig. Med museets hörlurar inpluggade i öronen stod de andäktigt lyssnande inför van Dycks mästerverk.

Men litet längre bort mot öppningen till nästa sal verkade någon ha hört tillräckligt. En man i regnrock och hatt försvann snabbt till nästa visningsrum, som om han haft bråttom.

Jag följde efter. Det var någonting egendomligt bekant över honom trots att jag bara såg ryggen och ansiktet delvis doldes av hatten. Men hans sätt att röra sig, gången. Hållningen. Allt sammantaget fick en klocka att ringa. Var hade jag sett honom förut?

Inte förrän han snabbt vände huvudet i profil såg jag vem det var. Fast det var ju omöjligt! Ett misstag, en egendomlig likhet. Han var ju död.

Mannen stannade upp, som om han resignerat, insett att jag känt igen honom.

Det kunde bara inte vara sant! Jag gick långsamt fram till honom. Kände en egendomlig matthet, som mellan dröm och vaka. Spänningen var så stark att människorna runt oss verkade ha försvunnit. Som stod vi ensamma i den stora salen med de tunga, guldinramade porträtten .

–Det är inget spöke du ser. Han log ett blekt leende.

–Men… Jag tystnade. Kunde inte fatta.

–Jag måste försvinna, visste för mycket. Dom hade fått

fatt på mig i slutänden annars. Man kan inte gömma sig och dom glömmer aldrig. Men nu är jag definitivt borta, gone. Död och begraven. Det tunna leendet var tillbaka.

– Vilka är "dom"?

– Jag har briefat CIA om allt jag vet. Alla kontakterna, alla namnen. Miljarder tvättade med förgreningar ända upp i högsta ledningen. Utrensningarna har redan börjat. Huvuden har rullat och bankkonton konfiskerats.

– Jag förstår fortfarande ingenting.

– Amerikanarna tog hand om allt det praktiska. Och mitt vittnesmål har dom spelat in på video. Men allt är mycket diskret. Det kan skaka om hela etablissemanget om det kommer fram. Ingen vill ha internationella förvecklingar och regeringskriser. Men blodflödet måste stoppas, pengarna alltså. Om ekonomin gick på knä blev det plats för extremister och nationalister. På sikt ett hot mot världsfreden.

– Du själv då?

– En lätt plastikoperation. Näsan. Ett nytt drag över ögonen. Ny identitet i Kalifornien. Gamla pengar på nya konton. Fruktansvärt opraktiskt, men om man betänker alternativet. KGB har resurser. Andra också. Jag är ju en förrädare.

– Hur vågar du gå hit?

– Ingen letar efter mig. Jag står inte längre på någon dödslista.

– Men jag finns ju. Och andra bland dina vänner och affärskontakter.

– Jag går nästan aldrig ut. I London försvinner man. Och van Dyck är ett undantag. Jag har alltid älskat honom. Sen hatt och mörka glasögon. Rock med uppslagen krage. En egendomlig likhet kan nån tycka som kände mig. Men så rycker dom på axlarna. Jag är ju död. Och på måndag gör jag operationen. Inga stora ingrepp, men tillräckligt.

– Varför berättar du allt det här för mig?

– För att du hade gått till polisen annars. Och jag ville förklara innan du rusade iväg, få dig att inse hur känsligt det är. Att det är så mycket större än du tror. Att det kan resultera i låsta positioner, offentliga anklagelser och återfall i det kalla kriget. Åtminstone i retoriken. Det vinner ingen på. För det är inga småhandlare det gäller. Jurij Skuratov som var riks-åklagare sågades av när han misstänkte korruption och började utreda alldeles för högt upp. Sen vill jag att nån ska veta utanför det internationella systemet. Om det skulle hända nånting.

– Som vaddå?

– Att nån skulle åtalas för mord exempelvis av nån övernitisk åklagare i Sverige som inte har en aning om vad som ligger bakom. Då kan en diskret information lösa problem innan dom uppstår Och du har ju en informell kanal rakt in i systemet. Jag tänker på Francine.

– Hur kan du vara säker på att jag ändå inte går till polisen?

– Ingen kommer att tro dig. Och CIA lägger effektivt locket på. Drar i alla diplomatiska trådar, för det är en grej på regeringsnivå som inte är begränsad till Sverige. Sen kommer du att leva farligt. Du vet alldeles för mycket.

– Jag förstår fortfarande inte varför hela den här maskeraden måste spelas upp?

– Ingen hade trott mig om jag sagt att jag varit oskyldig. Bevisningen kunde lätt manipuleras och jag kände hur snaran drogs åt, som det stod i gamla deckare förr. Och jag blev hotad. Jag skulle dö om nånting kom ut. Nej, nu måste jag diskret dra mig tillbaka. Det kan dyka upp flera "vänner". Erik Fridlund nickade mot mig och gick mot utgången.

– Vänta! Sandhurst och hans utredning? Mordet? Alla förhören?

– En del av spelet för att inte göra Anders Högman misstänksam. En ambulans, en kropp på en bår under ett lakan. Ett tillstökat rum. Aska i en begravningsurna. Ganska enkelt och Sandhurst var helt införstådd. Men dom hann ju aldrig slå till och ta Anders. Det fixade ju du nere på stranden hörde jag. Amerikanarna blev störtförbannade. Och på Mauritius avskrevs fallet. Man hittade ingen skyldig.

– Vad hände egentligen?

– Anders blev fartblind. Karusellen snurrade för fort. Och han hade åkt på ett par saftiga valutasmällar, spekulerat fel i Asien och satsat på fel IT-häst. Dom ryska miljarderna var en alldeles för frestande affärsidé. Och han hade dragit med sig mig i sitt fall trots att jag var oskyldig. Jag förstod på honom att han insåg att jag visste. Så det var en tidsfråga innan han och hans "kompanjoner" skulle slå till mot mig. Anders var fullkomligt hänsynslös, en övermänniska som levde i sin egen värld utan vanliga normer.

– Hur kom du på honom?

– Via Nauru!

– Nauru?

– Det är en liten ö i Stilla havet med mycket "flexibelt" banksystem. Bara förra året tvättade ryska maffian 70 miljarder dollar där. Och när Nauru dök upp i olika sammanhang så anade jag ugglor i mossen och började kolla i bokföringen.

– Men han behövde väl inte försvinna? Ingen kunde bevisa att han dödat Hans Bergsten. Och han visste ju att han inte mördat dig.

– Därför att han insåg att allt var slut, kört. Hela hans imperium borta. Och inget fängelse i världen hade kunnat skydda honom mot dom som blev blåsta på pengar.

Erik Fridlund försvann genom den breda öppningen in till nästa sal. En kvinna kom fram till honom. Mörkt hår. Smal. Stod med ryggen mot mig. Påminde om Anne Baxter, hans sekreterare. Men det fanns faktiskt gränser också för min fantasi. Så försvann de i mängden.

Vilken historia, tänkte jag och log för mig själv där jag stod i den stora salen. Från väggen såg Jesuitpatern Jean-Charles della Faille forskande på mig med mörka ögon i sin förgyllda ram. Jag tänkte på ordens grundare, Ignatius Loyola, på hans berömda ord om att ändamålen helgade medlen. Här stämde det verkligen.

Recept

Matjessilltårta à la Birgit.

1 förpackning matjessillfiléer
2 dl vispgrädde
2 dl crème fraîche
1/2 dl gräslök
1/2 tsk salt
2 kryddmått vitpeppar

Garnering: Rädisor

Beredning:
Vispa grädden och blanda i crème fraîchen. Tillsätt sillfiléerna, skurna i små tärningar tillsammans med klippt gräslök, salt och peppar. Klä en form, ca 20 cm i diameter, med aluminiumfolie och häll i smeten. Ställ den i frysen. Vid servering garnera med några hela och skivade rädisor. Ev. litet klippt gräslök.